DuMont's Krin

John Dickson Carr (1906–1977) wurde als Sohn schottischer Eltern in Uniontown, Pennsylvania, geboren. In seinen über 90 Romanen nimmt Carr die Tradition seiner Vorbilder Arthur Conan Doyle und G. K. Chesterton anspielungsreich auf. Der beleibte und biertrinkende Privatgelehrte Dr. Gideon Fell muß einen Vergleich mit den großen Detektiven dieser Autoren nicht scheuen. Von John Dickson Carr sind in der DuMont's Kriminal-Bibliothek bereits erschienen: »Der Tod im Hexenwinkel« (Band 1002), »Der Tote im Tower« (Band 1014), »Die schottische Selbstmord-Serie« (Band 1018), »Die Schädelburg« (Band 1027) und »Fünf tödliche Schachteln« (Band 1034).

Herausgegeben von Volker Neuhaus

John Dickson Carr **Der verschlossene Raum**

DuMont Buchverlag Köln

Die Deutsche Bibliothek – CIP-Einheitsaufnahme

Carr, John Dickson:
Der verschlossene Raum / John Dickson Carr.
[Aus dem Amerikan. von Hans Bangerter]. – Köln: DuMont, 1993
   (DuMont's Kriminal-Bibliothek; 1042)
   ISBN 3-7701-2359-X
NE: GT

Umschlagmotiv von Pellegrino Ritter
Aus dem Amerikanischen von Hans Bangerter

© 1935 by John Dickson Carr
© Hamish Hamilton Ltd.
© 1993 der deutschsprachigen Ausgabe by DuMont Buchverlag Köln
Alle deutschsprachigen Rechte vorbehalten
Editorische Betreuung: Petra Kruse
Die der Übersetzung zugrundeliegende englischsprachige Originalaus-
gabe erschien 1977 unter dem Titel »The Hollow Man« bei Remploy Li-
mited, London
Satz: Froitzheim Satzbetriebe, Bonn
Druck und buchbinderische Verarbeitung: Clausen & Bosse GmbH, Leck

Printed in Germany   ISBN 3-7701-2359-X

Inhalt

Erster Sarg

Das Geheimnis des Arbeitszimmers

PLAN DES OBEREN STOCKWERKS

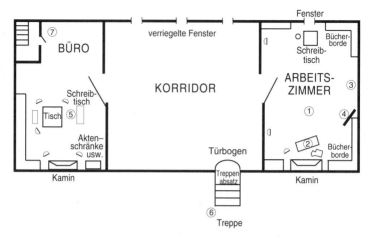

1. Wo man Grimauds Leiche fand.
2. Verrücktes Sofa, Sessel und Kaminvorleger.
3. Für das Bild freigeräumte Wandfläche.
4. Das Bild aufrecht gegen ein Bücherbord gelehnt.
5. Wo Mills saß.
6. Wo Madame Dumont stand.
7. Tür zur Treppe und zur Klapptür auf das Dach.

Kapitel 1

Die Drohung

Den Mord an Professor Grimaud sowie das nicht minder unglaubliche Verbrechen in der Cagliostro Street hätte man aus guten Gründen mit den bizarrsten Begriffen beschreiben mögen. Diejenigen unter Dr. Fells Anhängern, die eine Vorliebe für unmögliche Situationen hegen, werden in seiner Sammlung von Fällen kein Rätsel finden, welches verwirrender oder erschreckender gewesen wäre. Dies sind die Fakten: Zwei Morde wurden begangen, in einer Weise, die nur den Schluß zuließ, daß der Mörder nicht allein unsichtbar gewesen sein mußte, sondern auch leichter als Luft. Allem Anschein nach tötete diese Person ihr erstes Opfer, um daraufhin buchstäblich zu verschwinden. Und wieder allem Anschein nach ermordete sie das zweite Opfer mitten auf der Straße, an deren Enden sich mehrere Zeugen befanden, und doch wurde sie dabei von keiner Menschenseele bemerkt – und hinterließ keine einzige Spur im Schnee.

Superintendent Hadley glaubte natürlich keine Sekunde lang an Kobolde oder an Hexerei. Und er hatte ganz recht – es sei denn, man wollte an Magie glauben, welche allerdings in dieser Geschichte zur angemessenen Zeit auf natürliche Weise aufgeklärt wird.

Doch begannen sich einige der Beteiligten zu fragen, ob die Gestalt, die durch diesen Fall geisterte, nichts weiter war als eine leere Hülle. Sie begannen sich zu fragen, ob man unter der Kappe und dem schwarzen Umhang und der Kindermaske, nähme man sie fort, einfach ein Nichts zum Vorschein brächte, so wie bei jenem Mann in der berühmten Erzählung von Mr. H. G. Wells. Sie hatten es mit einer wahrhaft schauerlichen Erscheinung zu tun.

Die Worte »allem Anschein nach« sind weiter oben gefallen; nun müssen wir aber, was den Anschein betrifft, sehr vorsichtig sein, wenn es sich dabei nicht um den ersten Augenschein handelt. Und im vorliegenden Fall muß der Leser von vornherein darüber informiert sein, auf wessen Aussagen er sich absolut verlassen kann, um unnötige Verwirrung zu vermeiden. Mit anderen Worten: Es bedarf der Voraussetzung, daß jemand die Wahrheit sagt – andernfalls gibt es kein wirkliches Geheimnis und eigentlich auch gar keine Geschichte.

Deshalb muß festgehalten werden, daß Mr. Stuart Mills aus dem Hause von Professor Grimaud nicht log, nichts ausließ oder hinzufügte, sondern alle Begebenheiten so schilderte, wie er sie wahrgenommen hatte. Außerdem muß festgehalten werden, daß die drei unabhängigen Zeugen aus der Cagliostro Street (Mr. Short und Mr. Blackwin sowie Police-Constable Withers) die exakte Wahrheit zu Protokoll gaben.

Angesichts all dessen muß eines der Ereignisse, die den Verbrechen vorausgingen, ausführlicher dargestellt werden, als dies rückschauend eigentlich möglich ist. Es war dies der Auslöser, der Anstoß, die Herausforderung alles Folgenden. Die Schilderung basiert auf Dr. Fells Aufzeichnungen, welche wiederum auf den wesentlichen Einzelheiten gründen, wie sie Stuart Mills Dr. Fell und Superintendent Hadley berichtet hat.

Es begann am Mittwoch abend, dem 6. Februar, drei Tage vor dem Mord, im Hinterzimmer der Warwick Tavern in der Londoner Museum Street.

Professor Charles Vernet Grimaud hatte bereits seit fast 30 Jahren in England gelebt und sprach akzentfrei Englisch. Abgesehen von ein paar kleinen Manierismen, die ihm unterliefen, wenn er erregt war, und seiner Angewohnheit, einen altmodischen, eckigen Bowler sowie eine schmale schwarze Krawatte zu tragen, gab er sich sogar britischer als seine Freunde. Niemand wußte viel über sein früheres Leben. Er verfügte über ausreichende Mittel, hatte aber beschlossen, sich zu »beschäftigen«, und zwar so, daß es sich finanziell auch auszahlte.

Professor Grimaud hatte unterrichtet und war ein beliebter Dozent und Schriftsteller gewesen; aber in letzter Zeit hatte er sich zurückgezogen und einen etwas nebulösen unbezahlten Posten im Britischen Museum bekleidet, der ihm Zugang zu den, wie er es nannte, »Manuskripten der Niederen Magie« verschaffte. Niedere Magie war das Steckenpferd, aus dem er Kapital geschlagen hatte. Jede Form pittoresker, übernatürlicher Teufelei, vom Vampirismus bis zur schwarzen Messe, war Gegenstand seines

Grübelns, seines Kicherns und seines kindlichen Vergnügens –
und brachte ihm schließlich eine Kugel in die Lunge ein.

Ein klar denkender, vernünftiger Bursche war er, dieser Grimaud. Stets hatte er einen spöttischen Zug um die Augen. Er
sprach in unvermittelten, abgehackten Worten, die tief aus seiner
Kehle drangen; und er lachte gern lautlos hinter verschlossenen
Lippen. Er war nur mittelgroß, aber sein Brustkasten war gewal-
tig, sein Körper robust und zäh. Jedermann in der Nachbarschaft
des Museums kannte seinen schwarzen Bart, der so kurz getrimmt
war, daß er eher wie graue Stoppeln aussah, seine Perlmuttbrille
und seinen aufrechten Gang, wenn er mit kurzen, schnellen
Schritten vorüberging, wobei er zuweilen flüchtig den Hut lüpfte
oder mit dem Schirm eine Geste machte, die an ein Eisenbahnsi-
gnal erinnerte.

Er wohnte in einem soliden alten Haus auf der Westseite des
Russell Square. Die übrigen Hausbewohner waren seine Tochter
Rosette, seine Haushälterin Madame Dumont, sein Sekretär Stuart Mills sowie ein heruntergekommener ehemaliger Lehrer namens Drayman, welchen sich Grimaud als eine Art Faktotum
hielt, das sich um seine Bücher zu kümmern hatte.

Doch seine wenigen wirklichen Freunde waren in dem Klub zu
finden, den sie in der Warwick Tavern in der Museum Street unterhielten. Dort trafen sie sich an vier oder fünf Abenden in der
Woche und bildeten in dem behaglichen Hinterzimmer, das
eigens für diesen Zweck reserviert war, ein inoffizielles Konklave.
Es war dies zwar eigentlich kein reservierter Raum, aber nur wenige Fremde verirrten sich aus der Bar hierher oder fühlten sich
im Falle eines Falles zum Bleiben ermutigt.

Die regelmäßigsten Besucher des Klubs waren der geschäftige,
glatzköpfige kleine Pettis, eine Autorität auf dem Gebiet der Gespenstergeschichte, Mangan, der Zeitungsmann, und der Künstler Burnaby. Aber der unangefochtene Dr. Johnson des Klubs
war Professor Grimaud.

Er gab den Ton an. Nahezu an jedem Abend des Jahres (außer
an Samstagen und Sonntagen, die er der Arbeit vorbehielt)
pflegte er sich in Begleitung von Stuart Mills ins Warwick aufzumachen. Dort thronte er dann, einen Grog vor sich, in seinem
Lieblingskorbsessel vor dem flackernden Kaminfeuer und verbreitete sich auf seine gewohnt autokratische Art und Weise.
Diese Debatten waren Mills zufolge oft brillant, wenngleich nie-

mand außer Pettis oder Burnaby Professor Grimaud jemals ernsthaft Paroli bieten konnte.

Trotz seiner Leutseligkeit verfügte er über ein heftiges Temperament. In der Regel waren es die anderen zufrieden, an seinem unerschöpflichen Wissen auf dem Gebiet des Zaubers und des faulen Zaubers teilhaben zu können; sie ließen sich bereitwillig in all die Tricks einweihen, mit denen man die Leichtgläubigen an der Nase herumführt, und sich von seiner kindlichen Begeisterung für Geheimnisse und Dramatik anstecken, mit der er zum Beispiel die Geschichte einer mittelalterlichen Hexerei erzählte, nur um deren Rätsel plötzlich nach Art einer Detektivgeschichte aufzulösen. Das waren vergnügliche Abende, an denen immer ein wenig Landgasthausatmosphäre aufkam, auch wenn sie sich nur hinter den Gaslaternen von Bloomsbury abspielten. Es waren vergnügliche Abende – bis zu jenem Abend des 6. Februars, als sich das Grauen so unerwartet ankündigte wie ein Windstoß, der eine Tür aufschlagen läßt.

Und der Wind blies schneidend an jenem Abend, erzählte Mills, und Schnee lag in der Luft. Außer ihm selbst und Grimaud waren nur Pettis, Mangan und Burnaby ums Feuer versammelt. Professor Grimaud hatte eben, von seiner Zigarre gestenreich unterstützt, über die Legende des Vampirismus gesprochen.

»Offen gesagt, was mich verwirrt«, warf Pettis gerade ein, »ist Ihre Einstellung zu der ganzen Angelegenheit. Also, ich für mein Teil studiere nur die Literatur, Gespenstergeschichten, die niemals wirklich passiert sind. Aber in gewisser Weise glaube ich an Gespenster. Sie jedoch sind eine Autorität auf dem Gebiet der unstrittig bezeugten Vorkommnisse. Dinge, die wir Fakten nennen müssen, solange wir sie nicht widerlegen können. Und doch glauben Sie kein Wort von dem, was Sie zur Hauptsache in Ihrem Leben gemacht haben. Es ist, als stünde im Kursbuch ein Hinweis, daß Fortbewegung durch Dampfkraft unmöglich sei, oder als hätte der Herausgeber der *Encyclopaedia Britannica* ein Vorwort verfaßt, in welchem er darauf aufmerksam macht, daß in der ganzen Ausgabe kein einziger verläßlicher Artikel zu finden sei.«

»Nun, und warum auch nicht?« entgegnete Grimaud. Kurz und barsch stieß er die Frage zwischen seinen kaum geöffneten Lippen hervor: »Welche Lehre ziehen Sie daraus?«

»Die vielen Studien haben seinen Geist verwirrt«, schlug Burnaby vor.

Grimaud starrte ins Feuer. Mills gab an, daß er zorniger schien, als es die beiläufige Stichelei gerechtfertigt hätte. Er saß da, die Zigarre genau in der Mitte seines Mundes, und saugte daran wie ein Kind an einem Pfefferminzlutscher.

»Ich bin der Mann, der zu viel wußte«, sagte er nach einer Weile. »Und es ist nicht verbrieft, daß Tempelpriester besonders hingebungsvolle Gläubige gewesen sind. Aber darum geht es gar nicht. Mich interessieren die Gründe hinter den abergläubischen Vorstellungen. Was stand am Beginn eines Aberglaubens? Wodurch wurde ihm Nahrung gegeben, so daß ein Leichtgläubiger zu einem Gläubigen werden konnte? Wir sprachen gerade über den Vampirismus. Ein Aberglaube, der in den slawischen Ländern weit verbreitet ist. Er setzte sich in Europa fest, als er wie von einem Sturmwind zwischen 1730 und 1735 aus Ungarn herausgeblasen wurde. Nun, auf welche Weise erhielt Ungarn seinen Beweis dafür, daß Tote ihre Särge verlassen und als Strohhalme oder Flaum durch die Luft fliegen können, bis sie wieder eine menschliche Gestalt annehmen, um jemanden anzugreifen?«

»Gab es denn einen Beweis?« fragte Burnaby.

Grimaud zuckte eindrucksvoll mit den Schultern.

»Auf den Friedhöfen wurden Leichen exhumiert. Einige fand man in verdrehten Stellungen, mit blutverschmierten Gesichtern, Händen und Leichentüchern. Das war der Beweis ... Na und? Es waren die Jahre der Pest. Denken Sie an all die armen Teufel, die lebendig begraben wurden, da man sie für tot hielt. Denken Sie, wie sie sich mühten, aus ihren Särgen zu entkommen, bis sie am Ende wirklich starben. Verstehen Sie jetzt, meine Herren? Das habe ich gemeint, als ich von den Gründen für jene abergläubischen Vorstellungen sprach. Daran bin ich interessiert.«

»Auch ich«, ließ sich eine unbekannte Stimme vernehmen, »bin daran interessiert!«

Mills sagte, er habe den Mann nicht hereinkommen hören, obwohl er einen Luftzug verspürt habe, als die Tür geöffnet wurde. Vielleicht waren die Versammelten darüber irritiert, daß ein Fremder in einen Raum eingedrungen war, in den selten ein Fremder eindrang oder gar das Wort ergriff. Vielleicht aber war es die Stimme des Mannes, rauh, heiser und ein bißchen fremdländisch, mit einem heimlich triumphierenden Unterton: Die Plötzlichkeit, mit der sie ertönte, ließ jedenfalls alle Köpfe herumfahren.

Er hatte nichts Bemerkenswertes an sich, berichtete Mills. Er stand außerhalb des Lichtkreises des Feuers, den Kragen seines schäbigen schwarzen Mantels hochgeschlagen und die Krempe seines schäbigen, weichen Hutes heruntergezogen. Und das Wenige, das von seinem Gesicht freiblieb, bedeckte er mit einer behandschuhten Hand, mit der er über sein Kinn strich. Abgesehen davon, daß er groß, hager und heruntergekommen wirkte, konnte Mills keine genauen Angaben machen. Aber in seiner Stimme oder in seiner Haltung oder in seiner Gestik lag etwas vage Vertrautes und blieb dennoch fremd.

Er sprach wieder. Und was er sagte, war steif und pedantisch, so, als parodiere er Grimaud.

»Sie müssen mir vergeben, meine Herren«, begann er, und der triumphierende Unterton wuchs, »daß ich so in Ihre Unterhaltung hineinplatze. Aber ich würde dem hochberühmten Professor Grimaud gern eine Frage stellen.«

Keiner dachte daran, ihm eine Abfuhr zu erteilen, sagte Mills. Alle waren gespannt. Der Mann strahlte eine Art kalte Kraft aus, welche die Behaglichkeit des vom Feuer erleuchteten Zimmers zerstörte. Sogar Grimaud hockte dunkel, massiv und häßlich wie eine Figur von Epstein da, seine Zigarre halbwegs zum Mund geführt, und wartete gespannt. Seine Augen hinter den dünnen Brillengläsern glitzerten. Er bellte nur: »Na?«

»Dann glauben Sie also nicht«, fuhr der andere fort und entfernte seine behandschuhte Hand nur so weit von seinem Kinn, wie es nötig war, um mit einem Finger auf Grimaud zu zeigen, »daß ein Mann sich aus seinem Sarg erheben kann, daß er sich überallhin unsichtbar bewegen kann, daß vier Wände ihn nicht aufhalten können und daß er so gefährlich ist wie die schlimmste Kreatur aus der Hölle?«

»Das glaube ich nicht«, entgegnete Grimaud scharf. »Sie etwa?«

»Ja. Ich habe es getan. Und anderes! Ich habe einen Bruder, der weit mehr vermag als ich, und er kann Ihnen viel gefährlicher werden als ich. Ich will Ihr Leben nicht, aber er. Und wenn er Ihnen einen Besuch macht ...«

Auf ihrem Höhepunkt brach diese wilde Rede ab wie ein Stück Schiefer, das im Feuer zerplatzt. Der junge Mangan, ein ehemaliger Fußballer, sprang auf. Der kleine Pettis blickte aufgeregt um sich.

»Hören Sie, Grimaud«, rief er, »der Bursche ist vollkommen verrückt. Soll ich . . .« Er streckte zögernd seine Hand nach der Klingel aus, aber der Fremde war damit nicht einverstanden.

»Sehen Sie Professor Grimaud an«, sagte er, »bevor Sie eine Entscheidung treffen.«

Grimaud betrachtete ihn mit abgrundtiefer Verachtung. »Nein, nein, nein! Hört ihr mich? Laßt ihn in Frieden! Laßt ihn über seinen Bruder und über seine Särge reden.«

»Drei Särge«, unterbrach ihn der Fremde.

»Drei Särge«, stimmte ihm Grimaud mit kratzbürstiger Verbindlichkeit zu, »wenn Sie wollen. So viele Sie wollen, in Gottes Namen! Aber sagen Sie uns jetzt vielleicht, wer Sie sind?«

Die linke Hand des Fremden kam aus seiner Tasche hervor und legte eine schmierige Karte auf den Tisch. Der Anblick dieser prosaischen Visitenkarte schien irgendwie die Normalität wiederherzustellen, und die Stimmung schlug um: Der Besucher mit der barschen Stimme wirkte nun kaum mehr wie eine schauspielernde Vogelscheuche, der etliche Tassen im Schrank fehlten. Mills las vor, was auf der Karte stand: »Pierre Fley, Illusionist.« In eine Ecke war gedruckt: »2B Cagliostro Street, W.C. 1«, darüber hatte man gekritzelt: »c/o Academy Theatre.« Grimaud lachte. Pettis fluchte und klingelte nach dem Kellner.

»Na also«, bemerkte Grimaud und schnippte mit dem Finger gegen die Karte, »dachte ich mir doch, daß es auf so etwas hinauslaufen würde. Sie sind also ein Zauberkünstler?«

»Steht das auf der Karte?«

»Nun, wenn diese Bezeichnung Ihrer Qualifikation nicht gerecht wird, so bitte ich um Entschuldigung«, meinte Grimaud heiter. »Es ist wohl kaum möglich, einen Ihrer Tricks zu sehen?«

»Aber mit Vergnügen«, erwiderte Fley unerwartet.

Seine Bewegung kam so schnell, daß niemand sie voraussehen konnte. Es sah wie ein Angriff aus, war aber nichts dergleichen – im physischen Sinn.

Fley beugte sich plötzlich über den Tisch zu Grimaud, schlug mit seinen behandschuhten Händen blitzschnell seinen Mantelkragen hinunter und sofort wieder hinauf, ehe noch irgendwer außer Grimaud einen Blick auf das Gesicht des Mannes hätte werfen können. Aber Mills gewann doch den Eindruck, daß er grinste. Grimaud blieb steif und reglos. Nur sein Unterkiefer schien sich zu heben und nach vorn zu schieben, so daß sein Mund wie ein verächtlicher Bogen in dem getrimmten Bart wirkte. Auch sein Gesicht verdüsterte sich, doch sein Finger schnippte noch immer ruhig und gleichmäßig gegen die Visitenkarte.

»Und nun, bevor ich Sie verlasse«, sagte Fley knapp, »habe ich eine letzte Frage an den berühmten Professor. Jemand wird Ihnen in Kürze einen abendlichen Besuch abstatten. Auch ich bin in Gefahr, wenn ich Kontakt mit meinem Bruder aufnehme, aber dieses Risiko bin ich bereit einzugehen. Ich wiederhole, jemand wird Sie aufsuchen. Wäre es Ihnen lieber, ich käme? Oder soll ich meinen Bruder schicken?«

»Schicken Sie Ihren Bruder«, knurrte Grimaud und erhob sich abrupt, »und seien Sie verflucht!«

Die Tür hatte sich bereits hinter Fley geschlossen, bevor sich noch jemand rühren oder etwas sagen konnte.

Und damit schloß sich die Tür auch hinter dem einzigen uns bekannten Ereignis, das zum Samstag abend, dem 9. Februar, führte. Der Rest besteht nur aus flüchtigen Eindrücken, die wie ein Puzzle zusammengesetzt werden müssen, so wie Dr. Fell später die verkohlten Papierfetzen zwischen den Glasscheiben zusammenzusetzen versuchte.

Der erste todbringende Auftritt des Hohlen Mannes fand an diesem letztgenannten Abend statt, als die Straßen Londons verschneit und still lagen und die drei Särge, von denen die Rede gewesen war, schließlich gefüllt wurden.

Kapitel 2

Die Tür

An jenem Abend herrschte vor dem Kaminfeuer in Dr. Fells
Bibliothek in Adelphi Terrace Nr. 1 eine ausgelassene, heitere Stimmung.

Der Doktor thronte rotbackig in seinem größten, bequemsten und klapprigsten Armstuhl, dessen Bequemlichkeit auf die einzig denkbare Weise erzielt worden war, nämlich durch beharrliches Durchsitzen und Verschleißen der Polsterung, was allerdings Ehefrauen aus irgendeinem Grund an den Rand der Verzweiflung zu treiben pflegt.

Dr. Fells ungeheure Ausmaße strahlten hinter seinem Kneifer an dem schwarzen Band hervor; er kicherte und hieb seinen Gehstock auf den Kaminvorleger. Er feierte. Dr. Fell liebte es, die Ankunft von Freunden – oder jedweden anderen Anlaß – zu feiern. Und heute abend gab es doppelten Anlaß zu einem Gelage.

Erstens waren seine jungen Freunde Ted und Dorothy Rampole mit überschäumend guter Laune aus Amerika eingetroffen; zweitens hatte sein Freund Hadley – unterdessen wohlgemerkt Superintendent Hadley vom C.I.D. – soeben ein hervorragendes Stück Arbeit bei der Lösung des Fälscherfalls von Bayswater abgeschlossen und gedachte sich nun zu erholen. Ted Rampole saß an der einen Seite des Kamins, Hadley an der anderen, der Doktor präsidierte der Versammlung über einem dampfenden Glas Punsch zwischen ihnen. Die Damen Fell, Hadley und Rampole berieten sich ein Stockwerk höher über irgend etwas, und hier unten waren die Herren Fell und Hadley in einen heftigen Disput über etwas anderes verstrickt. Ted Rampole fühlte sich sogleich wie zu Hause.

Er räkelte sich faul in seinem Sessel und erinnerte sich an alte Zeiten. Ihm gegenüber, gestutzter Schnurrbart, mattgraues, stahlfarbenes Haar, lächelte Superintendent Hadley und machte spöttische Bemerkungen über seine Pfeife hinweg. Dr. Fell unterstrich den Donner seiner Rede mit wildem Schwenken der Punschkelle.

Ihr Disput schien sich um Kriminologie, im besonderen um Photographie zu drehen. Rampole erinnerte sich daran, schon einmal von einer Geschichte gehört zu haben, die beim C.I.D. ein großer Heiterkeitserfolg gewesen war. Während einer Zeit, als Dr. Fell zerstreut nach einem neuen Steckenpferd suchte, war er von seinem Freund, dem Bischof von Mappleham, dazu verleitet worden, Gross, Jesserich und Mitchell zu lesen. Und es hatte ihn gepackt. Nun ist Dr. Fell, wie man dankbar konstatieren darf, nicht das, was man einen naturwissenschaftlichen Kopf nennt. Trotz seiner chemischen Experimente blieb das Dach auf dem Haus, denn zum Glück gelang es ihm zuverlässig, die Apparatur zu zerstören, noch ehe das Experiment überhaupt begonnen hatte; und abgesehen davon, daß er die Vorhänge mit einem Bunsenbrenner in Brand steckte, richtete er kaum Schaden an.

Seine Arbeiten auf dem Gebiet der Photographie jedoch waren, glaubte man seinen Worten, überaus erfolgreich. Er hatte sich eine mikroskopische Davontel-Kamera mit einer achromatischen Linse zugelegt und sein Zimmer mit Bildern überflutet, die Röntgenaufnahmen eines hoffnungslos dyspeptischen Magens ähnelten. Ferner behauptete er, die Grosssche Methode zur Entzifferung von Schrift auf verbranntem Papier perfektioniert zu haben.

Rampole lauschte zunächst, wie Hadley sich darüber lustig machte, und ließ seine Gedanken dann schläfrig abschweifen. Er sah den Feuerschein über unaufgeräumte Bücherwände flackern und hörte Schneeflocken hinter den zugezogenen Vorhängen gegen die Fensterscheiben ticken. Aus purem Wohlbehagen lächelte Rampole in sich hinein. Es gab nichts in dieser Welt, was ihn jetzt hätte beunruhigen können – oder etwa doch? Plötzlich veränderter Stimmung, starrte er ins Feuer. Kleine Mißhelligkeiten schnellen immer dann wie Springteufel ins Bewußtsein, um einen zu ärgern, wenn es einem gerade wirklich gut geht. Kriminalfälle! Natürlich war gar nichts daran. Lediglich Mangans Eifer, eine gute Geschichte zum besten zu geben. Und doch . . .

»Mir ist völlig piepegal, was Gross sagt«, verkündete Hadley gerade und schlug mit der Hand auf seine Armlehne. »Leute wie Sie glauben immer, ein Mann habe schon recht, bloß weil er gründlich arbeitet. In den meisten Fällen werden die Buchstaben auf verbranntem Papier überhaupt nicht sichtbar.«

Rampole räusperte sich besänftigend. »Übrigens«, warf er ein, »sagt Ihnen der Ausdruck ›Die drei Särge‹ etwas?«

Die Stille trat so plötzlich ein, wie er gehofft hatte. Hadley beobachtete ihn mißtrauisch. Dr. Fell starrte mit verwirrtem Gesichtsausdruck über die Kelle hinweg, als assoziiere er die Worte irgendwie mit einer Zigarettenmarke oder dem Namen eines Pubs. Dann begannen seine Augen zu funkeln.

»He«, rief er und rieb sich die Hände. »Heh, heh, heh! Sie wollen wohl den Friedensstifter spielen, was? Oder meinen Sie das etwa ernst? Was für Särge?«

»Na ja«, meinte Rampole, »einen Fall kann man es eigentlich nicht nennen.«

Hadley stieß einen Pfiff aus.

»Aber eine seltsame Geschichte ist es doch, wenn Mangan nicht übertrieben hat. Ich kenne Boyd Mangan recht gut. Er hat zwei Jahre bei uns drüben gelebt. Er ist ein verdammt feiner Kerl, der sich schon viel in der Welt herumgetrieben hat und über eine etwas zu keltische Vorstellungskraft verfügt.« Er hielt inne und dachte an Mangans dunkle, etwas nachlässige, aber gutaussehende Erscheinung, seine bedächtige Art, sich zu bewegen, die aber seinem heftigen Temperament keineswegs widersprach, an seine bereitwillige Großzügigkeit und sein einnehmendes Grinsen. »Jetzt ist er jedenfalls hier in London und arbeitet für den EVENING BANNER. Heute morgen traf ich ihn auf dem Haymarket. Er schleppte mich in eine Bar und ließ die ganze Geschichte vom Stapel. Als er erfuhr«, Rampole machte sich einen Spaß daraus, dick aufzutragen, »daß ich den großen Dr. Fell kenne . . .«

»Unsinn«, raunzte Hadley und musterte ihn auf seine typische scharfe, aufmerksame Art. »Kommen Sie zur Sache.«

»Heh, heh, heh«, gab Dr. Fell voller Entzücken von sich. »Halten Sie den Mund, Hadley, ja, wenn Sie so gut sein wollen? Das klingt interessant, mein Junge. Also?«

»Nun, wie es aussieht, ist er ein großer Bewunderer eines Dozenten oder Autors namens Grimaud. Außerdem hat es ihm Grimauds Tochter schwer angetan, und das macht ihn zu einem noch größeren Bewunderer des alten Herrn. Der alte Herr und ein paar Kumpane von ihm treffen sich regelmäßig in einem Pub beim Britischen Museum; und vor ein paar Tagen hat sich dort etwas ereignet, das Mangan nachhaltiger erschüttert hat, als es die Possen eines gewöhnlichen Narren vermocht hätten.

Während der alte Herr gerade über Tote dozierte, die sich aus ihren Gräbern erheben, oder über ein ähnlich heiteres Thema, erschien ein großer, seltsam aussehender Bursche und fing an, irgendwelchen Unsinn zu faseln: Er und sein Bruder seien wirklich in der Lage, aus ihren Gräbern zu steigen und wie Strohhalme durch die Luft zu sausen.«

An dieser Stelle ließ Hadley ein angewidertes Geräusch hören und verminderte seine Aufmerksamkeit, während Dr. Fell Rampole weiterhin neugierig betrachtete.

»Letzten Endes schien es sich um eine Art Drohung gegen diesen Professor Grimaud zu handeln. Schließlich kündigte der Fremde an, sein Bruder werde Grimaud in Kürze einen Besuch abstatten. Eigenartig daran war, daß Grimaud zwar ganz selbstbeherrscht blieb, aber Mangan trotzdem beschwört, daß dem Professor ein höllischer Schrecken in die Glieder gefahren war.«

Hadley grunzte. »Das ist eben Bloomsbury. Aber was weiter? Nur jemand mit einem schreckhaften Altweiberverstand . . .«

»Das ist es ja gerade«, knurrte Dr. Fell mit düsterem Gesicht. »So ist er gerade nicht. Ich kenne Grimaud. Ich sage Ihnen, Hadley, Sie können nicht begreifen, wie sonderbar diese Geschichte klingt, wenn Sie Grimaud nicht kennen. Ähem, ja. Sprechen Sie weiter, mein Sohn. Wie ging es weiter?«

»Grimaud ging nicht darauf ein. Er brach der Sache sogar mit einem Witz die Spitze, der ihre Verrücktheit auf den Punkt brachte. Nachdem der Fremde verschwunden war, betrat ein Straßenmusikant den Pub und stimmte *The Daring Young Man on the Flying Trapeze* an. Da brach die ganze Versammlung in Gelächter aus, und die Kneipenlaune war wiederhergestellt. Grimaud lächelte und sagte: ›Nun, Herrschaften, unser wiederbelebter Leichnam wird noch viel hurtiger als der *Daring Young Man* sein müssen, wenn er aus meinem Arbeitszimmerfenster entschweben will.‹ Dabei ließen sie es bewenden. Aber Mangan wollte herausfinden, wer dieser Besucher war, dieser Pierre Fley. Fley hatte Grimaud eine Visitenkarte überreicht, auf der der Name eines Theaters stand. Am nächsten Tag ging Mangan der Sache also nach, unter dem Vorwand, auf der Suche nach einer Zeitungsstory zu sein. Das Theater stellte sich als ein ziemlich heruntergekommenes, wenig reputierliches Etablissement im East End heraus, in dem allabendlich Varietévorstellungen stattfinden. Mangan wollte Fley nicht über den Weg laufen. Aber er kam mit dem Pförtner am Bühneneingang ins Gespräch. Dieser stellte ihn einem Akrobaten vor, der vor Fley seinen Auftritt hat. Dieser Akrobat nennt sich, Gott weiß warum, ›Der Große Pagliacci‹, obwohl er eigentlich Ire ist, und zwar einer von der ziemlich gerissenen Sorte. Er erzählte Mangan, was er wußte.

Fley ist in dem Varieté als Loony – der Verrückte – bekannt. Niemand weiß viel über ihn, er spricht mit keinem und macht sich nach jedem Auftritt sofort dünne. Aber, und das ist der springende Punkt, er ist gut. Der Akrobat sagte, er wisse nicht, warum nicht schon längst ein Manager aus dem West End auf ihn angesprungen sei; möglicherweise jedoch ginge Fley jeglicher Ehrgeiz ab. Er gilt als eine Art Superzauberer; seine Spezialität sind Tricks, bei denen er verschwindet . . .«

Wieder grunzte Hadley höhnisch.

»Nein«, stellte Rampole klar, »so wie ich es sehe, handelt es sich um mehr als die immer gleichen alten Nummern. Mangan sagt, er arbeite ohne Assistenten, und all seine Requisiten hätten in einer Box von der Größe eines Sarges Platz. Wer etwas von Zauberkünstlern versteht, weiß, daß das schier unglaublich ist. Der Mann scheint vom Thema Särge besessen zu sein. Der Große Pagliacci wollte einmal von ihm wissen, warum; die Antwort war ein unvorhersehbarer Schock für ihn. Fley drehte sich mit einem breiten Grinsen um und sagte: ›Wir wurden einmal zu dritt lebendig begraben. Nur einer von uns konnte sich befreien.‹ Pagliacci fragte: ›Und wie hast du dich befreit?‹ Worauf Fley gelassen versetzte: ›Gar nicht. Ich bin einer von den beiden, die nicht davonkamen.‹«

Hadley zupfte an seinem Ohrläppchen. Er war jetzt ernst geworden.

»Hören Sie«, meinte er unbehaglich, »vielleicht ist die Angelegenheit doch wichtiger, als ich angenommen hatte. Der Kerl ist zweifellos übergeschnappt. Falls er irgendeinen eingebildeten Groll mit sich herumträgt . . . ein Ausländer, sagen Sie? Vielleicht sollte ich mich beim Innenministerium nach ihm erkundigen. Wenn er dann versucht, Ihrem Freund Ärger zu machen . . .«

»Hat er denn schon versucht, Ärger zu machen?« fragte Dr. Fell.

Rampole rutschte in seinem Sessel hin und her. »Seit Mittwoch hat Professor Grimaud jeden Tag einen Brief bekommen. Er hat sie alle wortlos zerrissen; aber jemand hat seiner Tochter von der

Sache im Pub erzählt, und jetzt macht sie sich Sorgen. Und als Krönung der ganzen Angelegenheit hat Grimaud gestern selbst angefangen, sich sonderbar aufzuführen.«

»Inwiefern?« fragte Dr. Fell. Dabei blinzelte er Rampole scharf an.

»Gestern rief er Mangan an und sagte: ›Ich möchte Sie am Samstag abend bei mir im Haus haben. Jemand hat gedroht, mich aufzusuchen.‹ Mangan riet natürlich dazu, die Polizei zu verständigen, wovon Grimaud nichts hören wollte. Mangan sagte: ›Zum Teufel, Sir, der Kerl ist vollkommen verrückt, er könnte gefährlich werden. Wollen Sie denn überhaupt keine Schutzmaßnahmen ergreifen?‹ Worauf der Professor entgegnete: ›Oh doch, selbstredend. Ich werde ein Gemälde kaufen!‹«

»Ein was?« rief Hadley aus und fuhr von seinem Sessel hoch.

»Ein Gemälde, für die Wand. Nein, ich scherze nicht. Er hat es offenbar tatsächlich gekauft. Eine Art Landschaft, ein etwas seltsames Ding: Bäume und Grabsteine, so ein enormer Schinken von Landschaft, daß es zwei Arbeiter brauchte, sie die Treppe hinaufzutragen. Ich sage Schinken von Landschaft, aber ich habe das Bild gar nicht gesehen. Gemalt hat es ein Künstler namens Burnaby, ein Mitglied des Klubs und Amateurkriminologe . . . Jedenfalls soviel zu Grimauds Vorstellung von Selbstverteidigung.«

Hadley, der Rampole mißtrauisch beobachtete, kam es so vor, als lege dieser ungewöhnlichen Nachdruck in seinen Beitrag. Dann sahen beide Dr. Fell an. Der Doktor hockte da, hatte seine Hände über seinem Stockgriff gefaltet und keuchte über seine Kinnrollen hinweg, sein dichter Haarschopf stand ihm zerzaust um den Schädel. Nickend starrte er ins Feuer. Als er sprach, schien es mit der Gemütlichkeit im Zimmer ein Ende zu nehmen.

»Haben Sie Grimauds Adresse, mein Junge?« fragte er mit ruhiger Stimme. »Gut. Werfen Sie lieber Ihren Wagen an, Hadley.«

»Meinetwegen, aber schauen Sie . . .«

»Wenn ein angeblich Verrückter einen vernünftigen Mann bedroht«, sagte Dr. Fell und nickte wieder, »mag einen das beunruhigen oder auch nicht. Wenn aber der vernünftige Mann anfängt, sich genau wie der Verrückte aufzuführen, dann weiß ich, daß mich das beunruhigt. Vielleicht hat es ja nichts zu bedeuten. Aber es gefällt mir nicht!« Kurzatmig hievte er sich hoch. »Kommen Sie, Hadley. Wir schauen uns das Haus mal an, und wenn wir nur dran vorbeifahren.«

Ein scharfer Wind pfiff um die Ecken von Adelphi Terrace. Es hatte zu schneien aufgehört. Unwirkliches Weiß bedeckte die Sträßchen und die Vorgärten. Vor dem STRAND, der zur Stunde der Theatervorstellungen hell erleuchtet, aber verlassen vor ihnen lag, war der Schnee bereits von schmutzigen Reifenspuren durchfurcht. Eine Uhr zeigte fünf Minuten nach zehn, als sie in die Aldwych Street abbogen.

Hadley saß ruhig, mit hochgeschlagenem Kragen, am Steuer. Als Dr. Fell grollend nach höherem Tempo verlangte, schaute Hadley zuerst Rampole an und dann Dr. Fell, der seine Körpermassen auf dem Rücksitz verstaut hatte.

»Das ist doch alles Unsinn«, versetzte er. »Und geht uns auch überhaupt nichts an. Und außerdem, wenn der Besucher erschienen sein sollte, so ist er inzwischen sicher längst schon wieder fort.«

»Ich weiß«, sagte Dr. Fell. »Das befürchte ich ja gerade.«

Der Wagen schoß in die Southampton Row. Hadley drückte immer wieder auf die Hupe, als könne er auf diese Weise seine Gefühle zum Ausdruck bringen – aber immerhin wurden sie so schneller. Die Straße wirkte wie eine öde Schlucht, die in die noch ödere Schlucht des Russell Square überging. Auf seiner Westseite waren nur wenige Fußspuren und noch weniger Reifenspuren im Schnee zu sehen. Wer die Telefonzelle am nördlichen Ende kennt, unmittelbar nachdem man die Keppel Street passiert hat, der wird das Haus gegenüber registriert haben, selbst wenn es ihm gar nicht sonderlich aufgefallen sein sollte.

Rampole blickte auf eine schlichte, breite, dreigeschossige Vorderfront. Das aus großen Blöcken gemauerte Erdgeschoß war dunkel verputzt, darüber kam roter Backstein. Sechs Stufen führten zu einer breiten Eingangstür hinauf, die ein Messingknopf und ein messinggefaßter Briefschlitz zierten. Mit Ausnahme von zwei erleuchteten Fenstern im Erdgeschoß über dem schmalen Schacht zum Souterrain, aus denen durch geschlossene Jalousien ein Lichtschimmer fiel, lag das ganze Haus im Dunkeln. Es wirkte wie das alltäglichste Heim in der alltäglichsten Nachbarschaft. Aber das blieb nicht so.

Eine Jalousie wurde zur Seite gerissen und eines der erleuchteten Fenster vernehmlich hochgedrückt, als sie gerade vorüberfuhren. Eine Gestalt kletterte auf den Sims, deren Schattenriß vor der raschelnden Jalousie sichtbar wurde, kurz verharrte und dann sprang. Der Sprung trug den Mann weit über die Spitzen des Eisengeländers vor dem Souterrain. Er kam mit einem Bein auf dem Gehweg auf, rutschte im Schnee aus und schlitterte über den Randstein hinaus bis fast unter die Räder des Wagens.

Hadley stieg in die Bremse. Der Wagen prallte noch gegen den Randstein, da war der Superintendent schon draußen und faßte den Mann beim Arm, ehe der sich noch aufgerappelt hatte. Aber Rampole hatte im Scheinwerferlicht bereits einen Blick auf sein Gesicht werfen können.

»Mangan!« rief er. »Was zum Teufel . . .?«

Mangan war ohne Hut und Mantel. Seine Augen glitzerten im Licht wie glasige Schneeflocken.

»Wer sind Sie?« verlangte er heiser zu wissen. »Ich bin in Ordnung! Lassen Sie mich los, verflucht noch mal!« Er riß sich von Hadley los und wischte seine Hand an seiner Jacke ab. »Wer . . . Ted! Hör zu: Hol jemand! Und komm selbst mit! Schnell! Er hat uns eingeschlossen . . . oben ist geschossen worden. Gerade eben. Er hat uns eingeschlossen, verstehst du!«

Hinter ihm konnte Rampole die Silhouette einer Frau im Fenster erkennen. Hadley unterbrach Mangans unzusammenhängende Worte.

»Immer mit der Ruhe. Wer hat Sie eingeschlossen?«

»Er, Fley. Er ist noch drin. Wir haben den Schuß gehört, aber die Tür ist zum Aufbrechen zu massiv. Also, kommen Sie nun endlich?«

Er flog schon die Stufen zur Haustür hinauf, Hadley und Rampole auf den Fersen. Sie hatten beide nicht damit gerechnet, daß die Tür offen sein würde, aber als Mangan den Türknopf drehte, schwang sie auf. Die hohe Eingangshalle war dunkel, nur ganz hinten am anderen Ende brannte eine Lampe auf einem Tisch. Dort schien etwas zu stehen und sie anzustarren, mit einem Gesicht, so grotesk, wie es ihre wildesten Phantasien nicht bei Pierre Fley vermutet hätten. Dann bemerkte Rampole, daß es sich nur um eine japanische Rüstung mit dazugehöriger Teufelsmaske handelte.

Mangan stürzte rechter Hand zu einer Tür und drehte den Schlüssel im Schloß. Die Tür wurde jetzt von dem Mädchen geöffnet, dessen Silhouette sie am Fenster gesehen hatten, doch Mangan versperrte ihr mit ausgestrecktem Arm den Weg. Aus dem oberen Stockwerk war heftiges Poltern zu hören.

»Alles in Ordnung, Boyd!« rief Rampole, dem das Herz im Halse schlug. »Das ist Superintendent Hadley, ich hab' dir von ihm erzählt. Wo ist er? Was ist los?«

Mangan wies auf die Treppe. »Dort hinauf! Ich kümmere mich um Rosette. Er ist noch oben. Er kann nicht entkommen. Und seid um Himmels willen vorsichtig!«

Auf der mit einem dicken Teppich belegten Treppe griff sich Rampole eine unhandliche Waffe von der Wand. Der Flur im ersten Stock war finster und machte einen verlassenen Eindruck. Aber aus einer Nische im Treppenhaus zum zweiten Stockwerk fiel ein Lichtschein, und das Poltern hatte sich in eine Reihe einzelner dumpfer Schläge verwandelt.

»Professor Grimaud!« schrie eine Stimme. »Grimaud! So antworten Sie doch!«

Rampole fehlte die Zeit, sich über die seltsame exotische Atmosphäre dieses Hauses Gedanken zu machen.

Eilig folgte er Hadley die zweite Treppe hinauf, die oben durch einen offenen Türbogen in einen breiten Korridor mündete, der die ganze Breite des Hauses durchmaß statt seiner Länge. Die Wände waren bis zur Decke mit Eichenholz verkleidet. Auf der dem Treppenaufgang gegenüberliegenden Längsseite dieses rechteckigen Korridors gab es drei Fenster mit zugezogenen Vorhängen; der dicke schwarze Teppich erstickte jeden Schritt. Links und rechts, in den Schmalseiten des Rechtecks, waren zwei einander gegenüberliegende Türen eingelassen. Die entferntere Tür zu ihrer Linken stand weit offen, die zu ihrer Rechten, nur etwa drei Meter von der Treppe entfernt, tat sich trotz der Mühen des Mannes, der verzweifelt mit seinen Fäusten dagegen hämmerte, nicht auf.

Als sie sich ihm näherten, wirbelte der Mann zu ihnen herum. Obwohl der Korridor selbst nicht beleuchtet war, fiel aus der Nische im Treppenhaus, genauer gesagt, vom Bauch eines Messingbuddhas in der Nische, ein Lichtschein durch den Türbogen, so daß sie alles deutlich zu erkennen vermochten. Mitten im Licht stand ein atemloser kleiner Mann, unsicher gestikulierend. Auf seinem dicken Kopf trug er einen dichten, koboldartigen Haarschopf; er starrte sie durch seine dicken Brillengläser unsicher an.

»Boyd?« rief er. »Drayman? Sind Sie das? Wer ist da?«

»Polizei«, beschied ihn Hadley und schob sich grob an ihm vorbei, so daß er zur Seite springen mußte.

»Da können Sie nicht rein«, sagte der kleine Mann und ließ seine Fingergelenke knacken. »Aber wir müssen hinein; die Tür ist von innen verschlossen; jemand ist bei Grimaud; eine Pistole ist abgefeuert worden – er antwortet nicht! Wo ist Madame Dumont? Holen Sie Madame Dumont! Ich sage Ihnen, der Kerl ist noch immer da drin!«

Hadley drehte sich abrupt zu ihm um.

»Hören Sie endlich auf, hier herumzutanzen, und schauen Sie, ob Sie eine Zange auftreiben können. Der Schlüssel steckt im Schloß, wir könnten ihn von außen herumdrehen. Ich brauche dazu eine Zange. Haben Sie eine?«

»Ich . . . ich weiß wirklich nicht, wo . . .«

Hadley sah Rampole an. »Laufen Sie hinunter zu meinem Wagen. Unter dem Rücksitz liegt ein Werkzeugkasten. Holen Sie die kleinste Zange, die Sie finden können, und vielleicht können Sie auch ein paar schwere Schraubenschlüssel mitbringen – falls der Kerl bewaffnet ist.«

Rampole machte kehrt und stieß fast mit Dr. Fell zusammen, der eben schwer keuchend durch den Türbogen von der Treppe trat. Der Doktor sagte nichts, aber sein Gesicht war nicht mehr so knallrot wie zuvor. Rampole nahm drei Stufen auf einmal. Im Wagen mußte er, so schien es ihm wenigstens, stundenlang herumsuchen, bis er die geeignete Zange gefunden hatte. Auf dem Rückweg konnte er im Erdgeschoß Mangans Stimme sowie das hysterische Kreischen eines Mädchens durch die geschlossene Tür des Zimmers unter der Treppe hören.

Hadley, immer noch gelassen, führte die Zange behutsam in das Schlüsselloch ein. Seine kräftigen Hände zogen sich zusammen und begannen sich vorsichtig nach links zu bewegen.

»Da drin rührt sich was!« bemerkte der kleine Mann.

»Bin soweit«, sagte Hadley. »Treten Sie zurück!«

Er streifte sich ein Paar Fingerhandschuhe über, stellte sich in Positur und stieß die Tür auf. Innen schlug sie krachend gegen die Wand, so daß der Kronleuchter an der Decke zu klingen anfing.

Nichts kam heraus, wenngleich da etwas war, das versuchte herauszukommen. Darüber hinaus war der hellerleuchtete Raum leer. Etwas, das, wie Rampole erkannte, über und über mit Blut besudelt war, versuchte verzweifelt, sich auf Händen und Knien über den schwarzen Teppich zu bewegen. Es röchelte, sank auf die Seite und lag still.

Kapitel 3

Das falsche Gesicht

»Sie beide bleiben an der Tür«, befahl Hadley knapp. »Und wenn jemand schwache Nerven hat, nicht hinsehen.«

Dr. Fell stapfte nach ihm ins Zimmer, während Rampole im Türrahmen verharrte, um den Zugang mit ausgestrecktem Arm zu versperren. Professor Grimaud war schwer, und Hadley wagte nicht, ihn umzudrehen. Die Anstrengung des Kriechens hatte eine Blutung verursacht, deren Folgen nicht zu übersehen waren, obwohl Grimaud seine Zähne gegen das andrängende Blut zusammenbiß. Hadley stützte ihn mit seinem Knie. Grimauds Gesicht unter der Maske schwarzgrauer Bartstoppeln hatte sich bläulich verfärbt, seine Augen waren geschlossen und lagen tief in ihren Höhlen. Er versuchte, ein durchnäßtes Taschentuch auf die Schußwunde in seiner Brust zu pressen. Sie hörten seinen Atem schwächer werden. Obwohl Zugluft durch den Raum strich, hing noch immer eine scharfriechende Wolke aus Pulverdampf in der Luft.

»Tot?« murmelte Dr. Fell.

»Stirbt«, erwiderte Hadley. »Sehen Sie die Farbe? Hat den Schuß in die Lunge bekommen.« Er wandte sich schnell zu dem kleinen Mann in der Tür um. »Telefonieren Sie nach einer Ambulanz. Rasch! Eine Chance hat er nicht, aber vielleicht kann er noch etwas sagen, bevor er . . .«

»Ja«, sagte Dr. Fell grimmig und düster zugleich, »das ist es, was uns am meisten interessiert, nicht wahr?«

»Wenn wir sonst nichts tun können«, entgegnete Hadley darauf kaltblütig, »jawohl. Bringen Sie mir ein paar Sofakissen von dort drüben. Machen wir es ihm so bequem wie möglich.« Als Grimauds Kopf auf ein Kissen gebettet war, beugte sich Hadley zu ihm hinunter. »Professor Grimaud! Grimaud! Können Sie mich hören?«

Die wächsernen Augenlider begannen zu flattern. Grimauds nur halboffene Augen irrten verstört, hilflos und verwirrt wie die eines Kindes, hin und her, wobei sein Gesicht, das man gebildet oder kultiviert hätte nennen mögen, einen seltsamen Gegensatz dazu bildete. Er schien nicht zu begreifen, was ihm zugestoßen war. Seine Brille hing an einem Band vor seinem Hausmantel herab, seine Finger zuckten in die Richtung, als wolle er sie aufsetzen. Sein tonnenartiger Brustkasten hob und senkte sich immer noch schwach.

»Ich bin von der Polizei, Professor Grimaud. Wer hat das getan? Antworten Sie nicht, wenn Sie nicht können. Nicken Sie nur. War es dieser Pierre Fley?«

Ein schwacher Anflug von Verständnis wurde von einem ungleich verwirrteren Ausdruck abgelöst. Dann schüttelte Grimaud unmißverständlich den Kopf.

»Wer war es dann?«

Grimaud gab sich die größte Mühe, zu viel Mühe, die Anstrengung besiegte ihn. Er sprach zum ersten und letzten Mal. Seine Lippen stammelten jene Worte, deren Deutung, ja sogar deren genauer Wortlaut so viele Rätsel aufgeben sollten . . . Dann verlor er das Bewußtsein.

Das Fenster auf der linken Seite des Zimmers war ungefähr eine Handbreit hochgeschoben, und ein Hauch eisiger Luft wehte herein. Rampole schüttelte sich. Was einmal ein brillanter Kopf gewesen war, lag nun erschlafft wie ein ausgeleerter und zerrissener Sack auf ein paar Kissen. In seinem Innern rasselte etwas, wie ein Uhrwerk, zum Zeichen, daß er noch lebte, doch war da nicht mehr. Es war zu viel Blut in diesem hellen, stillen Raum.

»Großer Gott!« sagte Rampole unwillkürlich. »Können wir denn gar nichts tun?«

Hadley war voller Bitterkeit. »Nichts, außer uns an die Arbeit zu machen. ›Noch im Haus!‹ Ein schöner Haufen Dummköpfe . . . Oh, mich selbst übrigens eingeschlossen.« Er zeigte auf das halboffene Fenster. »Der Bursche ist natürlich dort hinaus, bevor wir überhaupt im Haus waren. Na, jedenfalls befindet er sich jetzt nicht mehr hier.«

Rampole sah sich um. Der scharfe Pulvergeruch verzog sich allmählich – aus seiner Vorstellung wie auch aus dem Raum. Zum ersten Mal nahm er das Zimmer richtig wahr.

Es war ein etwa viereinhalb Meter im Quadrat messender Raum mit eichengetäfelten Wänden und einem dicken schwarzen Teppich. In der von der Tür aus linken Wand befand sich das Fenster, dessen braune Samtvorhänge sich im Luftzug bauschten. Zu beiden Seiten des Fensters erstreckten sich hohe Bücherborde, auf deren obersten Regalen Marmorbüsten aufgereiht standen. Dicht beim Fenster, und zwar so, daß das Licht von links auf die Schreibplatte fiel, stand ein schwerer Schreibtisch auf geschnitzten Klauenfüßen. Ein gepolsterter Stuhl war ein Stück nach hinten gerückt. Ganz links auf dem Schreibtisch standen eine Lampe mit einem Schirm aus Mosaikglas und ein Aschenbecher aus Bronze, in dem eine Zigarre zu einem langen, toten Aschenstreifen verglüht war. Auf dem Löschpapier der Schreibunterlage lag ein geschlossenes, kalbsledergebundenes Buch, dahinter befanden sich ein Schälchen mit Federhaltern sowie ein Stapel Notizzettel, der von einer merkwürdigen kleinen Figur beisammengehalten wurde: ein aus gelber Jade geschnittener Büffel.

Rampole betrachtete die andere, dem Fenster gegenüberliegende Seite. In diese Wand war ein großer steinerner Kamin eingelassen. Auch er wurde flankiert von Bücherregalen und Büsten. Über dem Kamin hingen zwei gekreuzte Stoßrapiere hinter einem prächtigen Wappenschild, den Rampole zu diesem Zeitpunkt nicht genauer untersuchte.

Nur auf dieser Seite des Zimmers waren die Möbel in Unordnung. Unmittelbar vor dem Feuer war ein breites braunes Ledersofa schief verrückt worden, ein Ledersessel lag umgestürzt auf einem nunmehr derangierten Kaminvorleger. Das Sofa war blutbefleckt.

Und schließlich entdeckte Rampole an der der Tür gegenüberliegenden Wand das Gemälde. In der Mitte zwischen den Bücherregalen an dieser Wand gab es eine immense Freifläche, von der die Borde in jüngster Zeit fortgeschoben worden waren. Das mußte während der letzten Tage geschehen sein, denn die Abdrücke der Sockel waren im Teppich noch zu erkennen. Es war also an der Wand Platz für das Gemälde geschaffen worden, das Grimaud nun niemals mehr aufhängen würde.

Das Bild selbst befand sich mit der Vorderseite nach oben auf dem Boden, nicht weit von der Stelle, wo Grimaud selbst lag, und es war von zwei Messerhieben aufgeschlitzt worden. Mit Rahmen war es zwei Meter breit und einen Meter zwanzig hoch, so groß, daß Hadley es zu der freien Stelle in der Mitte des Zimmers zerren und herumdrehen mußte, bevor er es aufrichten konnte, um einen Blick darauf zu werfen.

»Und das«, sagte Hadley und lehnte es gegen die Sofalehne, »ist also das Bild, das er sich zu seiner Selbstverteidigung angeschafft hat. Schauen Sie nur, Fell, glauben Sie, Grimaud war genauso verrückt wie dieser Bursche Fley?«

Dr. Fell, der mit eulenhaftem Gesichtsausdruck das Fenster begutachtet hatte, drehte sich schwerfällig um. »Wie Pierre Fley«, brummte er und schob seinen Schlapphut zurück, »der das Verbrechen nicht begangen hat. Hm. Sagen Sie, Hadley, können Sie irgendwelche Waffen entdecken?«

»Nein. Erstens gibt es keine Schußwaffe – eine großkalibrige Automatik könnten wir gebrauchen – und zweitens kein Messer, mit dem dieses Ding zerschnitten wurde. Schauen Sie sich's an! Kommt mir wie eine gewöhnliche Landschaft vor.«

Gewöhnlich, dachte Rampole, war sie nicht gerade. Von dem Bild ging eine Art vibrierender Kraft aus, als hätte der Künstler es in einem Anfall von Wut auf die Leinwand geworfen und so den Wind eingefangen, der diese gekrümmten Bäume peitschte. Es strahlte Freudlosigkeit, Düsternis und Schrecken aus. Vorherrschend waren grün unterlegte Grau- und Schwarztöne; nur im Hintergrund erhoben sich flache weiße Berge. Im Vordergrund sah man durch die Äste eines verkrüppelten Baumes drei Grabsteine in wildwachsendem Gras. Irgendwie war die Atmosphäre auf dem Bild der dieses gegenwärtigen Zimmers verwandt: unterschwellig fremdartig, aber so schwer zu identifizieren wie ein schwacher Geruch. Die Grabsteine sahen aus, als würden sie jeden Moment umstürzen. Rampole gewann beim Hinschauen den Eindruck, als läge das daran, daß die Grabhügel begonnen hatten, sich zu heben und zu senken und aufzubrechen. Selbst die Messerschnitte konnten diesem Eindruck nichts anhaben.

Rampole zuckte zusammen, als er auf der Treppe das Trampeln von Schritten vernahm. Boyd Mangan platzte herein, dünner und ungepflegter, als Rampole ihn in Erinnerung hatte. Selbst sein drahtiges, lockiges schwarzes Haar sah zerwühlt aus. Er warf einen flüchtigen Blick auf den Mann am Boden. Seine dichten Brauen beschirmten seine Augen. Dann rieb er seine pergamentene Wange. Er war in Rampoles Alter, aber die schrägen Linien unter seinen Augen ließen ihn zehn Jahre älter aussehen.

»Mills hat mir schon alles berichtet«, begann er. »Ist er . . .?« Er nickte zu Grimaud hin.

Hadley sagte nur: »Haben Sie die Ambulanz gerufen?«

»Ein paar Burschen mit einer Tragbahre. Sie sind unterwegs. Die ganze Umgebung ist voll von Krankenhäusern, aber keiner wußte, wo anrufen. Ein Freund des Professors fiel mir ein, der eine Privatklinik gleich um die Ecke führt. Sie ...« Er trat beiseite und ließ zwei uniformierte Helfer ein, denen ein gemütlicher kleiner Herr mit glattrasiertem Kinn und Glatze auf dem Fuße folgte. »Das ist Dr. Peterson ... äh ... die Polizei. Und hier ist Ihr ... Patient.«

Dr. Peterson sog die Luft ein, so daß sich seine Wangen nach innen wölbten, und eilte hinüber. »Trage, Jungs«, sagte er nach einem kurzen Blick. »Ich werde nicht hier nach der Kugel suchen. Vorsichtig!« Finster und doch neugierig sah er sich um, als die Trage aus der Tür geschoben wurde.

»Hat er eine Chance?« fragte Hadley.

»Vielleicht macht er's noch ein paar Stunden, nicht mehr, wahrscheinlich weniger. Hätte er nicht die Konstitution eines Stiers, wäre er längst tot. Sieht aus, als habe er sich durch die Anstrengung eine weitere Verletzung in der Lunge zugezogen – einen Riß.« Dr. Peterson durchsuchte seine Taschen. »Sie werden Ihren Polizeiarzt vorbeischicken wollen, nehme ich an. Hier ist meine Karte. Ich werde die Kugel aufheben, wenn ich sie finde. Vermutlich eine 38er, aus ungefähr drei Metern Entfernung abgefeuert. Darf ich fragen, was passiert ist?«

»Mord«, entgegnete Hadley. »Lassen Sie eine Schwester bei ihm wachen; wenn er etwas sagt, soll sie es Wort für Wort aufschreiben.«

Der Arzt eilte hinaus, und Hadley kritzelte ein paar Worte auf ein Blatt aus seinem Notizbuch, das er Mangan gab. »Sehen Sie sich imstande, uns zu helfen? Gut. Rufen Sie bitte die Polizeiwache in der Hunter Street an, und geben Sie diese Instruktionen durch. Man wird mit dem Yard Verbindung aufnehmen. Wenn man fragt, berichten Sie, was passiert ist. Dr. Watson soll in diese Privatklinik gehen, die anderen hierherkommen. Wer ist da an der Tür?«

Der Mann war der kleine, dünne, kopflastige junge Mann, den sie anfangs gegen die Tür hatten hämmern sehen. Nun, im vollen Licht, erblickte Rampole einen enormen, koboldhaften dunkelroten Haarschopf. Er sah mattbraune Augen, die von dicken goldgefaßten Brillengläsern vergrößert wurden, ein knochiges Gesicht mit einem breiten und schlaffen Mund. Dieser Mund entblößte in dem Bestreben, klangvoll und präzise zu artikulieren, mit einer fischartigen Aufwärtsbewegung der Lippe eine Reihe weit auseinanderstehender Zähne. Dieser Mund sah aus, als sei er vom vielen Sprechen elastisch geworden. Jedesmal, wenn der Mann sprach, gewann man den Eindruck, er stehe vor einem Publikum: Er hob und senkte den Kopf, als lese er von Aufzeichnungen ab, und sprach in einem leisen, aber durchdringenden Singsang, über die Köpfe seiner Zuhörer hinweg. Wenn Sie nun konstatieren, daß es sich um einen Bachelor of Science der Physik mit tendenziell sozialistischen Standpunkten handelte, so haben Sie vollkommen recht. Sein Anzug war rotkariert gemustert, seine Finger hielt er vor sich verschränkt. Sein früheres Entsetzen war einer gewissen Gefaßtheit gewichen. Er verbeugte sich andeutungsweise und antwortete ausdruckslos.

»Mein Name ist Stuart Mills. Ich bin, oder war, Professor Grimauds Sekretär.« Seine großen Augen wanderten umher. »Darf ich fragen, was aus dem . . . Täter geworden ist?«

»Es muß angenommen werden«, erwiderte Hadley, »daß er durchs Fenster entkommen ist, während wir uns alle so sicher wähnten, daß er das Zimmer nicht verlassen konnte. Nun, Mr. Mills . . .«

»Verzeihen Sie«, unterbrach ihn die Singsangstimme mit fast ätherischer Entrücktheit, »wenn er das tat, muß er ein außergewöhnlicher Mensch gewesen sein. Haben Sie das Fenster einer Untersuchung unterzogen?«

»Er hat recht, Hadley«, keuchte Dr. Fell. »Sehen Sie selbst! Diese Sache fängt an, mich zu beunruhigen. Ich versichere Ihnen in aller Ernsthaftigkeit, wenn unser Mann das Zimmer nicht durch diese Tür verlassen hat . . .«

»Das hat er nicht. Dafür bin ich«, verkündete Mills lächelnd, »nicht der einzige Zeuge. Ich habe alles von Anfang bis Ende mitangesehen.«

». . . dann muß er leichter als Luft gewesen sein, wenn er durchs Fenster hinaus ist. Öffnen Sie das Fenster, und schauen Sie. Ähem, warten Sie! Durchsuchen wir zuerst das Zimmer.«

Niemand hielt sich im Zimmer versteckt. Anschließend schob Hadley grimmig knurrend das Fenster hinauf. Eine jungfräuliche Schneedecke bedeckte die ganze Breite des äußeren Simses und reichte bis unmittelbar an den Fensterrahmen selbst heran. Rampole beugte sich hinaus und sah sich um.

Ein heller Mond stand im Westen, vor dem sich jede Einzelheit gestochen scharf wie bei einem Holzschnitt abzeichnete. Bis zum Boden hinab waren es gut 15 Meter; die Wand fiel glatt, feucht und senkrecht ab.

Unten gab es einen Hinterhof, wie ihn alle Häuser in diesem Block hatten, eingefaßt von einer niedrigen Mauer. Hier wie in allen anderen sichtbaren Hinterhöfen sowie auf den Mauerkronen lag der Schnee unberührt.

Unter dem Fenster gab es in der ganzen Hauswand kein weiteres Fenster. Nur in diesem obersten Stockwerk: das nächstliegende befand sich linker Hand im Korridor mehr als neun Meter entfernt. Das nächste Fenster auf der Rechten gehörte schon zum Nebenhaus und lag auch nicht näher. Geradeaus fiel der Blick auf ein ausgedehntes Schachbrett einander anschließender Hinterhöfe, begrenzt durch die dazugehörigen Gebäude. Das nächste Haus stand also mehrere 100 Meter entfernt.

Über dem Fenster schließlich reichte eine glatte Steinfläche ungefähr viereinhalb Meter weit bis zum Dach hinauf, dessen Neigung weder Halt bot noch Gelegenheit zum Festbinden eines Seils.

Aber indem Hadley seinen Hals hinausreckte, wies er böse nach oben. »Und doch muß es so gewesen sein«, verkündete er. »Überlegen Sie! Angenommen, er hat ein Seil um einen Kamin oder etwas Ähnliches geschlungen, das schon vor dem Fenster baumelt, als er seinen Besuch macht. Er tötet Grimaud, schwingt sich hinaus, klettert hinauf über die Dachkante, kriecht zum Kamin, bindet das Seil los und verschwindet. D a v o n werden wir todsicher reichlich Spuren finden. Also . . .«

»Ja«, sagte Mills' Stimme. »Also muß ich Ihnen sagen, daß es k e i n e gibt.«

Hadley sah ihn an. Mills hatte den Kamin inspiziert; jetzt richtete er seinen Blick auf die anderen und lächelte, so daß seine weit auseinanderstehenden Zähne sichtbar wurden. Aber seine Augen blickten nervös, und auf seiner Stirn bildeten sich Schweißperlen.

»Sehen Sie«, fuhr er fort und hob dabei dozierend den Zeigefinger, »sobald mir klargeworden war, daß der Mann mit dem falschen Gesicht verschwunden war.«

»Dem w a s ?« bellte Hadley.

»Dem f a l s c h e n G e s i c h t. Drücke ich mich klar aus?«

»Nein. Wir werden gleich versuchen, Ihnen etwas mehr Klarheit zu entlocken, Mr. Mills. Inzwischen sagen Sie uns, was es mit dem Dach auf sich hat?«

»Es weist keinerlei Spuren oder Abdrücke irgendwelcher Art auf«, antwortete der andere. Ein schlauer Ausdruck kam in seine Augen, als er sie weit aufriß. Das war ein weiterer Tick von ihm: Wenn er lächelte, so starrte er, als wäre soeben eine Inspiration über ihn gekommen, wenngleich es sich zuweilen um reichlich schwachköpfige Inspirationen zu handeln schien. Wieder hob er den Zeigefinger. »Ich wiederhole, meine Herren, als ich sah, daß der Mann mit dem falschen Gesicht offensichtlich verschwunden war, sah ich Schwierigkeiten für mich selbst voraus.«

»Warum das?«

»Weil ich selbst diese Tür beobachtete, und weil ich mich genötigt sehen würde zu beteuern, daß der Mann nicht herausgekommen ist. Nun gut. Also ließ sich deduzieren, daß er mit einem Seil über das Dach entkam oder durch den Kamin aufs Dach kletterte. Eine ganz einfache mathematische Gewißheit. Wenn $PQ = pq$, dann ist es ganz offensichtlich, daß $PQ = pq + p\beta + qa + a\beta$.«

»Ach, tatsächlich?« meinte Hadley zurückhaltend. »Und?«

»Am Ende des Korridors, den Sie hier sehen, das heißt, den Sie sehen könnten, wenn die Tür offen wäre«, fuhr Mills mit unerschütterlicher Exaktheit fort, »befindet sich mein Büro. Von dort führt eine Tür in die Mansarde, und von da kann man durch eine Klapptür aufs Dach gelangen. Ich habe die Klapptür angehoben und konnte deutlich beide Seiten des Daches über diesem Raum überblicken. Der Schnee war in keiner Weise berührt.«

»Hinaus sind Sie nicht gegangen?« wollte Hadley wissen.

»Nein. Ich hätte ganz sicher den Halt verloren. Ich kann mir im Augenblick nicht einmal vorstellen, wie man sich bei trockenem Wetter auf dem Dach sollte halten können.«

Dr. Fell kehrte ihm ein strahlendes Gesicht zu. Er schien dem Wunsch zu widerstehen, dieses Phänomen beim Kragen zu packen und wie ein raffiniertes Spielzeug über dem Boden strampeln zu lassen.

»Und was dann, mein Sohn?« erkundigte er sich umgänglich. »Ich meine, was dachten Sie, als Ihre Gleichung wie eine Luftblase zerplatzt war?«

Mills blieb freundlich und unergründlich. »Ach, das muß sich erst noch erweisen. Ich bin Mathematiker, Sir. Ich gestatte mir nie zu denken.« Er schlug die Arme übereinander. »Aber ich wollte Ihre Aufmerksamkeit auf diese Dinge lenken, meine Herren, trotz meiner festen Überzeugung, daß der Mann keinesfalls die Tür benutzt hat.«

»Wie wäre es, wenn Sie uns nun genau unterrichteten, was sich hier heute abend abgespielt hat«, drängte Hadley und fuhr sich mit der Hand über die Stirn. Er setzte sich an den Schreibtisch und holte sein Notizbuch hervor. »Also, alles schön der Reihe nach! Wir werden uns der Sache schrittweise nähern. Seit wann arbeiten Sie für Professor Grimaud?«

»Seit drei Jahren und acht Monaten«, sagte Mills und ließ seine Zähne aufeinanderschnappen. Rampole bemerkte, daß er sich angesichts des offiziell wirkenden Notizbuches dazu zwang, kurze Antworten zu geben.

»Was sind Ihre Aufgaben?«

»Zum Teil Korrespondenz und allgemeine Sekretärstätigkeiten. Darüber hinaus Assistenz bei der Vorbereitung seiner neuen Publikation, *Ursprung und Geschichte des mitteleuropäischen Aberglaubens, unter Berücksichtigung* . . .«

»Gewiß. Wie viele Menschen leben in diesem Haus?«

»Außer Professor Grimaud und mir selbst, vier weitere.«

»Ja und, also?«

»Aha, ich verstehe! Sie wollen ihre Namen: Rosette Grimaud, seine Tochter. Madame Dumont, seine Haushälterin; ein älterer Freund des Professors namens Drayman. Ein Hausmädchen, dessen Nachnamen ich noch niemals vernommen habe, dessen Vorname aber Annie lautet.«

»Wer von denen war heute abend hier, als es geschah?«

Mills hob seine Fußspitze an, balancierte hin und her und sah auf sie hinunter – noch ein Tick. »Das kann ich nicht mit Sicherheit sagen. Aber ich werde Ihnen mitteilen, was ich weiß.« Er wiegte sich vor und zurück. »Nach dem Abendessen, um halb acht Uhr, kam der Professor nach oben, um zu arbeiten. Das pflegt er Samstagabends stets zu tun. Er sagte, er wolle bis elf Uhr nicht gestört werden; auch das eine unabänderliche Gewohnheit. Allerdings teilte er mir mit« – ganz unvermittelt erschienen wieder Schweißperlen auf der Stirn des jungen Mannes, wenngleich er äußerlich gelassen blieb –, »daß er möglicherweise gegen halb zehn Besuch erwarte.«

»Sagte er, wer dieser Besucher sein könnte?«

»Nein.«

Hadley beugte sich vor. »Kommen Sie, Mr. Mills! Haben Sie nicht von der Drohung gegen ihn gehört? Haben Sie nicht gehört, was sich am Mittwoch abend zugetragen hat?«

»Ich ... äh ... verfügte in der Tat über gewisse Vorabinformationen. Ich war sogar selbst in der Warwick Tavern zugegen. Ich nehme an, das hat Ihnen Mangan erzählt?«

Beklommen, aber mit erschreckender Bildhaftigkeit, schilderte er die Begebenheit. Dr. Fell war unterdessen davongestapft und führte eine Untersuchung durch, die er an diesem Abend mehrmals wiederholte. Er schien sich sehr für den Kamin zu interessieren. Da Rampole bereits einen skizzenhaften Bericht der Ereignisse im Warwick erhalten hatte, hörte er Mills nicht zu. Statt dessen beobachtete er Dr. Fell. Der Doktor inspizierte die Blutspritzer auf der Rücken- und rechten Armlehne des von seinem Platz verrückten Sofas. An der Feuerstelle selbst fanden sich weitere Blutflecken, auf dem schwarzen Teppich allerdings nur schwer erkennbar. Hatte hier ein Kampf stattgefunden? Die Kamingeräte standen jedoch noch aufrecht in ihrem Ständer, und zwar so, daß ein Kampf direkt vor dem Feuer sie hätte umwerfen müssen. Ein sehr bescheidenes Kohlenfeuer war unter einer Schicht verkohlter Papiere nahezu erstickt worden. Dr. Fell murmelte vor sich hin. Er reckte sich, um den Wappenschild zu begutachten. Rampole, der beileibe kein Heraldik-Kenner war, sah einen geteilten, rot, blau und silbern bemalten Schild: ein schwarzer Adler mit Halbmond in der oberen Hälfte, ein spitzwinkliges Dreieck mit etwas, das aussah wie ein Schachbrett mit Türmen, in der unteren. Die Farben waren zwar verblaßt, leuchteten aber gleichwohl mit geradezu barbarischer Pracht und Fülle in diesem seltsam barbarisch anmutenden Raum. Dr. Fell grunzte.

Aber er sprach erst, nachdem er angefangen hatte, die Bücher in den Regalen links vom Feuer in Augenschein zu nehmen. Nach Art der Büchernarren stürzte er sich geradezu auf sie. Er riß einen Band nach dem anderen aus dem Bord, warf einen Blick auf den Titel und stellte ihn an seinen Platz zurück. Ausgerechnet die am anrüchigsten aussehenden Bände schienen es ihm angetan zu haben. Er wirbelte einigen Staub auf und machte so viel Lärm dabei, daß Mills' gleichmäßiger Singsang davon beeinträchtigt wurde. Endlich erhob er sich und winkte den übrigen heftig erregt mit Büchern zu, die er nacheinander in der Luft schwenkte.

»Hören Sie, Hadley, ich will Sie nicht unterbrechen, aber ich bin hier auf etwas sehr Ulkiges und Aufschlußreiches gestoßen. Gabriel Dobrentei: *Yorick es Eliza levelei,* in zwei Bänden; Shakspere: *Minden Munkái,* neun Bände verschiedener Ausgaben. Und hier haben wir einen Namen ...« Er unterbrach sich. »Ähem. Ha. Wissen Sie etwas über diese Bücher, Mr. Mills? Es sind die einzigen, die nicht abgestaubt wurden.«

Mills war aus seinem Konzept gebracht worden. »Ich ... ich weiß es nicht. Ich glaube, sie gehören zu einem Schwung Bücher, den Professor Grimaud in die Mansarde schaffen wollte. Mr. Drayman fand sie hinter anderen verstaut, als wir gestern abend ein paar Regale aus dem Zimmer trugen, um Platz für das Gemälde zu schaffen. Wo war ich stehengeblieben, Mr. Hadley? Ach ja! Nun, als Professor Grimaud mir sagte, er erwarte vielleicht Besuch heute abend, hatte ich keinen Grund zu der Annahme, daß es sich dabei um den Mann aus dem Warwick handeln könnte. Und Grimaud sagte auch nichts in dieser Richtung.«

»Was genau sagte er denn?«

»Ich ... sehen Sie, nach dem Abendessen arbeitete ich unten in der großen Bibliothek. Er sagte, ich solle um halb zehn in mein Büro hinaufgehen, bei offener Tür sitzen und ein Auge auf sein Zimmer haben, falls ...«

»Falls?«

Mills räusperte sich. »Er sagte nichts Genaues.«

»Und Sie«, bellte Hadley, »hatten nicht den geringsten Verdacht, wer auf der Bildfläche erscheinen würde?«

»Ich glaube«, mischte sich Dr. Fell leicht keuchend ein, »daß ich erklären kann, was unser junger Freund hier meint. Er muß sich in einem ziemlichen Gewissenskonflikt befinden. Er will sagen, daß er trotz der festen Überzeugungen eines jungen Bachelor of Science, trotz seines starken Schutzschildes mit dem Wappen $x^2 + 2xy + y^2$, der ihn beschützt, noch Phantasie genug besitzt, um wegen der Szene im Warwick Angst zu bekommen. Und so wollte er nicht mehr wissen, als es seine Pflicht war zu wissen. So ist es doch, oder?«

»Ich gebe gar nichts zu, Sir«, versetzte Mills, nichtsdestoweniger erleichtert. »Meine persönlichen Motive haben mit den Fakten nichts zu schaffen. Sie werden feststellen, daß ich meine Anweisungen exakt ausgeführt habe. Ich kam um genau halb zehn Uhr hier herauf.«

»Wo befanden sich die anderen zu diesem Zeitpunkt? Augenblick!« rief Hadley. »Sagen Sie jetzt nicht, Sie wüßten es nicht genau; erzählen Sie uns einfach, wo Sie glauben, daß sie waren.«

»Nach meinem besten Wissen waren Miss Rosette Grimaud und Mangan im Salon und spielten Karten. Drayman hatte mir gesagt, er wolle ausgehen. Ich habe ihn dann nicht mehr gesehen.«

»Und Madame Dumont?«

»Ich traf sie, als ich hier heraufkam. Sie trat eben mit Professor Grimauds Abendkaffee aus dem Zimmer, das heißt, mit dem, was davon übrig war. Ich ging in mein Büro, ließ meine Tür offen und rückte den Schreibmaschinentisch so zurecht, daß ich den Flur beim Arbeiten im Blickfeld hatte. Um genau« – er schloß kurz die Augen und öffnete sie sogleich wieder – »um genau 15 Minuten vor zehn klingelte es an der Haustür. Die elektrische Klingel befindet sich im mittleren Stockwerk, und ich konnte sie deutlich hören.

Zwei Minuten später kam Madame Dumont die Treppe herauf. Sie trug eines dieser kleinen Tabletts, auf die man gewöhnlich Visitenkarten legt. Sie wollte gerade an der Tür klopfen, da sah ich mit Schrecken den ... äh ... den großen Mann direkt hinter ihr die Treppe heraufkommen. Sie drehte sich um und sah ihn. Darauf stieß sie mehrere Worte hervor, die ich nicht wörtlich wiedergeben kann, deren Sinn aber war, daß sie ihn fragte, warum er nicht unten gewartet habe. Sie schien ganz außer Fassung. Der ... äh ... große Mann blieb eine Antwort schuldig.

Er ging zur Tür, schlug ohne Hast seinen Mantelkragen hinunter, nahm seine Kappe ab und verstaute sie in seiner Manteltasche.

Ich glaube, er lachte, und Madame Dumont rief irgend etwas, wich gegen die Wand zurück und beeilte sich, die Tür zu öffnen. Der Professor erschien sichtlich verärgert auf der Schwelle. Seine genauen Worte lauteten: ›Was zum Teufel ist das für ein Spektakel?‹ Er stand stocksteif da und blickte hinauf zu dem großen Mann; dann sagte er exakt dies: ›Wer in Gottes Namen sind Sie?‹«

Mills' Singsang erklang jetzt schneller, sein Lächeln hatte etwas Geisterhaftes angenommen, obgleich er es einfach nur einnehmend und strahlend erscheinen lassen wollte.

»Langsam, Mr. Mills. Hatten Sie denn Gelegenheit, diesen großen Mann gut anzuschauen?«

»Ziemlich gut. Als er durch den Türbogen vom Treppenhaus kam, sah er in meine Richtung.«

»Und?«

»Sein Mantelkragen war hochgeschlagen, und er trug eine spitze Kappe. Aber ich bin mit dem geschlagen, was man Adleraugen nennt, meine Herren, daher konnte ich die Beschaffenheit und Färbung von Nase und Mund genau erkennen. Er trug eine Kindermaske aus Pappmaché. Ich habe den Eindruck, daß sie länglich war, die Farbe war rosa, und sie hatte einen weit offenen Mund. Und soweit ich es beobachten konnte, nahm er sie zu keinem Zeitpunkt ab. Ich glaube, ich kann mit Gewißheit behaupten . . .«

»Sie haben eigentlich immer recht, stimmt's?« fragte eine kalte Stimme von der Tür her. »Es war ein falsches Gesicht. Und unglücklicherweise hat er es nicht abgenommen.«

Kapitel 4

Das Unmögliche

Sie stand in der Tür und sah von einem zum anderen. Auf Rampole machte sie, ohne daß dieser gewußt hätte, warum, den Eindruck einer außergewöhnlichen Frau. Es war im Grunde nichts Bemerkenswertes an ihr, außer lebhaft glänzenden schwarzen Augen, welche unter Lidern hervorblickten, die von tränenlosem Schmerz gerötet und gereizt waren.

Sie war ein wandelnder Widerspruch: klein, kräftige Figur, ein breites Gesicht, recht hohe Wangenknochen und glänzende Haut. Aber Rampole hatte das seltsame Gefühl, daß sie hätte schön sein können, wenn sie es nur darauf angelegt hätte. Ihr dunkelbraunes Haar ringelte sich in losen Locken über ihren Ohren, und sie trug ein denkbar schlichtes dunkles Kleid mit weißen Streifen über der Brust. Doch machte sie keineswegs einen nachlässig gekleideten Eindruck.

Auftreten, Haltung, Stärke – was war es? Das Wort elektrisch bedeutet nichts, dennoch vermittelt es die Spannung, die von ihr auszugehen schien: ein dynamisches, machtvolles Knistern, das bei Berührung Schläge austeilen würde. Sie betrat mit knarrenden Schuhen das Zimmer. Ihre vorstehenden dunklen Augen hefteten sich auf Hadley. Sie rieb ihre Handflächen gegeneinander und bewegte sie dabei auf und ab.

Rampole stellte zwei Dinge fest: Die Ermordung Professor Grimauds hatte ihr eine Verletzung zugefügt, von der sie sich nie wieder erholen würde; und sie wäre vom Weinen und vom Schmerz gelähmt gewesen, wenn sie etwas nicht sehr beschäftigt hätte.

»Ich bin Ernestine Dumont«, sagte sie, als wollte sie Rampoles Gedanken ergänzen. »Ich bin gekommen, weil ich Ihnen helfen will, den Mann zu finden, der Charles erschossen hat.«

Sie sprach beinahe akzentfrei, aber undeutlich und ausdruckslos. Sie fuhr fort, ihre Handflächen gegeneinander zu reiben.

»Als ich es hörte, brachte ich es zuerst nicht fertig, heraufzukommen. Dann wollte ich in der Ambulanz mitfahren, in die Klinik. Aber der Arzt ließ mich nicht. Er sagte, die Polizei wolle mich sprechen. Das war wahrscheinlich besser so.«

Hadley stand auf und rückte den Sessel für sie zurecht, in dem er gesessen hatte.

»Nehmen Sie bitte Platz, Madame. Wir werden Ihre Aussage sofort aufnehmen; zuvor muß ich Sie aber bitten, genau zuzuhören, was Mr. Mills sagt, falls wir Ihre Aussage zur Bekräftigung benötigen sollten.«

Sie schauderte in dem kalten Luftzug, der vom Fenster kam, und Dr. Fell, der sie scharf beobachtet hatte, schlurfte hinüber und schloß es. Darauf warf sie einen Blick auf die Feuerstelle, wo das Feuer unter der Masse verbrannter Papiere fast verglommen war. Und jetzt erst schien ihr plötzlich die Bedeutung von Hadleys Worten klarzuwerden, und sie nickte. Geistesabwesend warf sie Mills einen Blick zu. Sie schien eine Art vager Zuneigung für ihn zu empfinden, so daß sich ihr Gesicht bei seinem Anblick fast zu einem Lächeln verzog.

»Ja, natürlich. Er ist ein netter, armer, dummer Junge, und er meint es gut. So ist es doch, Stuart? Fahren Sie fort, ich bitte Sie. Ich werde . . . zusehen.«

Mills zeigte keinen Zorn, falls er überhaupt welchen empfand. Seine Augenlider zuckten, und er kreuzte die Arme.

»Wenn es Madame Pythia Vergnügen bereitet«, sagte er unbewegt mit ausdrucksloser Stimme, »erhebe ich keinerlei Einwände. Aber vielleicht setze ich meine Ausführungen besser fort. Äh – wo war ich stehengeblieben?«

»Grimauds Worte, sagten Sie, als er den Besucher sah, waren: ›Wer in Gottes Namen sind Sie?‹ Und dann?«

»Ach ja! Er trug seine Brille nicht, sie hing an ihrem Band vor seiner Brust. Ohne sie kann er nicht gut sehen, und ich hatte den Eindruck, daß er die Maske für ein echtes Gesicht hielt. Aber ehe er noch die Brille aufsetzen konnte, machte der Fremde eine behende Bewegung, die mich verwirrte, und huschte zur Tür hinein. Professor Grimaud versuchte, sich ihm in den Weg zu stellen, aber der Fremde war einfach zu schnell, und ich hörte ihn lachen. Als er drin war . . .« Mills hielt sichtlich irritiert inne. »Das war ganz sonderbar. Ich hatte tatsächlich den Eindruck, daß Madame Dumont, obwohl sie gegen die Wand zurückwich, dennoch die Tür hinter ihm schloß. Ich erinnere mich, daß ihre Hand auf dem Türknopf lag.«

Ernestine Dumont war außer sich.

»Was wollen Sie damit sagen, mein Junge?« verlangte sie zu wissen. »Sie Narr, achten Sie auf Ihre Worte. Glauben Sie, ich hätte diesen Mann absichtlich mit Charles allein gelassen? Er warf die Tür hinter sich zu, dann drehte er den Schlüssel im Schloß.«

»Einen Augenblick, Madame ... Stimmt das, Mr. Mills?«

»Ich lege Wert auf die Feststellung«, sagte Mills ruhig, »daß ich lediglich versuche, jede einzelne Tatsache und auch jeden Eindruck zu schildern, den ich hatte. Ich wollte gar nichts andeuten. Ich akzeptiere die Korrektur. Er hat, wie Madame Pythia behauptet, den Schlüssel umgedreht.«

»Das ist das, was er seinen kleinen Scherz nennt, ›Madame Pythia‹«, rief Madame Dumont aufgebracht. »Ach, pah!«

Mills lächelte. »Ich fahre fort, meine Herren: Ich glaube gerne, daß Madame Pythia beunruhigt war. Sie begann, Professor Grimauds Vornamen zu rufen und am Türknauf zu rütteln. Von innen vernahm man Stimmen, aber ich war ein Stück weit weg, und Sie werden feststellen, wie massiv die Tür ist.« Er wies auf die Tür. »Ich vermochte kein Wort zu verstehen, bis nach etwa 30 Sekunden, ein Zeitraum, in dem der große Mann seine Maske vermutlich abgesetzt hat, Professor Grimaud Madame Pythia ziemlich aufgebracht zurief: ›Gehen Sie, Sie Närrin, ich werde schon damit fertig!‹«

»Interessant. Schien er Angst zu haben, oder etwas Ähnliches?«

Der Sekretär dachte darüber nach. »Im Gegenteil, ich würde meinen, er klang in gewisser Weise erleichtert.«

»Und Sie, Madame, Sie gehorchten und gingen ohne weitere ...«

»Jawohl.«

»Trotzdem«, sagte Hadley milde, »nehme ich doch nicht an, daß es die Gewohnheit von Witzbolden ist, mit falschen Gesichtern an Ihrer Haustür zu läuten, um sich dermaßen ungebührlich aufzuführen? Sie wußten von der Drohung gegenüber Ihrem Arbeitgeber?«

»Ich habe Charles Grimaud über 20 Jahre lang gehorcht«, sagte die Frau sehr ruhig. Das Wort Arbeitgeber hatte sie schwer getroffen. Ihre roten, gereizten Augen blickten durchdringend. »Und ich habe nie eine Situation erlebt, mit der er nicht fertig geworden wäre. Gehorchen! Natürlich gehorchte ich; ich habe immer gehorcht. Im übrigen verstehen Sie gar nichts. Sie haben mich nichts gefragt.« Die Verachtung wich einem vagen Lächeln.

»Doch das ist interessant – psychologisch, wie Charles sagen würde. Stuart haben Sie nicht gefragt, warum er gehorchte, ohne aufzubegehren. Der Grund ist, daß Sie mit Selbstverständlichkeit davon ausgingen, daß er Angst hatte. Ich danke Ihnen für das implizierte Kompliment. Bitte fahren Sie fort.«

Rampole kam es vor, als habe ein Fechter ihm einen Eindruck von der Geschmeidigkeit seines Handgelenks verschafft. Auch Hadley schien das zu spüren, gleichwohl wandte er sich wieder an den Sekretär.

»Können Sie sich an die Uhrzeit erinnern, Mr. Mills, als der große Mann das Zimmer betrat?«

»Das war um zehn Minuten vor zehn. Auf meinem Schreibmaschinentisch steht eine Uhr.«

»Und wann hörten Sie den Schuß?«

»Genau zehn Minuten nach zehn.«

»Wollen Sie damit sagen, daß Sie die ganze Zeit die Tür beobachtet haben?«

»Gewiß, so ist es.« Er räusperte sich. »Trotz meiner, wie Madame Pythia sagt, Furchtsamkeit war ich als erster an der Tür, als der Schuß abgefeuert wurde. Sie war noch von innen verschlossen, wie die Herren ja selbst bemerkt haben – als Sie kurz darauf erschienen.«

»Während der 20 Minuten, da die beiden zusammen waren, hörten Sie da irgendwelche Stimmen, Bewegungen oder sonstige Geräusche?«

»Einmal hatte ich den Eindruck, als hörte ich laute Stimmen und etwas, das ich nur als ein Plumpsen beschreiben kann. Aber ich befand mich in einiger Entfernung.« Er fing erneut an, sich vor und zurück zu wiegen, und riß die Augen auf, als er Hadleys kaltem Blick begegnete. Wieder brach ihm der Schweiß aus. »Nun ist mir natürlich klar, daß ich Ihnen eine absolut unglaubliche Geschichte erzählen mußte, und doch, meine Herren, schwöre ich ...« Unvermittelt hob er seine Hand und gab seiner Stimme einen feierlichen Klang.

»Schon gut, Stuart«, sagte die Frau freundlich. »Ich kann das bestätigen.«

Hadley wurde allmählich ungeduldig. »Schön, belassen wir es zunächst dabei. Eine letzte Frage, Mr. Mills. Können Sie genau beschreiben, wie dieser Besucher ausgesehen hat? . . . Augenblick, Madame!« unterbrach er sich und drehte sich kurz um. »Alles zu seiner Zeit. Nun, Mr. Mills?«

»Ich kann mit Sicherheit behaupten, daß er einen langen schwarzen Mantel und eine spitze Kappe aus einem bräunlichen Material trug. Seine Hosen waren dunkel. Seine Schuhe sind mir nicht aufgefallen. Sein Haar, als er die Kappe abnahm . . .« Mills hielt inne. »Ja, das ist seltsam. Ich will nicht überspannt klingen, aber jetzt, da ich daran denke, sah sein Haar dunkel, wie gemalt, ja glänzend aus, wenn Sie mich verstehen, als ob sein ganzer Kopf aus Pappmaché gewesen wäre.«

Hadley, der vor dem großen Bild auf- und abmarschiert war, drehte sich so plötzlich zu Mills um, daß dieser leise aufschrie.

»Meine Herren«, rief Mills, »Sie haben mich aufgefordert, zu sagen, was ich sah. Und d a s habe ich gesehen. Es ist wahr.«

»Sprechen Sie weiter«, sagte Hadley grimmig.

»Ich glaube, er trug Handschuhe. Allerdings hatte er die Hände in den Taschen vergraben, und ich bin mir nicht sicher. Er war hochgewachsen, gut acht oder zehn Zentimeter größer als Grimaud, und von mittlerer – äh – anatomischer Struktur. Das ist alles, was ich mit Sicherheit sagen kann.«

»Sah er wie dieser Pierre Fley aus?«

»Nun, ja. Das heißt, einerseits ja, andererseits nein. Ich würde sagen, d i e s e r Mann war sogar noch größer als Fley, doch nicht ganz so hager, aber beschwören könnte ich das nicht.«

Während dieser Befragung hatte Rampole Dr. Fell aus den Augenwinkeln beobachtet. Der Doktor, seinen gewaltigen Umhang über dem Buckel, seinen Schlapphut unter den Arm geklemmt, war im Zimmer umhergewandert und hatte dabei dem Teppich ärgerliche Hiebe mit seiner Stockspitze verpaßt.

Er bückte sich hinunter und beäugte irgendwelche Dinge, bis ihm der Kneifer von der Nase rutschte. Er betrachtete das Gemälde, die Bücherwände und den Jadebüffel auf dem Schreibtisch. Schnaufend ließ er sich nieder, inspizierte den Kamin und wuchtete sich wieder hoch, um einen Blick auf den Wappenschild darüber zu werfen. Für letzteren schien er einiges übrig zu haben.

Aber bei alledem bemerkte Rampole, daß der Doktor Madame Dumont nicht aus den Augen ließ. Sie schien ihn zu faszinieren. Sie hatten etwas Erschreckendes an sich, diese kleinen hellen Äuglein, die im Raum herumfuhren und sich auf die Frau wieder hefteten, kaum daß sie eine Sache gemustert hatten. Und die Frau wußte es. Ihre Hände lagen ineinander verkrampft in ihrem Schoß. Sie versuchte, ihn zu ignorieren, aber immer wieder wanderte ihr Blick zu ihm hin. Es war, als finde ein unsichtbarer Kampf zwischen ihnen statt.

»Wir haben noch weitere Fragen, Mr. Mills«, sagte Hadley, »besonders, was den Vorfall in der Warwick Tavern angeht, und dieses Gemälde. Aber das kann vorerst warten, bis wir einen ersten Überblick über die Dinge gewonnen haben. Könnten Sie hinuntergehen und Miss Grimaud und Mr. Mangan bitten, zu uns zu kommen? Und Mr. Drayman, falls er inzwischen wieder da ist? Danke. Sekunde, bitte, äh . . . – noch Fragen, Fell?«

Dr. Fell schüttelte den Kopf, ganz Liebenswürdigkeit. Rampole sah, wie die Fingerknöchel der Frau vor Anspannung weiß wurden.

»Muß Ihr Freund immerzu so herumlaufen?« rief sie plötzlich, und in ihrer Aufregung wurde ihr Akzent deutlicher. »Es ist zum Verrücktwerden. Es ist . . .«

Hadley beobachtete sie. »Ich verstehe Sie, Madame. Aber bedauerlicherweise ist das so seine Art.«

»Wer sind Sie denn überhaupt? Sie kommen in mein Haus . . .«

»Lassen Sie mich erklären. Ich bin Superintendent des Criminal Investigation Department. Dies ist Mr. Rampole. Und der andere Herr ist Dr. Gideon Fell, von dem Sie vielleicht schon gehört haben.«

»Ja. Ja, das dachte ich mir bereits.« Sie nickte und klopfte auf den Schreibtisch neben ihr. »Nun gut! Aber warum müssen Sie Ihre Manieren vergessen? Ist es notwendig, daß Sie das Zimmer bei offenem Fenster auskühlen lassen? Können wir nicht wenigstens ein Feuer entfachen, damit uns warm wird?«

»Davon würde ich abraten, wissen Sie«, entgegnete Dr. Fell. »Das heißt, solange wir nicht wissen, welche Papiere bereits verbrannt sind. Das muß ein recht großes Feuer gewesen sein.«

Ernestine Dumont sagte matt: »Oh, warum sind Sie solche Narren? Warum sitzen Sie hier herum? Sie wissen ganz gut, wer das getan hat. Dieser Fley, wer sonst? Also? Warum verfolgen Sie ihn nicht? Warum sitzen Sie hier herum, wenn ich Ihnen doch sage, daß er es getan hat?«

Haßerfüllt wie eine antike Rachegöttin schien sie Fley schon am Galgen baumeln zu sehen.

»Kennen Sie Fley?« fragte Hadley barsch.

»Nein, ich habe ihn nie gesehen! Ich meine, bis heute abend. Aber ich weiß, was Charles mir gesagt hat.«

»Nämlich?«

»Ach, *zut!* Dieser Fley ist ein Verrückter. Charles kannte ihn überhaupt nicht, aber der Mann hatte die absurde Vorstellung, daß Charles sich über das Okkulte lustig machen wollte, verstehen Sie. Er hat einen Bruder, der« – sie machte eine abfällige Geste – »genauso ist, verstehen Sie? Na ja, Charles sagte mir, daß er heute abend um halb zehn kommen könnte. Wenn er käme, sollte ich ihn einlassen. Aber als ich um halb zehn das Kaffeegeschirr holte, lachte Charles und sagte, wenn der Mann bis jetzt nicht eingetroffen sei, würde er wohl gar nicht mehr erscheinen. Charles meinte: ›Menschen, die einen Groll hegen, sind pünktlich.‹« Sie lehnte sich trotzig zurück. »Nun, er hatte unrecht. Es läutete um Viertel vor zehn an der Tür. Ich öffnete. Auf den Stufen wartete ein Mann. Er reichte mir eine Visitenkarte und sagte: ›Würden Sie das bitte Professor Grimaud geben und ihn fragen, ob er mich empfängt?‹«

Hadley stand gegen die Kante des Ledersofas gelehnt und beobachtete sie.

»Was war mit dem falschen Gesicht, Madame? Kam Ihnen das nicht ein wenig sonderbar vor?«

»Ich habe das falsche Gesicht n i c h t g e s e h e n! Haben Sie bemerkt, daß in der Eingangshalle nur e i n Licht brennt? Nun eben! Hinter ihm befand sich eine Straßenlaterne, und ich konnte kaum seine Umrisse ausmachen. Seine Worte waren ausgesucht höflich, verstehen Sie, und er übergab mir gleich seine Karte, so daß ich einen Augenblick nicht bemerkte ...«

»Einen Moment, bitte. Würden Sie seine Stimme wiedererkennen, wenn Sie sie hörten?«

Sie bewegte ihre Schultern, als wolle sie ein Gewicht auf ihrem Rücken austarieren. »Ja! Ich bin nicht sicher – ja, ja! Aber sie klang nicht r i c h t i g, verstehen Sie; jetzt glaube ich, daß sie durch diese Maske gedämpft war. Ach, warum sind Männer solche ...?« Sie sank zurück in den Sessel, und ohne erkennbaren Grund füllten sich ihre Augen mit Tränen. »Ich sehe derartige Dinge nicht! Ich bin ehrlich, ich bin aufrichtig. Wenn dir jemand etwas zuleide tut, gut. Du lauerst ihm auf und tötest ihn. Dann gehen deine Freunde vor Gericht und beschwören, daß du woanders gewesen bist. Man setzt keine bemalten Masken auf, wie der alte Drayman mit seinen Kindern in der Guy-Fawkes-Nacht; man liefert keine Visitenkarte ab wie dieser entsetzliche Mann, steigt die Treppe hinauf, tötet einen anderen Mann und verschwindet durch ein Fenster.

Das ist wie in den Legenden, die sie uns erzählten, als ich noch ein kleines Mädchen war.«

Ihr zynisches Gebaren schlug jetzt abrupt in Hysterie um. »Oh, mein Gott, Charles! Mein armer Charles!«

Hadley wartete gelassen ab. Nach nur einem Augenblick hatte sie sich wieder in der Gewalt; sie war nun so in sich gekehrt, so fremdartig und unergründlich wie das große Gemälde, das ihr in quälender Düsternis auf der anderen Seite des Raumes gegenüberstand. Die Gefühlsaufwallung hatte sie erleichtert, sie war jetzt auf der Hut, atmete aber noch schwer. Auf den Armlehnen des Sessels waren Kratzgeräusche von ihren Fingernägeln zu hören.

»Der Mann sagte also«, gab Hadley ihr das Stichwort, »›Würden Sie das bitte Professor Grimaud geben und ihn fragen, ob er mich empfängt?‹ Schön, trifft es zu, daß Miss Grimaud und Mr. Mangan sich zu diesem Zeitpunkt unten im Salon nahe der Eingangstür befanden?«

Sie sah ihn aufmerksam an.

»Na, das ist eine seltsame Frage. Wie kommen Sie bloß darauf? Ja, ich nehme an, die beiden waren tatsächlich dort. Ich habe nicht darauf geachtet.«

»Erinnern Sie sich, ob die Salontür offen oder geschlossen war?«

»Das weiß ich nicht. Ich nehme aber an, geschlossen, sonst hätte ich mehr Licht in der Halle sehen müssen.«

»Bitte, berichten Sie weiter.«

»Nun, als der Mann mir die Karte gab, wollte ich ihn schon auffordern einzutreten, um ihn anzukündigen, da wurde mir plötzlich etwas klar: Ich wollte nicht mit ihm, einem offenbar Verrückten, allein sein. Ich wollte lieber hinaufgehen, um Charles herunterzuholen. Also sagte ich: ›Warten Sie hier, ich werde fragen‹, und schlug ihm die Tür vor der Nase zu; das Schnappschloß rastete ein, und er konnte nicht ins Haus. Dann ging ich nach hinten ins Licht und sah mir die Karte an. Ich habe sie immer noch. Ich hatte keine Gelegenheit, sie abzugeben. Sie war leer.«

»Leer?«

»Absolut nichts stand darauf geschrieben oder gedruckt. Ich ging hinauf, um sie Charles zu zeigen und ihn dazu zu bewegen, herunterzukommen. Aber der arme kleine Mills hat Ihnen ja schon erzählt, was sich dann zugetragen hat. Ich wollte an die Tür klopfen, da hörte ich jemanden hinter mir die Stufen heraufkommen. Ich schaute zurück, und da war er auch schon, groß und dünn, hinter mir. Aber ich schwöre, ich schwöre beim heiligen Kreuz, daß ich die Tür unten verschlossen hatte. Nun, ich hatte keine Angst vor ihm. Nein! Ich fragte ihn, warum er mir nach oben gefolgt sei.

Und schauen Sie, das falsche Gesicht konnte ich immer noch nicht sehen, denn direkt hinter ihm brannte das helle Licht vom Treppenhaus, das diese ganze Seite des Korridors sowie Charles' Tür beleuchtet.

Da sagte er auf französisch: ›Sie dürfen mich nicht so aussperren, Madame!‹ Darauf schlug er seinen Kragen herunter und steckte seine Kappe ein. Ich machte die Tür auf, weil ich sicher war, daß er es nicht wagen würde, Charles gegenüberzutreten. Im selben Augenblick öffnete Charles die Tür von innen, da sah ich die Maske: rosa, wie Haut. Und bevor ich etwas unternehmen konnte, sprang er ins Zimmer, stieß die Tür hinter sich zu und drehte den Schlüssel.«

Sie hielt inne, als habe sie den schlimmsten Teil ihres Berichts hinter sich und könne nun leichter atmen.

»Und dann?«

Sie sagte matt: »Ich ging fort, wie Charles es mir befahl. Ich wehrte mich nicht und machte ihm keine Szene. Aber ich entfernte mich nicht weit. Ich trat nur ein paar Stufen die Treppe hinunter, so daß ich Charles' Tür immer noch im Auge behalten konnte; ich verließ meinen Posten genausowenig wie der arme Stuart hier. Es war – grauenhaft. Ich bin kein junges Mädchen mehr, wissen Sie. Ich war da, als der Schuß abgefeuert wurde; ich war da, als Stuart losrannte und gegen die Tür zu trommeln begann; ich war sogar noch da, als Sie die Treppe heraufkamen.

Aber dann hielt ich es nicht mehr länger aus. Ich wußte, was geschehen war. Als ich merkte, daß ich ohnmächtig wurde, war gerade noch Zeit, in mein Zimmer am Fuß der Treppe zu gelangen, bevor ich die Besinnung verlor. Das passiert Frauen zuweilen.« Ihre bleichen Lippen verzogen sich zu einem dünnen Lächeln. »Aber Stuart hatte ganz recht: Niemand hat das Zimmer verlassen. So wahr uns Gott helfe, wir sagen die Wahrheit. Wie auch immer diese furchtbare Gestalt das Zimmer verlassen haben mag: nicht durch die Tür! Und würden Sie mich jetzt bitte zu Charles in die Klinik gehen lassen?«

Kapitel 5

Das Silbenrätsel

Die Antwort wurde ihr von Dr. Fell zuteil. Er stand mit dem Rücken zum Kamin, eine riesige Figur im schwarzen Umhang unter Stoßrapieren und Wappenschild. Er schien wie geschaffen für diesen Ort, wie ein Feudalherr residierte er zwischen den Bücherborden und den weißen Büsten, die zu beiden Seiten neben ihm hochragten. Aber wie ein sehr furchterregender Front de Bœuf sah er eigentlich nicht aus. Sein Kneifer verrutschte auf seiner Nase, als er das Ende seiner Zigarre abbiß und sich umwandte, um es zielsicher in den Kamin zu speien.

»Ma'am«, sagte er, präsentierte wieder seine Vorderansicht und ließ dabei durch die Nase ein langes, herausforderndes Geräusch, einem Schlachtruf nicht unähnlich, hören, »wir werden Sie nicht mehr lange aufhalten. Und die Fairneß gebietet mir, Ihnen zu versichern, daß ich Ihre Geschichte nicht im mindesten anzweifle; ebensowenig, wie ich die von Mr. Mills anzweifle. Bevor wir zur Sache kommen, werde ich Ihnen beweisen, daß ich Ihnen glaube. Ma'am, erinnern Sie sich, wann es heute abend zu schneien aufhörte?«

Sie sah ihn mit ihrem harten, klaren, abwehrenden Blick an. Ganz offensichtlich war ihr der Name »Dr. Fell« ein Begriff.

»Spielt das eine Rolle? Ich glaube, es war etwa gegen halb zehn. Ja! Jetzt erinnere ich mich, denn als ich hinaufging, um Charles' Kaffeegeschirr zu holen, warf ich einen Blick aus dem Fenster und sah, daß es aufgehört hatte. Aber spielt das denn eine Rolle?«

»Aber ja, eine große sogar, Ma'am. Denn anderenfalls hätten wir es nur mit einer relativ unmöglichen Situation zu tun. Und Sie haben völlig recht mit Ihrer Beobachtung. Ähm, besinnen Sie sich, Hadley? Ungefähr um halb zehn hörte es auf. Richtig, Hadley?«

»Ja«, gab der Superintendent zu. Auch er blickte Dr. Fell skeptisch an. Er hatte gelernt, dieser undurchdringlichen Miene über den zahlreichen Doppelkinnen zu mißtrauen.«»Angenommen, es war so, was folgt daraus?«

»Nicht allein, daß es volle 40 Minuten, bevor der Besucher aus diesem Raum entwich, aufgehört hatte zu schneien«, spann der Doktor meditierend sein Garn weiter, »sondern bereits 15 Minuten, ehe er überhaupt hier ankam. Das stimmt doch, Ma'am, wie? Er läutete doch um Viertel vor zehn an der Tür? Gut ... Also, Hadley, wissen Sie noch, wann wir hier vor dem Haus erschienen? Fiel Ihnen auf, daß, bevor Sie und Rampole und der junge Mangan ins Haus stürmten, nicht ein einziger Fußabdruck auf den Stufen vor der Haustür, nicht einmal auf dem Gehweg vor den Stufen zu sehen war? Mir fiel das auf. Ich blieb zurück, um mich dessen zu vergewissern.«

Hadley fuhr mit einem erstickten Aufschrei in die Höhe. »Mein Gott, Sie haben recht! Der ganze Gehweg war unberührt. Es ...« Er hielt inne und drehte sich langsam zu Madame Dumont um. »Also das, Fell, sollen die Indizien sein, deretwegen Sie die Geschichte von Madame glauben? Sind Sie denn auch am Ende übergeschnappt? Wir hören, wie ein Mann 15 Minuten nach Ende des Schneefalls an der Tür läutet und durch eine verschlossene Tür geht, und doch ...«

Dr. Fell öffnete seine Augen. Dann ließ eine Serie von lachenden Glucksern die Wülste seiner Weste in einer von unten nach oben verlaufenden Wellenbewegung heftig erbeben.

»Aber mein Sohn, warum denn auf einmal so fassungslos? Anscheinend segelte er aus diesem Zimmer, ohne Spuren zu hinterlassen. Warum bringt es Sie dann so durcheinander, wenn Sie einräumen müssen, daß er zuvor in gleicher Weise hereingesegelt ist?«

»Ich habe keine Ahnung«, gab der andere störrisch zu. »Aber zum Henker, es bringt mich tatsächlich durcheinander. Nach meiner Erfahrung mit Morden in verschlossenen Räumen sind das Hinein- und Hinausgelangen zwei ganz verschiedene Paar Schuhe. Mein Weltbild geriete aus dem Gleichgewicht, wenn ich auf eine unmögliche Situation stieße, die sich nach beiden Richtungen auf dieselbe rationale Art und Weise erklären ließe. Nun ja, wie auch immer. Sie meinen also ...«

»Bitte, hören Sie mir zu«, warf Madame Dumont ein; bleich, mit mahlenden Kiefermuskeln saß sie da. »Ich versichere Ihnen, daß ich die reine Wahrheit sage, so wahr mir Gott helfe!«

»Und ich glaube Ihnen«, erwiderte Dr. Fell. »Lassen Sie sich von Hadleys schottischem gesundem Menschenverstand nicht einschüchtern. Auch er wird Ihnen glauben, wenn ich zu Ende geredet habe. Aber worauf es ankommt, ist folgendes: Ich habe Ihnen deutlich gemacht, daß ich Ihnen vertraue, wenn ich dem glauben kann, was Sie vorgebracht haben? Nun gut. Ich möchte Sie warnen, dieses mein Vertrauen nicht zu untergraben. Ich werde nicht im Traum an dem zweifeln, was Sie mir bis jetzt gesagt haben, aber ich habe das Gefühl, ich werde sehr stark an dem zweifeln, was Sie mir im nächsten Augenblick sagen werden.«

Hadley schloß ermüdet die Augen. »So etwas habe ich kommen sehen. Ich fürchte mich immer vor dem Moment, in dem Sie anfangen, Ihre verdammten Paradoxa auszuwalzen. Also . . .«

»Bitte fahren Sie fort«, sagte die Frau gleichmütig.

»Ähem. Danke. Nun, Ma'am, seit wann sind Sie Grimauds Haushälterin? Nein, ich stelle die Frage anders. Seit wann sind Sie schon bei ihm?«

»Seit über 25 Jahren«, erwiderte sie. »Ich war einmal . . . mehr als seine Haushälterin.«

Sie hatte auf ihre ineinander verkrampften Finger, die in ständiger Bewegung waren, hinabgeschaut. Jetzt hob sie den Kopf. Ihre Augen hatten einen wilden, starren Glanz, als frage sie sich, wieviel sie offenbaren könne. Sie zeigte die Miene eines Menschen, der aus dem Verborgenen einen Feind beobachtet, jederzeit zur Flucht bereit.

»Was ich Ihnen nun sage«, fuhr sie ruhig fort, »sage ich Ihnen in der Hoffnung, daß Sie mir Ihr Wort geben, Stillschweigen zu bewahren. Sie werden alles in Ihren Unterlagen über Ausländer in der Bow Street finden und könnten mir Schwierigkeiten bereiten, die nichts mit dieser Sache zu tun haben. Es geht mir dabei nicht um mich, verstehen Sie. Rosette Grimaud ist meine Tochter. Sie wurde hier geboren, ihre Geburt mußte registriert werden. Aber sie weiß es nicht – niemand weiß es. Bitte, kann ich mich auf Ihr Schweigen verlassen?«

Der Glanz in ihren Augen nahm einen anderen Ausdruck an. Sie hatte ihre Stimme nicht erhoben, ihr aber eine große Dringlichkeit verliehen.

»Aber Ma'am«, sagte Dr. Fell und legte seine Stirn in Falten, »ich wüßte nicht, was uns das anginge. Sie vielleicht? Wir werden auf keinen Fall darüber sprechen.«

»Meinen Sie das ernst?«

»Ma'am«, sagte der Doktor mitfühlend, »ich kenne die junge Dame nicht, aber ich wette einen Zehner, daß Sie sich unnötige Sorgen machen, und daß Sie beide sich unnötig jahrelang gesorgt haben. Wahrscheinlich weiß sie es längst. Kinder merken so etwas. Und das versucht sie, vor I h n e n verborgen zu halten. Und die ganze Welt steht Kopf, weil wir uns so gern einreden, daß die Jungen unter 20 niemals Gefühle haben werden – und die Alten über 40 nie welche hatten. Ähem. Wir wollen es vergessen. Einverstanden?« Er strahlte. »Was ich Sie fragen wollte: Wo haben Sie Grimaud kennengelernt? War das bereits, bevor Sie nach England kamen?«

Sie atmete schwer. Sie antwortete zwar, aber wie abwesend, als wäre sie mit ihren Gedanken woanders.

»Ja, in Paris.«

»Sind Sie Pariserin?«

»Nein, nein, ich bin nicht dort geboren! Ich stamme aus der Provinz. Aber ich arbeitete dort, als ich ihn kennenlernte. Ich war Kostümbildnerin.«

Hadley sah von seinen Notizen auf, die er in sein Büchlein schrieb. »Kostümbildnerin?« wiederholte er. »Meinen Sie Schneiderin?«

»Nein, nein, ich meine, was ich sage. Ich war eine der Frauen, die Kostüme für die Oper und das Ballett anfertigten. Wir arbeiteten in der Opéra selbst. Dafür werden Sie in den Unterlagen Nachweise finden können! Und, um Ihnen Zeit zu ersparen, kann ich Ihnen sagen, daß ich nie verheiratet war. Ernestine Dumont ist mein Mädchenname.«

»Und Grimaud?« fragte Dr. Fell scharf. »Woher stammte er?«

»Aus Südfrankreich, soweit ich weiß. Aber er studierte in Paris. Alle seine Angehörigen sind tot, also wird Ihnen das nicht weiterhelfen. Er war der Alleinerbe.«

Es lag eine knisternde Spannung in der Luft, die durch diese Routinebefragung nicht gerechtfertigt schien, aber Dr. Fells folgende drei Fragen waren so ungewöhnlich, daß Hadleys Kopf von seinem Notizbuch hochfuhr und Ernestine Dumont, die sich wieder in der Gewalt hatte, mit wachsamen Augen auf ihrem Platz hin- und herrutschte.

»Welchem religiösen Bekenntnis gehören Sie an, Ma'am?«

»Ich bin Unitarierin. Warum?«

»Hm, ah ja. War Grimaud jemals in den Vereinigten Staaten, oder hat er Freunde dort?«

»Nie. Und ich weiß von keinen Freunden drüben.«

»Sagen Ihnen die Worte ›Die Sieben Türme‹ etwas, Ma'am?«

»Nein!« schrie Ernestine Dumont auf und wurde wachsbleich.

Dr. Fell, der seine Zigarre fertig angezündet hatte, blinzelte sie durch den Qualm hindurch an. Er schlenderte vom Kamin fort um das Sofa herum, so daß sie vor ihm zurückschreckte. Aber er wies nur mit seinem Stock auf das große Bild und zeichnete die Linie der weißen Berge im Hintergrund nach.

»Ich werde Sie nicht fragen, ob Sie wissen, was wir hier dargestellt sehen«, fuhr er fort, »aber ich werde Sie fragen, ob Grimaud Ihnen gesagt hat, warum er es gekauft hat. Was für einen Zauber sollte es ausüben? Welche Macht sollte von ihm ausgehen, die eine Kugel oder den bösen Blick hätte abwehren können? Welchen Einfluß hätte es?«

Er verstummte, als fiele ihm plötzlich etwas Schreckliches ein. Dann griff er heftig atmend mit einer Hand zu, hob das Bild vom Boden auf und drehte es neugierig von einer Seite auf die andere. »Sapperlot!« brüllte Dr. Fell geistesabwesend. »Herr im Himmel! Oh, beim Bacchus und zum Donnerwetter.«

»Was ist denn los?« wollte Hadley wissen und machte einen Satz nach vorn. »Was sehen Sie?«

»Ich sehe gar nichts«, sagte Dr. Fell jetzt völlig ernüchtert. »Das ist es ja gerade. Nun, Madame?«

»Ich glaube«, sagte die Frau mit bebender Stimme, »daß Sie der seltsamste Mensch sind, der mir je begegnet ist. Nein. Ich weiß nicht, was es mit dem Gemälde auf sich hat. Charles wollte es mir nicht sagen. Er brummte nur und lachte in sich hinein. Warum fragen Sie nicht den Künstler selbst? Burnaby hat es gemalt. Er müßte es wissen. Aber Leute von Ihrem Schlag tun ja nie das Naheliegende. Es sieht aus wie das Bild eines Landes, das es in Wirklichkeit gar nicht gibt.«

Dr. Fell nickte düster: »Ich fürchte, Sie haben recht, Ma'am. Ich glaube auch nicht, daß es existiert. Und wenn dort drei Menschen begraben wären, so könnte man sie schwerlich finden, meinen Sie nicht auch?«

»Wollen Sie endlich mit diesem Unsinn aufhören!« rief Hadley; erst dann bemerkte er verblüfft, daß »dieser Unsinn« Ernestine Dumont wie ein Donnerschlag getroffen hatte. Um die Wirkung, die die scheinbar so wirre Rede Dr. Fells auf sie hatte, zu verbergen, erhob sie sich.

»Ich gehe«, sagte sie. »Sie können mich nicht aufhalten. Sie sind alle von Sinnen. Sie sitzen hier herum und phantasieren, während Sie Pierre Fley entkommen lassen. Warum verfolgen Sie ihn nicht? Warum tun Sie denn gar nichts?«

»Weil, Ma'am, Grimaud selbst gesagt hat, daß es nicht Pierre Fley war.« Sie starrte Dr. Fell an, während der das Gemälde mit einem Plumps gegen das Sofa zurückkippen ließ. Jene Szenerie aus einem Land, das nicht existierte und in dem gleichwohl drei Grabsteine zwischen verkrüppelten Bäumen standen, jagte Rampole einen Schauder über den Rücken. Er hatte seinen Blick immer noch nicht von dem Gemälde gelöst, als man Schritte auf der Treppe vernahm.

Es war herzerfrischend, des nüchternen, ernsthaften, scharfgeschnittenen Gesichts von Sergeant Betts ansichtig zu werden, an das sich Rampole von dem Fall im Londoner Tower erinnerte.[*] Hinter ihm erschienen zwei gutgelaunte Zivilbeamte, die eine Photoausrüstung und die Apparaturen für die Abnahme der Fingerabdrücke bereithielten. Ein uniformierter Polizist postierte sich hinter Mills, Boyd Mangan und der jungen Dame, die im Salon gewesen war. Sie schob sich nun durch die Gruppe ins Zimmer hinein.

»Boyd hat gesagt, Sie wollten mich sprechen«, sagte sie mit leiser, brüchiger Stimme, »aber ich mußte unbedingt in der Ambulanz mitfahren. Tante Ernestine, du gehst am besten so schnell wie möglich hinüber; sie sagen, es wird . . . nicht mehr lange dauern.«

Sie versuchte offenbar, sich resolut und bestimmt zu geben, sogar die Art, wie sie ihre Handschuhe abstreifte, zeugte davon, aber sie hielt es nicht durch. Sie legte jenes entschiedene Auftreten an den Tag, das man sich Anfang 20 aus Mangel an Erfahrung und weil man zu wenig Widerstände überwinden muß, zulegt.

Rampole war ziemlich verblüfft über ihren weißblonden Bubikopf, der die Ohren freiließ. Ihr Gesicht wirkte ein wenig eckig, mit ziemlich hohen Wangenknochen; sie war beileibe keine Schönheit, doch strahlte sie eine faszinierende Vitalität aus, die einen an alte Zeiten denken ließ, selbst wenn man nicht wußte, an

---

[*] *Der Tote im Tower.* DuMont's Kriminal-Bibliothek Bd. 1014.

welche alten Zeiten. Ihr bemerkenswert breiter Mund war dunkelrot geschminkt, aber im Gegensatz dazu und zu dem eher herben Gesicht strahlten ihre großen Haselnußaugen eine Warmherzigkeit aus, die von einer gewissen Unsicherheit zeugte. Sie sah sich rasch um und trat dann zu Mangan zurück, wobei sie ihren Pelzmantel fest um sich zog. Sie schien nicht weit von schierer Hysterie entfernt.

»Würden Sie mir bitte ganz schnell sagen, was Sie wollen?« rief sie. »Ist Ihnen denn nicht klar, daß er gerade stirbt? Tante Ernestine . . .«

»Wenn diese Herren mit mir fertig sind«, bemerkte die Frau ruhig, »werde ich gehen. Ich wollte ohnehin gehen, wie Sie sich erinnern.«

Sie war mit einem Mal lammfromm. Doch lauerte hinter dieser Fügsamkeit eine Herausforderung, als wolle sie deutlich machen, daß ihre Nachgiebigkeit nicht von Dauer sei.

Zwischen den beiden Frauen existierte eine Spannung, verdeckt wie die Unsicherheit in Rosette Grimauds Augen. Sie warfen sich einen kurzen, verstohlenen Blick zu, ohne sich dabei direkt in die Augen zu sehen; die eine schien die Bewegungen der anderen zu imitieren; dann wurden sie sich dessen bewußt und hielten inne. Hadley sagte nichts, als handele es sich um eine Gegenüberstellung zweier Verdächtiger bei Scotland Yard.

»Mr. Mangan«, sagte er plötzlich lebhaft, »würden Sie bitte mit Miss Grimaud Mr. Mills' Büro am anderen Ende des Flurs aufsuchen? Danke. Wir werden in ein paar Minuten zu Ihnen stoßen. Mr. Mills, einen Augenblick! Sie warten. Betts!«

»Sir?«

»Ich möchte, daß Sie eine gefährliche Aufgabe übernehmen. Hat Mangan Ihnen gesagt, daß Sie Seile und einen Suchscheinwerfer mitbringen sollten? Gut. Ich will, daß Sie aufs Dach dieses Hauses klettern und jeden Zentimeter nach Fußspuren oder irgendwelchen Abdrücken absuchen, besonders über diesem Zimmer. Anschließend gehen Sie in den Hof hinter dem Haus und in die beiden Nachbarhöfe hinunter und schauen, ob Sie dort irgendwelche Spuren finden. Mr. Mills wird Ihnen zeigen, wie Sie aufs Dach kommen . . . Preston! Ist Preston da?«

Ein junger Bursche mit spitzer Nase kam diensteifrig vom Korridor hereingeeilt. Es handelte sich dabei um jenen Sergeant Preston, dessen Spezialität es war, Geheimverstecke aufzuspüren, und der im Fall der Totenuhr die Beweise hinter der Holzvertäfelung gefunden hatte.

»Kämmen Sie dieses Zimmer nach jeder nur denkbaren Geheimtür durch, verstanden? Nehmen Sie den Raum vollkommen auseinander, wenn Sie wollen. Schauen Sie, ob jemand durch den Kamin entwischt sein könnte ... Ihr Burschen macht weiter mit euren Photos und Fingerabdrücken. Markieren Sie jeden Blutfleck mit Kreide, bevor Sie ihn photographieren. Aber rühren Sie das verbrannte Papier im Kamin nicht an. Constable! Wo zum Teufel steckt dieser Constable?«

»Hier, Sir.«

»Haben Sie von Bow Street die Anschrift eines Mannes namens Fley erhalten, Pierre Fley? Gut. Gehen Sie dort hin, ganz gleich, wo es ist, und nehmen Sie ihn fest! Bringen Sie ihn auf der Stelle her. Wenn er nicht dort ist, warten Sie auf ihn. Ist schon ein Mann auf dem Weg zu dem Theater, wo er arbeitet? In Ordnung. Das wär's dann. Auf geht's, an die Arbeit!«

Vor sich hinmurmelnd, marschierte er in den Flur hinaus. Dr. Fell stapfte ihm nach und schien zum ersten Mal von brennendem Eifer besessen. Er tippte dem Superintendenten mit seinem zerknüllten Schlapphut auf die Schulter.

»Schauen Sie, Hadley«, sagte er ungeduldig, »gehen Sie nur hinunter, und kümmern Sie sich um die Befragungen, ja? Ich glaube, ich kann mich viel nützlicher machen, wenn ich hier bleibe und diesen Burschen beim Photographieren helfe.«

»Nichts da, der Teufel soll mich holen, wenn Sie mir noch mehr Platten verderben!« sagte der andere hitzig. »Diese Filme kosten Geld, und abgesehen davon müssen wir die Beweise aufnehmen. Ich will jetzt mal ganz offen mit Ihnen unter vier Augen sprechen: Was soll dieser ganze Hokuspokus über Sieben Türme und über Tote, die in Ländern begraben liegen, die nie existiert haben? Ich hab' solche Anfälle von Geheimniskrämerei ja schon des öfteren bei Ihnen erlebt, aber noch nie so übel wie jetzt. Spielen wir mit offenen Karten. Was haben Sie ... Ja, ja! Was ist denn?«

Gereizt fuhr er zu Stuart Mills herum, der an seinem Ärmel zupfte.

»Äh, bevor ich den Sergeant aufs Dach begleite«, sagte Mills gelassen, »teile ich Ihnen wohl besser mit, daß Sie Mr. Drayman sprechen können, wenn Sie wollen. Er ist im Haus.«

»Drayman? Ach ja! Wann ist er denn heimgekommen?«

Mills runzelte die Stirn. »Soweit ich das beurteilen kann, überhaupt nicht. Er war gar nicht fort. Ich hatte Gelegenheit, einen Blick in sein Zimmer zu werfen.«

»Wie das?« erkundigte sich Dr. Fell mit jähem Interesse.

Der Sekretär blinzelte ungerührt. »Ich war neugierig, Sir. Ich entdeckte, daß er da war und schlief. Es wird schwierig sein, ihn zu wecken. Ich glaube, er hat einen ... Schlaftrunk genommen. Das tut Mr. Drayman gerne. Ich will damit keineswegs sagen, daß er abhängig ist, sondern nur, wie ich mich ausdrückte, daß er gerne einen Schlaftrunk nimmt.«

»Das ist doch der wunderlichste Haushalt, der mir je begegnet ist«, erklärte Hadley nach einer Pause, ohne jemand Bestimmten damit anzusprechen. »Noch etwas?«

»Ja, Sir. Unten wartet ein Freund von Professor Grimaud. Er ist eben gekommen und möchte Sie sprechen. Ich glaube zwar nicht, daß es von besonderer Dringlichkeit ist, aber er gehört zu dem Zirkel aus dem Warwick. Sein Name ist Pettis, Mr. Anthony Pettis.«

»Ah, Pettis«, murmelte Dr. Fell und rieb sich das Kinn. »Ich frage mich, ob das derselbe Pettis ist, der Gespenstergeschichten sammelt und diese exzellenten Vorworte dazu verfaßt? Tja, der wird's wohl sein. Na, und wie paßt d e r nun wieder hier rein?«

»Ich frage Sie, wie irgend etwas hier zusammenpaßt«, seufzte Hadley. »Hören Sie, Mr. Mills. Ich kann mit diesem Burschen jetzt nicht sprechen, wenn er nicht etwas Wichtiges vorzubringen hat. Lassen Sie sich seine Adresse geben. Ich werde morgen früh bei ihm vorbeischauen. Danke.« An Dr. Fell gewandt sagte er: »Jetzt schießen Sie los mit Ihren Sieben Türmen und dem Land, das es nie gab.«

Der Doktor wartete, bis Mills Sergeant Betts durch den großen Flur zu der Tür am anderen Ende geführt hatte. Ein gedämpftes Stimmengemurmel aus Grimauds Zimmer bildete nunmehr die einzige Geräuschkulisse. Der hellgelbe Lichtschimmer fiel immer noch durch den großen Türbogen am Kopf der Treppe und beleuchtete den Korridor. Dr. Fell schlurfte ein paar Schritte hin und her, sah sich nach allen Seiten suchend um und wandte sich schließlich den drei Fenstern mit den braunen Vorhängen zu. Er zog einen nach dem anderen auf und vergewisserte sich, daß alle drei Fenster von innen fest verschlossen waren. Dann winkte er Hadley und Rampole zur Treppe.

»Hm«, brummte er, »vielleicht ist es in der Tat ganz nützlich, ein paar Karten offen auf den Tisch legen, ehe wir uns die nächsten Zeugen vornehmen. Aber die Karte mit den Sieben Türmen behalte ich noch auf der Hand. Dahin werde ich Sie schrittweise führen, wie der Ritter Roland. Ein paar unzusammenhängende Worte, Hadley. Die einzigen wahren Indizien, die wir haben, denn sie stammen vom Opfer – sie stellen vielleicht unsere wichtigsten Hinweise dar. Ich meine die wenigen Worte, die Grimaud murmelte, bevor er das Bewußtsein verlor. Ich hoffe inständig, daß uns nichts davon entgangen ist. Erinnern Sie sich: Sie fragten ihn, ob Fley ihn erschossen habe. Er schüttelte den Kopf. Dann wollten Sie wissen, wer es getan habe. Was antwortete er? Ich möchte Sie beide fragen, was Sie gehört zu haben glauben.«

Er sah Rampole an. Der Amerikaner schien verwirrt. Er konnte sich auf viele der Worte genau besinnen, aber die Erinnerung an sie war mit einer allzu intensiven Vorstellung einer blutgetränkten Brust und eines verkrümmten Nackens vermischt. Er war unschlüssig. »Das erste Wort«, meinte Rampole endlich, »klang für mich wie ›Hof‹.«

»Unsinn«, unterbrach ihn Hadley sofort. »Ich habe mir alles sofort aufgeschrieben. Er sagte zuerst ›Rat‹ oder ›Wo Rat‹, allerdings soll mich der Teufel holen, wenn ich begreife . . .«

»Langsam. Ihre Aussagen sind ja noch konfuser als meine. Fahren Sie fort, Ted.«

»Na ja, ich würde nichts davon auf meinen Eid nehmen, aber dann verstand ich ›Nicht Selbstmord‹ und ›Seil konnte er nicht nehmen‹. Dann kam irgendwas mit ›Dach‹ und ›Schnee‹ und ›Fokus‹. Als letztes hörte ich ›Zu viel Licht‹. Aber ich würde nicht beschwören, daß das die richtige Reihenfolge war.«

Hadley gab sich nachsichtig. »Bei Ihnen ist alles durcheinander, wenn Sie auch ein oder zwei Punkte richtig aufgeschnappt haben.« Aber er machte selbst einen unsicheren Eindruck. »Trotzdem muß ich zugeben, daß meine Notizen auch nicht viel mehr Sinn ergeben. Nach ›Rat‹ sagte er ›Sabina‹. Das mit dem Seil haben Sie richtig mitbekommen, aber von ›Selbstmord‹ habe ich nichts gehört. ›Dach‹ und ›Schnee‹, richtig; ›Zu viel Licht‹ kam danach; dann: ›Hatte den Revolver‹. Darauf sagte er tatsächlich etwas, das sich wie ›Fokus‹ anhörte, und schließlich, wegen all des Blutes konnte ich es kaum verstehen, kam etwas wie: ›Hat nichts damit zu tun.‹ Das war alles.«

»Großer Gott im Himmel!« stöhnte Dr. Fell. Er starrte sie einen nach dem anderen an. »Das ist ja verheerend. Herrschaften, ich gedachte über Sie zu triumphieren! Ich wollte Ihnen eröffnen, was er sagte. Aber der beeindruckenden Größe Ihrer Auffassungsgabe bin ich nicht gewachsen! All das habe ich seinem Gebrabbel nicht entnehmen können, obwohl Sie, würde ich meinen, von der Wahrheit nicht weit entfernt sind. Puh!«

»Na, und wie lautet Ihre Version?« fragte Hadley.

Der Doktor stapfte auf und ab und knurrte: »Ich habe nur die ersten Worte verstanden. Sie ergeben einigermaßen einen Sinn, wenn ich recht habe – wenn ich recht habe. Aber der Rest ist ein Alptraum, der mir Visionen von schneebedeckten Dächern im Fokus eines Photoapparates bereitet oder von . . .«

»Lykanthropie?« mutmaßte Rampole. »Hat irgend jemand Werwölfe erwähnt?«

»Nein! Und das wird auch niemand«, brüllte Hadley. Er klopfte auf sein Notizbuch.

»Um mal Ordnung in die Angelegenheit zu bringen, Rampole, schreib' ich jetzt auf, was Sie gehört haben, zum Vergleich. So, da haben wir's:

Ihre Liste: ›Hof‹ – ›Nicht Selbstmord‹ – ›Seil konnte er nicht nehmen‹ – ›Dach‹ – ›Schnee‹ – ›Fokus‹ – ›Zu viel Licht‹.

Meine Liste: ›Wo Rat‹ – ›Sabina‹ – ›Seil konnte er nicht nehmen‹ – ›Dach‹ – ›Schnee‹ – ›Zu viel Licht‹ – ›Hatte den Revolver‹ – ›Fokus‹ – ›Hat nichts damit zu tun.‹

Na schön. Und wie gewöhnlich können Sie, Fell, tückisch wie Sie sind, mit dem sinnlosesten Teil am meisten anfangen. Ich könnte mir unter Umständen eine Erklärung für den Schluß aus den Fingern saugen, und auch, daß ein Hinterhof vorkommt, würde mir einleuchten, aber welchen Hinweis, zum Teufel, wollte uns ein sterbender Mann geben, indem er über eine unbekannte ›Sabina‹ sprach, und wer sollte wem wo einen ›Rat‹ erteilen?«

Dr. Fell starrte seine Zigarre an, die ausgegangen war.

»Ähem, ja. In ein paar von diesen Dingen wollen wir mal ein bißchen Licht bringen. Wir haben auch so schon genügend Rätsel zu lösen. Fangen wir ganz von vorn an: Zunächst einmal, mein Lieber, was geschah in diesem Raum, nachdem auf Grimaud geschossen worden war?«

»Woher zum Teufel soll ich das wissen? Das frage ich Sie. Wenn es keine Geheimtür gibt . . .«

60

»Nein, nein, ich spreche nicht davon, wie er das Kunststück bewerkstelligt hat, sich in Luft aufzulösen. Davon sind Sie besessen, Hadley, so besessen, daß Sie gar nicht mehr dazu kommen, darüber nachzudenken, was sich außerdem abgespielt hat. Wir wollen als erstes die eindeutigen Fakten analysieren, die wir erklären können, um dann dieses Material als solide Grundlage zu verwenden. Ähem. Also, was ist auf jeden Fall in diesem Zimmer passiert, nachdem auf den Mann geschossen wurde? Erstens: Alle Spuren finden sich im Umkreis des Kamins . . .«

»Denken Sie, der Kerl ist den Kamin hinaufgeklettert?«

»Ich bin absolut sicher, daß er das nicht getan hat«, sagte Dr. Fell gereizt. »Dieser Rauchabzug verjüngt sich nach oben hin so sehr, daß kaum eine Faust darin Platz hätte. Konzentrieren Sie sich, und denken Sie nach. Zuerst wurde ein schweres Sofa von seinem Platz vor dem Kamin weggerückt. Das Blut auf der Rückenlehne, eine gehörige Menge, könnte daher stammen, daß sich Grimaud dagegen stützte oder darüber stürzte. Der Kaminvorleger wurde weggezogen oder mit dem Fuß achtlos zur Seite getreten – auch er bekam Blut ab. Einer der Stühle beim Feuer wurde weggestoßen. Schließlich habe ich Blutflecke auf dem Kamin und sogar unmittelbar auf der Feuerstelle entdeckt. Sie führen uns zu einer großen Menge verbrannter Papiere, die das Feuer fast erstickt haben.

Jetzt erinnern Sie sich an das Verhalten der treuergebenen Madame Dumont. Sobald sie vorhin das Zimmer betrat, machte sie sich schreckliche Sorgen um diesen Kamin. Sie sah unentwegt hin und wurde beinah hysterisch, als sie bemerkte, daß ich dasselbe tat. Sie ging sogar so weit, wie Sie sich erinnern werden, uns darum zu bitten, ein Feuer zu entfachen, obwohl sie wissen mußte, daß die Polizei auf keinen Fall mit Kohle und Kienspänen hantieren würde, damit es die Zeugen am Tatort hübsch warm hätten. Nein, nein, mein Bester. Jemand hat versucht, Briefe oder Dokumente zu verbrennen. Und sie wollte ihre vollständige Vernichtung sicherstellen.«

Hadley sagte schwerfällig: »Also wußte sie Bescheid? Und doch behaupteten Sie, Sie hätten ihre Geschichte geglaubt?«

»Ja. Ich habe ihre Geschichte geglaubt und glaube sie noch immer – sofern es den Besucher und das Verbrechen betrifft. Was ich indes keineswegs glaube, sind ihre Angaben über Grimaud und sich selbst. Überlegen Sie noch einmal, was passiert ist! Der

Eindringling schoß auf Grimaud. Aber Grimaud, obwohl noch bei Bewußtsein, ruft nicht um Hilfe, versucht nicht, den Mörder aufzuhalten, macht keinerlei Lärm und öffnet nicht einmal die Tür, als Mills dagegentrommelt. Dennoch tut er etwas! Er tut etwas mit solcher Anstrengung, daß er die Wunde in seiner Lunge dabei weiter aufreißt. So haben wir es vom Arzt gehört.

Und ich will Ihnen sagen, was er tat. Es war ihm klar, daß es um ihn geschehen war, daß die Polizei bald da sein würde. In seinem Besitz befanden sich eine Menge Dinge, die unbedingt vernichtet werden mußten. Sie zu vernichten war entscheidender, als den Mann aufzuhalten, der auf ihn geschossen hatte, sogar wichtiger als sein Leben. Er taumelte immer wieder zu diesem Feuer und verbrannte seine Beweise. Daher das fortgerückte Sofa, der verrutschte Kaminvorleger, das Blut ... Verstehen Sie mich jetzt?«

Es war totenstill in dem öden, erleuchteten Flur.

»Und die Dumont?« fragte Hadley ernst.

»Sie wußte natürlich davon. Es war ihr gemeinsames Geheimnis. Und sie liebt ihn nun mal.«

»Wenn das alles wahr ist, muß es etwas verdammt Bedeutendes gewesen sein, was er da vernichtete«, sagte Hadley mit starrem Blick. »Woher wissen Sie denn das alles? Und was für ein Geheimnis hätten die beiden haben sollen? Und was bringt Sie auf die Idee, daß dieses Geheimnis eine Gefahr für sie darstellte?«

Dr. Fell preßte seine Hände gegen seine Schläfen und fuhr sich durch seinen Haarschopf. Er suchte nach Argumenten.

»Ein wenig werde ich Ihnen darüber vielleicht sagen können«, meinte er. »Allerdings gibt es da noch genug Aspekte, die mich in hoffnungslose Verwirrung stürzen. Sehen Sie, Grimaud und die Dumont sind ebensowenig Franzosen, wie zum Beispiel ich einer bin. Eine Frau mit solchen Wangenknochen, eine Frau, die das stumme ›h‹ ausspricht, gehört zu keiner lateinischen Rasse. Aber das spielt gar keine Rolle. Sie sind beide Magyaren. Genauer gesagt, Grimaud stammte ursprünglich aus Ungarn. Sein wirklicher Name ist Károly, also Charles, Grimaud Horváth. Wahrscheinlich war seine Mutter Französin. Er kam aus dem Fürstentum Transsylvanien, das früher einmal zum Königreich Ungarn gehörte, nach dem Krieg jedoch von Rumänien annektiert wurde.

In den späten 90ern des 19. oder den ersten Jahren des 20. Jahrhunderts wurden Károly Grimaud Horváth und seine beiden Brüder ins Gefängnis geworfen. Erwähnte ich schon, daß er zwei Brüder hatte? Den einen kennen wir nicht, der andere nennt sich heute Pierre Fley.

Ich weiß nicht, welcher Verbrechen die drei Brüder Horváth schuldig waren, aber sie wurden in das Gefängnis von Siebentürmen gesperrt und mußten in den Salinen bei Tradj in den Karpaten arbeiten. Charles ist vermutlich bald entkommen.

Nun, das tödliche Geheimnis seines Lebens kann wohl kaum die Tatsache betreffen, daß er im Gefängnis war, nicht einmal, daß er entkommen ist, bevor er seine Strafe abgesessen hatte. Das ungarische Königreich existiert nicht mehr, seine Staatsmacht hat sich aufgelöst. Ich nehme eher an, daß er irgendeine Teufelei angestellt hat, die seine Brüder betraf. Etwas ziemlich Grauenhaftes, das mit diesen drei Särgen zu tun hat und mit lebendig begrabenen Menschen. Etwas, das ihn heute noch an den Galgen gebracht hätte, wenn es herausgekommen wäre.

Mehr kann ich im Augenblick nicht bieten. Hat jemand ein Streichholz für mich?«

Kapitel 6

Die Sieben Türme

In der langen Pause, die nach diesem Vortrag entstand, warf Hadley dem Doktor eine Streichholzschachtel zu und musterte ihn grimmig.

»Machen Sie Witze?« fragte er dann. »Oder betreiben Sie jetzt Schwarze Magie?«

»Witze? Nicht über dergleichen Dinge. Schwarze Magie? Schön wär's ja. Diese drei Särge – verdammt, Hadley«, murmelte Dr. Fell und schlug sich erneut mit den Fäusten an die Schläfen. »Wenn ich doch nur irgendwo einen Silberstreif am Horizont erkennen könnte, irgend etwas . . .«

»Sie sind doch schon ganz schön weit gekommen. Haben Sie Informationen zurückgehalten, oder woher wissen Sie das alles? Ah, Sekunde.« Er warf einen Blick in sein Notizbuch. »›Hof‹, ›Rat‹, ›Sabina‹. Meinen Sie, daß Grimaud in Wirklichkeit ›Horváth‹ und ›Saline‹, also Salzbergwerk, meinte? Jetzt mal hübsch der Reihe nach. Wenn das Ihr Ausgangspunkt war, dann müssen wir aber noch eine Menge Sterndeuterei betreiben, bis wir den Rest der Worte entschlüsselt haben.«

»Diese gereizte Feststellung«, bemerkte Dr. Fell, »beweist, daß Sie mir zustimmen. Vielen Dank. Wenn wir uns auf das verlassen würden, was wir unmittelbar v e r s t a n d e n zu haben glauben, kämen wir nicht weit. Aber er sagte es wirklich, Hadley. Sie fragten ihn nach einem Namen: ›War es Fley?‹ – ›Nein.‹ ›Wer war es dann?‹ Und er antwortete: ›Horváth.‹«

»Sein eigener Name, wenn man Ihnen glauben soll.«

»Ja. Schauen Sie«, sagte Dr. Fell, »wenn es Sie beruhigt, gebe ich bereitwillig zu, daß ich als Detektiv nicht ganz fair war und Ihnen meine Informationsquellen in diesem Raum nicht offenbart habe. Ich werde das zu gegebener Zeit nachholen. Allerdings habe ich vorhin weiß Gott versucht, sie Ihnen zu zeigen.

Es war doch so: Von Ted Rampole hören wir von einem komischen Kauz, der Grimaud bedroht und über lebendig Begrabene spricht. Grimaud nimmt das ernst; er hat diesen Mann schon vorher gekannt und weiß, worüber dieser spricht, denn er kauft ein Gemälde, das drei Gräber zeigt. Als Sie Grimaud fragen, wer auf ihn geschossen hat, antwortet er mit dem Namen Horváth und sagt etwas über Salinen. Ob Sie das aus dem Munde eines französischen Professors nun seltsam finden oder nicht, auf jeden Fall ist es schon sehr seltsam, über seinem Kaminsims einen Schild mit folgendem Wappenbild zu finden: ein gerade abgeschnittener Halbadler in Schwarz, im Schildhaupt ein Mond in Silber . . .«

»Lassen wir doch die Heraldik«, sagte Hadley grimmig. »Was bedeutet es?«

»Es ist das Wappen von Transsylvanien. Seit dem Krieg natürlich nicht mehr existent, und auch davor in England und Frankreich kaum bekannt. Zuerst ein slawischer Name, dann ein slawisches Wappen. Endlich die Bücher, die ich Ihnen zeigte. Wissen Sie, was das war? Englische Bücher ins Magyarische übertragen. Nicht, daß ich sie hätte lesen können.«

»Gott sei Dank.«

»Aber wenigstens konnte ich die gesammelten Werke Shakespeares, Sternes *Letters from Yorick to Eliza* und Popes *Essay on Man* identifizieren. Das erschien mir so verblüffend, daß ich sie mir alle angeschaut habe.«

»Wieso verblüffend?« fragte Rampole. »In jeder Bibliothek gibt es ein paar seltsame Bücher. Auch in Ihrer eigenen.«

»Gewiß. Aber nehmen wir mal an, einen gebildeten Franzosen verlangt es nach englischer Literatur. Nun, entweder liest er doch wohl die englischen Originale, oder er beschafft sich französische Übersetzungen. Aber er würde doch nur in den seltensten Fällen darauf bestehen, zu ungarischen Ausgaben zu greifen, weil er der Meinung wäre, nur so könnte sich ihre volle Bedeutung erschließen. Mit anderen Worten, es handelte sich nicht um ungarische Literatur, nicht einmal um französische Bücher, mit denen ein Franzose sein Magyarisch hätte auffrischen können: Es war englische Literatur in magyarischer Sprache. Das bedeutete, daß die Muttersprache des Besitzers dieser Bücher U n g a r i s c h gewesen sein mußte. Ich habe jeden einzelnen Band durchgesehen, in der Hoffnung, einen Namen darin zu finden. Als ich ›Károly Grimaud Horváth, 1898‹ ganz verblichen auf einem Vorsatzblatt las, ging mir ein Licht auf.

Wenn sein richtiger Name Horváth lautete, warum hat er sich dann so lange verstellt? Denken Sie an die Worte ›Lebendig begraben‹ und ›Salinen‹, und Ihnen wird ein Licht aufgehen.

Als Sie ihn aber fragten, wer geschossen habe, sagte er Horváth. Ein solcher Augenblick ist wahrscheinlich der einzige im Leben eines Menschen, in dem er nicht geneigt ist, von sich selbst zu sprechen. Er meinte nicht sich selbst, sondern jemand anderen namens Horváth. Während ich noch darüber nachdachte, berichtete unser brillanter Mills von dem Mann namens Fley aus dem Pub. Mills sagte, daß ihm Fley irgendwie vertraut vorkam, obwohl er ihn nie zuvor gesehen hatte, und daß seine Redeweise wie eine Parodie auf Grimaud klang. Wen sah er da vor sich? Bruder, Bruder, Bruder! Sehen Sie, es gab drei Särge, aber Fley erwähnte nur zwei Brüder. Es schien, als sei da noch ein dritter Bruder im Spiel.

Ich ließ mir das durch den Kopf gehen; da betrat die offensichtlich slawische Madame Dumont die Szene. Falls es mir gelänge, meine Vermutung zu bestätigen, daß Grimaud aus Transsylvanien stammte, hätten wir es bei der Erforschung seiner Vergangenheit schon wesentlich leichter. Aber ich mußte umsichtig vorgehen. Sehen Sie diesen geschnitzten Büffel auf Grimauds Schreibtisch? An was läßt Sie der denken?«

»An Transsylvanien jedenfalls nicht, das dürfen Sie mir glauben«, brummte der Superintendent. »Schon eher an den Wilden Westen ... Buffalo Bill ... Indianer. Augenblick mal – haben Sie sie deshalb gefragt, ob Grimaud schon einmal in den Vereinigten Staaten war?«

Dr. Fell nickte schuldbewußt. »Das schien mir eine unverfängliche Frage zu sein, und sie antwortete auch ganz arglos. Sehen Sie, wenn er sich diese Figur in einem amerikanischen Andenkenladen gekauft hätte ... Hm, Hadley, ich war schon einmal in Ungarn, und zwar in meinen jüngeren und unternehmungslustigeren Tagen; ich hatte soeben *Dracula* gelesen. Transsylvanien war damals das einzige europäische Land, in dem Büffel gezüchtet wurden; sie wurden dort wie Ochsen eingesetzt. In Ungarn existierten viele verschiedene Religionen, aber Transsylvanien war unitarisch. Ich fragte Madame Dumont und traf ins Schwarze. Dann zündete ich meine Bombe: Wenn Grimaud eine berufliche Beziehung zu Salzbergwerken gehabt hätte, wäre nichts verloren gewesen, aber ich erwähnte das einzige Gefängnis in Transsylvanien, in dem die Häftlinge in Salinen arbeiten mußten. Ich nannte Sie-bentürmen, ohne auch zu erwähnen, daß es ein Gefängnis war. Das gab ihr beinahe den Rest.

Vielleicht begreifen Sie jetzt meine Bemerkung über die Sieben Türme und das Land, das nicht mehr existiert. Und hat jetzt um Himmels willen endlich jemand ein Streichholz für mich?«

»Sie haben schon welche«, sagte Hadley. Er machte ein paar große Schritte durch den Flur, nahm von dem jetzt verbindlich lä-chelnden Dr. Fell eine Zigarre entgegen und murmelte vor sich hin: »Ja, so weit, so gut. Scheint alles zu passen. Ihr Versuchsbal-lon mit dem Gefängnis ist gelandet. Aber die ganze Grundlage Ih-rer Theorie, daß nämlich diese drei Leute Brüder sind, ist doch pure Vermutung. Ich halte das für den schwächsten Punkt Ihres Ansatzes.«

»Oh, zugegeben. Na und?«

»Nichts, außer daß es eben der entscheidende Punkt ist. Ange-nommen, Grimaud wollte gar nicht sagen, daß jemand namens Horváth geschossen hat, sondern das irgendwie auf sich selbst be-ziehen. Dann kann j e d e r der Mörder gewesen sein. Wenn es aber drei Brüder gab und er das meinte, ist die Sache einfach. Dann sind wir wieder bei der Theorie, daß Pierre Fley ihn schließ-lich doch erschossen hat – oder Fleys Bruder. Fley können wir je-derzeit festnehmen, und was den Bruder angeht . . .«

»Sind Sie sicher, daß Sie den Bruder erkennen würden, wenn er vor Ihnen stünde?« fragte Dr. Fell nachdenklich.

»Wie meinen Sie das?«

»Ich dachte an Grimaud. Er sprach perfekt Englisch, und als Franzose ging er auch ohne weiteres durch. Ich zweifle nicht daran, daß er in Paris studierte oder daß die Dumont an der Opéra Kostüme schneiderte. Er trieb sich fast 30 Jahre lang in Bloomsbury herum, brummig, gutmütig und harmlos, mit seinem getrimmten Bart und seinem zackigen Bowler, hielt in aller Ruhe öffentliche Vorlesungen und sein heftiges Temperament im Zaum. Nie hätte jemand einen Teufel in ihm vermutet. Er muß allerdings auch ein gerissener und brillanter Teufel gewesen sein, stelle ich mir vor. Niemand schöpfte je Verdacht. Er hätte sich rasieren, sich Tweedanzüge und einen Portweinteint zulegen und als britischer Gutsherr oder was auch immer gelten können. So, und wie steht es da mit dem d r i t t e n Bruder? Er ist derjenige, der mir nicht aus dem Kopf geht. Nehmen wir einmal an, er weilt irgendwo hier in unserer Mitte, irgendwie verkleidet, und niemand weiß, wer er ist?«

»Möglich. Aber wir wissen nichts über diesen Bruder.«

Dr. Fell unterbrach seine Bemühungen, sich eine Zigarre anzuzünden, und blickte äußerst beunruhigt auf.

»Ich weiß. Das wurmt mich ja gerade, Hadley.« Er räusperte sich grollend und blies dann mit einem gewaltigen Luftstoß das Streichholz aus. »Wir haben es, theoretisch, mit zwei Brüdern zu tun, die französische Namen angenommen haben: Charles und Pierre. Dann gibt es da noch einen dritten. Wir wollen ihn um der Übersichtlichkeit der Debatte willen Henri nennen.«

»Augenblick mal! Sie wollen mir doch nicht weismachen, Sie wüßten auch über ihn Bescheid?«

»Im Gegenteil«, gab Dr. Fell mit einer gewissen Bissigkeit zurück, »ich möchte betonen, wie wenig wir über ihn wissen. Wir wissen etwas über Charles und Pierre. Aber wir haben nicht den geringsten Hinweis auf Henri, obwohl Pierre ständig von ihm spricht und mit ihm droht. Immerzu tönt er: ›Mein Bruder, der weit mehr vermag als ich‹ – ›Mein Bruder, der nach Ihrem Leben trachtet‹ – ›Ich bin in Gefahr, wenn ich Kontakt zu ihm aufnehme!‹ Und so weiter. Aber keine Gestalt löst sich aus dem Nebel, weder ein Mensch noch ein Kobold. Mein Bester, das macht mir Sorgen. Ich glaube, dieses häßliche Gespenst steckt hinter der ganzen Affäre, beherrscht sie, benutzt den armen, halbverrückten Pierre für seine Zwecke und ist für ihn wahrscheinlich ebenso gefährlich wie für Charles. Ich glaube, dieses Gespenst hat den ganzen Auftritt in der Warwick Tavern inszeniert. Es hält sich irgendwo ganz in der Nähe auf und beobachtet alles.« Dr. Fell sah sich um, als rechne er in dem verlassenen Korridor mit einer Bewegung oder einem Geräusch. Dann sagte er: »Wissen Sie, ich hoffe inständig, daß es Ihrem Constable gelingt, Pierre festzunehmen, und daß er ihm nicht mehr entwischt. Vielleicht ist er nicht länger von Nutzen.«

Hadley machte eine vage Geste. Er knabberte an seinem gestutzten Schnurrbart. »Ja, ich weiß«, sagte er, »aber halten wir uns an die Tatsachen. Seien Sie gewarnt, die Tatsachen herauszubringen, wird schwierig genug sein. Ich werde heute nacht noch der rumänischen Polizei telegraphieren. Aber wenn Transsylvanien annektiert wurde, kann das bedeuten, daß nach dem damit verbundenen Aufruhr und Chaos wenig offizielle Urkunden erhalten sind. Sind dort nicht kurz nach dem Krieg auch die Roten durchgestürmt? Wir brauchen auf jeden Fall Fakten! Kommen Sie, wir wollen uns Mangan und Grimauds Tochter vornehmen. Deren Verhalten gefällt mir übrigens auch ganz und gar nicht.«

»Wieso das?«

»Ich meine, immer vorausgesetzt, die Dumont sagt die Wahrheit«, erläuterte Hadley.»Sie scheinen ja davon auszugehen. Aber habe ich die Sache nicht so verstanden, daß Mangan heute abend auf Grimauds Bitte hin hier war? Falls der Besucher erscheinen sollte? Ja. Da scheint er ja ein ziemlich zahnloser Wachhund gewesen zu sein. Er sitzt in einem Zimmer nahe der Haustür, es läutet, wenn die Dumont nicht lügt, der geheimnisvolle Besucher dringt ungehindert ein. Aber Mangan zeigt keinerlei Neugier, er sitzt bei geschlossener Tür im Zimmer, achtet nicht auf den Besucher und schlägt erst Alarm, als er einen Schuß hört und feststellt, daß die Tür abgeschlossen wurde. Ist das logisch?«

»Was ist schon logisch?« entgegnete Dr. Fell. »Nicht einmal . . . aber das kann warten.«

Sie gingen den langen Flur hinunter, und Hadley versuchte, so taktvoll wie möglich aufzutreten, als sie die Tür öffneten.

Das Büro war ein wenig kleiner als Grimauds Arbeitszimmer. Die Wände waren mit ordentlichen Buchreihen und Aktenschränken verstellt. Auf dem Boden lag ein einfacher Teppich; harte Kontorstühle standen um einen Tisch; ein Feuer brannte schwach. Unter einer von der Decke herabhängenden Lampe mit grünem Schirm war Mills' Schreibmaschinentisch so zurechtgerückt, daß man von dort die Tür im Auge hatte. An einer Seite der Maschine ruhte ein Stoß ordentlich zusammengehefteter Manuskriptblätter in einem Drahtkorb; auf der anderen Seite standen ein Glas Milch, ein Teller mit getrockneten Pflaumen; ein Exemplar von Williamsons *Differential- und Integralrechnung* lag in Griffweite.

»Wetten, er trinkt auch Mineralwasser?« rief Dr. Fell aufgebracht. »Ich könnte schwören, bei allem, was mir heilig ist, daß er Mineralwasser trinkt und solches Zeug zum Spaß liest. Ich halte jede Wette . . .« Er verstummte, als Hadley ihm einen Rippenstoß versetzte. Der Superintendent sprach mit Rosette Grimaud, die gegenüber der Tür saß, und entschuldigte ihr Eindringen.

»Wir wollen Sie in dieser Situation natürlich nicht belästigen, Miss Grimaud.«

»Bitte, sagen Sie nichts«, erwiderte sie. Sie saß so angespannt vor dem Kamin, daß sie beim Klang von Hadleys Stimme ein wenig zusammengezuckt war. »Ich meine ... nicht darüber. Sehen Sie, ich mag ihn. Doch nur so sehr, daß es dann weh tut, wenn jemand darüber spricht. Dann muß ich daran denken.«

Sie rieb ihre Schläfen mit den Fingerspitzen. Im Flackerlicht des Kaminfeuers, den Kragen ihres Pelzmantels zurückgeschlagen, sah man erneut den Kontrast zwischen ihren Augen und der Miene, die sie zur Schau trug. Doch war dieser einem starken Wechsel unterworfen. Die intensive Persönlichkeit ihrer Mutter war bei ihr in eine blonde, ziemlich exotische slawische Schönheit von kantigen Formen gegossen. In einem Augenblick konnte sich ihr Gesicht verhärten, und die großen Haselnußaugen blickten sanft und unsicher drein wie bei einem Pfarrerstöchterlein. Und wieder einen Augenblick später war ihr Gesichtsausdruck vielleicht ganz weich geworden, während die Augen blitzten wie bei des Teufels Tochter. Ihre schmalen Augenbrauen hoben sich nach außen hin ein wenig, ihr Mund war breit und zeugte von Humor. Sie war rastlos, sinnlich und rätselhaft. Mangan stand hinter ihr, mit düsterer Miene, hilflos.

»Aber eines«, sagte sie jetzt und pochte mit ihrer Faust langsam auf die Armlehne, »eines muß ich wissen, ehe Sie mich Ihrem hochnotpeinlichen Verhör unterziehen.« Sie nickte zu einer kleinen Tür in der Zimmerecke hin und sprach atemlos weiter: »Stuart zeigt Ihrem Beamten den Weg aufs Dach. Stimmt es dann ... stimmt es, was ich gehört habe, daß ein Mann herein- und herausgekommen ist und meinen Vater getötet hat, ohne ... ohne ...?«

»Lassen Sie das lieber mich machen, Hadley«, sagte Dr. Fell kaum vernehmlich.

Rampole wußte, daß der Doktor sich selbst für einen Ausbund an Takt hielt. Die Anwendung dieses Taktgefühls ähnelte zwar des öfteren einer Ladung Backsteine, die unvermutet durch ein Oberlicht gekracht kommt. Aber seine unerschütterliche Überzeugung, daß er die Angelegenheit schon geschickt deichseln würde, seine überwältigende Gutmütigkeit und vollkommene Arglosigkeit zeitigten zusammengenommen eine Wirkung, die auch der geschulteste Takt niemals hervorgebracht hätte. Dr. Fell selbst saß sozusagen rittlings auf den Backsteinen und streckte seine Hand freundlich aus, um sein Mitgefühl zum Ausdruck zu bringen. Das Resultat war für gewöhnlich, daß jeder auf der Stelle begann, ihm alles über sich zu erzählen.

»Ähem«, schnaubte er, »es stimmt natürlich nicht, Miss Grimaud. Wir wissen genau, wie der Mistkerl vorgegangen ist, selbst wenn es jemand war, von dem Sie noch nie gehört haben.« Sie blickte kurz auf. »Außerdem wird es kein hochnotpeinliches Verhör geben, und Ihr Vater hat eine reelle Chance durchzukommen. Übrigens, Miss Grimaud, haben wir uns nicht schon einmal irgendwo gesehen?«

»Oh, ich verstehe, daß Sie versuchen, mich aufzumuntern«, sagte sie mit einem dünnen Lächeln. »Boyd hat mir von Ihnen erzählt, aber . . .«

»Nein, wirklich«, schnaubte Dr. Fell ernst. Stirnrunzelnd versuchte er, sich zu erinnern. »Hm, ja, jetzt hab' ich es. Sie sind doch an der Universität von London immatrikuliert? Natürlich. Und Sie gehören einem Debattierklub an? Ich glaube, ich führte den Vorsitz, als Ihr Zirkel über die Rechte der Frau in der Welt disputierte.«

»Das klingt ganz nach Rosette«, bestätigte Mangan finster. »Sie ist eine überzeugte Frauenrechtlerin. Sie denkt . . .«

»Hahaha«, lachte Dr. Fell, »jetzt erinnere ich mich.« Er strahlte fröhlich und wies mit einem feisten Finger auf sie. »Vielleicht ist sie Frauenrechtlerin, mein Junge, aber sie gestattet sich erschreckende Rückfälle. Ich weiß noch, daß diese Debatte in dem schönsten und beeindruckendsten Aufruhr endete, den ich außerhalb einer Pazifistenversammlung jemals miterlebt habe: Sie waren auf der Seite der Rechte der Frau, Miss Grimaud, und gegen die Tyrannei des Mannes. Ja, ja, als Sie den Saal betraten, waren Sie sehr bleich und ernsthaft und feierlich, und so blieben Sie, bis Ihre Seite begann, ihr Anliegen vorzutragen. Irgend etwas Entsetzliches wurde berichtet, doch sahen Sie gar nicht erfreut darüber aus. Dann ließ sich ein mageres Frauenzimmer 20 Minuten lang über die ideale Existenzweise der Frau aus, worauf Sie immer wütender wurden. Als Sie dann endlich an der Reihe waren, erhoben Sie sich und verkündeten mit silberheller Glockenstimme, die ideale Existenzweise der Frau bestünde in weniger Geschwätz und mehr . . . Kopulation.«

»Gütiger Himmel!« rief Mangan und machte einen Satz.

»Na ja, das dachte ich in dem Augenblick auch«, sagte Rosette hitzig. »Aber glauben Sie nur ja nicht, daß . . .«

»Vielleicht sagten Sie auch gar nicht Kopulation«, sinnierte Dr. Fell. »Die Wirkung dieses bösen Wortes war jedenfalls unbeschreiblich. Es war, als hätten Sie einer Bande von Pyromanen das Wort Asbest zugeflüstert. Ich meinerseits versuchte leider, Haltung zu bewahren, indem ich einen Schluck Wasser trank. Das, meine lieben Freunde, ist eine Verfahrensweise, die für mich äußerst ungewöhnlich ist. Das Ergebnis war für Aug und Ohr einer Bombe nicht unähnlich, die in einem Aquarium explodiert. Aber ich fragte mich, ob Sie und Mr. Mangan häufiger über derartige Themen diskutieren. Das muß eine erbauliche Konversation sein; worüber stritten Sie beide zum Beispiel heute abend?«

Beide begannen wild durcheinander zu reden. Dr. Fell strahlte sie an, und sie verstummten und machten erschreckte Gesichter.

»Ja«, nickte der Doktor, »Sie begreifen nun, nicht wahr, daß Sie nichts zu befürchten haben, wenn Sie mit der Polizei reden? Und daß Sie so offen sprechen können, wie Sie nur wollen? So wäre es am besten, wissen Sie. Sehen wir den Dingen ins Auge, und klären wir sie vernünftig miteinander auf, was!«

»Einverstanden«, sagte Rosette. »Hat jemand eine Zigarette?«

Hadley sah Rampole an. »Der alte Lump hat's wieder einmal geschafft«, flüsterte er.

Der alte Lump zündete sich erneut seine Zigarre an, während Mangan sich beeilte, Zigaretten zu finden. Dr. Fell hob einen Finger.

»Zuerst möchte ich auf eine komische Sache zu sprechen kommen«, begann er. »Wart ihr zwei jungen Leute heute abend so ineinander versunken, daß ihr überhaupt nichts bemerkt habt, als das Spektakel losging? Soviel ich weiß, Mr. Mangan, bat Professor Grimaud Sie doch hierher, damit Sie möglichen Ärger verhinderten. Warum haben Sie das nicht getan? Haben Sie das Läuten an der Tür nicht gehört?«

Mangans dunkles Gesicht war umwölkt. Er machte eine ungeduldige Gebärde. »Oh, ich gebe zu, daß ich einen Fehler gemacht habe. Aber in jenem Augenblick habe ich mir überhaupt nichts dabei gedacht. Wie hätte ich auch Bescheid wissen können? Natürlich habe ich es läuten hören; wir haben ja sogar beide mit dem Burschen gesprochen.«

»Sie haben was?« mischte sich Hadley ein und trat vor Dr. Fell.

»Aber ja, glauben Sie, ich hätte ihn sonst einfach an mir vorbei die Treppe hinaufgelassen? Aber er behauptete, er wäre der alte Pettis, Anthony Pettis, wissen Sie.«

Kapitel 7

Der Guy-Fawkes-Besucher

»Jetzt wissen wir natürlich, daß es nicht Pettis war«, fuhr Mangan fort und gab dem Mädchen mit einem wütenden Klicken seines Feuerzeuges Feuer. »Pettis kann kaum größer als ein Meter sechzig sein. Außerdem, wenn ich mich nun daran erinnere, war es nicht einmal eine besonders überzeugende Nachahmung seiner Stimme. Aber der Tonfall war derselbe, und er benutzte die gleichen Worte wie Pettis.«

Dr. Fell schaute mißmutig drein. »Aber kam es Ihnen denn nicht seltsam vor, daß selbst ein Sammler von Gespenstergeschichten sich wie Guy Fawkes am 5. November verkleiden und aufführen sollte? Liebt er dergleichen Streiche?«

Rosette Grimaud hob alarmiert den Blick. Sie hielt ihre Zigarette gerade und reglos vor sich hin, als weise sie damit auf etwas hin; dann fuhr sie herum und sah Mangan an. Als sie sich wieder umdrehte, blitzten ihre großen Augen kurz auf, und sie sog scharf die Luft ein, als ob sie zornig und aufgebracht sei – oder als ob ihr plötzlich etwas klargeworden wäre.

Sie hatten denselben Gedanken gehabt, und Mangan war nun weit verstörter als Rosette. Er machte ein Gesicht wie jemand, der ein guter Kerl sein und mit der Welt in Frieden leben will – wenn doch die Welt ihn nur ließe.

Rampole spürte, daß dieser geheime Gedanke Pettis gar nicht betraf, denn Mangan mußte sich fangen, bevor er überhaupt auf Dr. Fells Frage einzugehen vermochte.

»Streiche?« wiederholte er und strich sich nervös über sein drahtiges schwarzes Haar. »Was, Pettis? Lieber Gott, nein! Er ist so korrekt und penibel wie irgend möglich. Aber Sie müssen wissen, daß wir sein Gesicht gar nicht gesehen haben. Es war so: Wir hatten seit dem Abendessen in dem Salon gesessen . . .«

»Augenblick«, unterbrach Hadley. »Stand die Tür zur Halle offen?«

»Nein, zum Teufel«, verteidigte sich Mangan und wand sich ein bißchen, »man sitzt doch nicht bei offener Tür in einem zugigen Zimmer, wenn es draußen schneit und man keine Zentralheizung hat. Ich wußte ja, daß wir die Türklingel hören würden, falls es läuten würde. Außerdem, nun, ehrlich gesagt, habe ich nicht damit gerechnet, daß irgendwas passieren würde. Der Professor hat während des Abendessens den Eindruck erweckt, daß ihn jemand zum Narren halten wollte oder daß die Sache längst irgendwie bereinigt sei; daß er sich auf jeden Fall umsonst aufgeregt habe.«

Hadley sah ihn mit harten, klaren Augen an. »Hatten Sie diesen Eindruck auch, Miss Grimaud?«

»Ja, in gewisser Weise ... Ich bin nicht sicher. Es ist bei ihm immer so schwer zu sagen«, erwiderte sie, wobei ihre Stimme eine Spur aufgebracht, ja fast trotzig klang, »ob er verärgert oder amüsiert ist oder beides bloß vorgibt. Mein Vater hat einen seltsamen Humor und liebt dramatische Effekte. Er behandelt mich wie ein Kind. Ich glaube, ich habe ihn mein ganzes Leben lang noch nie in Angst gesehen, deshalb kann ich mich nicht festlegen. Aber während der letzten drei Tage hat er sich furchtbar merkwürdig aufgeführt. Als mir dann Boyd von dem Mann im Pub erzählte ...« Sie zuckte die Achseln.

»In welcher Hinsicht führte er sich merkwürdig auf?«

»Na ja, zum Beispiel murmelte er ständig vor sich hin. Dann packte ihn plötzlich wegen irgendwelcher Kleinigkeiten der Zorn, was sonst selten vorkommt. Andererseits lachte er aber auch zuviel. Doch vor allem waren es diese Briefe. Mit jeder Post bekam er einen weiteren. Fragen Sie mich nicht, was drinstand; er hat sie alle verbrannt. Sie steckten in billigen Umschlägen von der Sorte, die man überall kaufen kann. Mir wären sie gar nicht aufgefallen, wenn er nicht diese Angewohnheit hätte.« Sie zögerte. »Vielleicht verstehen Sie mich; mein Vater gehört zu den Leuten, die keine Briefe bekommen können, ohne daß alle Anwesenden immer gleich wissen, worum es geht, und sogar, wer der Absender ist. Er macht einen Brief auf und brüllt sofort los: ›Verdammter Schwindler!‹ oder: ›So eine Frechheit!‹ Oder er freut sich: ›Sieh mal einer an, ein Brief vom alten Soundso!‹ Ganz erstaunt, als hielte er Liverpool oder Birmingham für Orte am anderen Ende der Welt. Ich weiß nicht, ob Sie begreifen, was ich damit sagen will.«

»Wir verstehen durchaus. Fahren Sie fort.«

»Aber bei diesen Mitteilungen, oder was immer es war, sagte er kein Wort. Er erstarrte förmlich. Und doch hat er nicht eine davon vor unseren Augen vernichtet, außer gestern früh am Frühstückstisch. Nachdem er einen Blick darauf geworfen hatte, zerknüllte er den Brief, stand auf, ging irgendwie nachdenklich zum Kamin und warf ihn ins Feuer. Gerade in diesem Moment fragte ihn Tante ...« Rosette warf Hadley einen unsicheren Blick zu, bemerkte plötzlich ihr Zögern und verhaspelte sich dann vollends: »Mrs. ... Madame ... Ach, ich meine Tante Ernestine! Gerade in diesem Moment fragte sie ihn, ob er noch etwas Speck wolle. Da fuhr er blitzschnell vom Feuer herum und brüllte: ›Geh doch zum Teufel!‹ Das kam so unerwartet, daß er schon aus dem Zimmer marschierte, ehe wir uns noch von unserem Schock erholt hatten. Er sah beängstigend aus. Das war an dem ... Tag, als er mit dem Bild nach Hause kam. Da war er dann wieder guter Laune; er polterte herum, lachte laut vor sich hin und half dem Taxifahrer und einem anderen Mann, es hinaufzuwuchten. Sie dürfen nicht annehmen ...«

Offensichtlich drängten wieder Erinnerungen in das komplizierte Gehirn von Rosette; sie fing an zu denken, und das war schlecht. Mit schwankender Stimme vollendete sie ihren Satz: »Sie dürfen nicht annehmen, daß ich ihn nicht mag.«

Hadley ignorierte diese allzu persönliche Bemerkung. »Hat er den Mann in dem Pub eigentlich mal erwähnt?«

»Nur ganz obenhin, als ich danach fragte. Er behauptete, er sei einer von diesen Scharlatanen gewesen, die ihn oft angingen, weil er sich über die Geschichte der Magie lustig machte. Mir war natürlich klar, daß das nicht alles war.«

»Wieso, Miss Grimaud?«

Einen Augenblick lang starrte sie ihn unverwandt an.

»Weil ich das Gefühl hatte, daß es sich diesmal um eine ernste Sache handelte. Und weil ich mich schon oft gefragt habe, ob es in der Vergangenheit meines Vaters etwas gab, das irgendwann solche Konsequenzen für ihn haben könnte.«

Das war eine direkte Herausforderung. Während einer langanhaltenden Stille vernahmen sie gedämpftes Knirschen und dumpfe, schwere Schritte auf dem Dach. Und wieder nahm etwas von Rosettes Gesicht Besitz oder huschte im Feuerschein darüber hinweg – Furcht, Haß, Pein oder Zweifel. Der Eindruck des Barbarischen war wiedergekehrt, als hätte sich ihr Nerz plötzlich in eine Leopardenhaut verwandelt. Sie schlug ihre Beine übereinander, lehnte sich lasziv zurück und schmiegte sich in ihren Sessel. Ihr Haupt ließ sie gegen die Rückenlehne sinken, so daß der Feuerschein über ihren Hals und ihre halbgeschlossenen Augen züngelte. Mit einem dünnen, starren Lächeln beobachtete sie die Männer; ihre Wangenknochen zeichneten sich in tiefen Schatten überdeutlich ab. Und doch, so bemerkte Rampole, zitterte sie. Und warum wirkte ihr Gesicht eigentlich stets breiter als lang?

»Nun?« fragte sie.

Hadley schien leicht verblüfft: »Das Konsequenzen für ihn haben könnte? Ich verstehe nicht ganz. Hatten Sie irgendeinen Anlaß, so etwas zu denken?«

»Oh nein, keinen bestimmten! Ich glaube es auch eigentlich gar nicht. Man hat eben zuweilen solche Ideen.« Ihr Dementi kam prompt, das heftige Heben und Senken ihrer Brust hatte aufgehört. »Wahrscheinlich kommt es daher, daß ich mit dem Steckenpferd meines Vaters leben muß. Und meine Mutter, sie ist tot, müssen Sie wissen. Sie starb, als ich noch ganz klein war. Meine Mutter hat angeblich das Zweite Gesicht gehabt.« Rosette hob erst jetzt wieder ihre Zigarette. »Aber Sie fragten mich doch gerade . . .«

»Hauptsächlich über heute abend. Aber wenn Sie der Ansicht sind, es wäre von Nutzen, sich mit der Vergangenheit Ihres Vaters zu beschäftigen, wird Scotland Yard Ihren Vorschlag sicherlich gern aufgreifen.«

Sie riß die Zigarette buchstäblich von ihren Lippen.

»Doch«, fuhr Hadley mit derselben ausdruckslosen Stimme fort, »konzentrieren wir uns doch wieder auf die Geschichte, die uns Mr. Mangan erzählt hat. Sie beide gingen nach dem Essen in den Salon. Die Tür zur Halle war geschlossen. In Ordnung. Hat Ihnen Professor Grimaud mitgeteilt, wann er seinen Besucher erwartete?«

»Äh, ja«, sagte Mangan. Er hatte ein Taschentuch hervorgezogen und tupfte sich nun die Stirn damit ab. Das seitlich auf sein hageres, ausgemergeltes, scharfgeschnittenes Gesicht fallende Licht malte viele kleine Runzeln auf seine Stirn. »Das war ein weiterer Grund, warum ich nicht so erpicht darauf war zu sehen, um wen es sich handeln würde. Er kam zu früh. Der Professor sagte zehn Uhr, und dieser Bursche erschien bereits um Viertel vor zehn.«

»Zehn Uhr. Interessant. Sind Sie sicher, daß er das sagte?«

»Nun ja! Ich glaube schon. Gegen zehn. Sagte er nicht so etwas, Rosette?«

»Ich weiß es nicht. Zu mir sagte er gar nichts.«

»Aha. Bitte weiter, Mr. Mangan.«

»Wir hatten das Radio eingeschaltet. Das war keine gute Idee, die Musik war zu laut. Und wir spielten Karten vor dem Kamin. Die Türklingel habe ich trotzdem gehört. Ich sah auf die Uhr auf dem Kaminsims, es war Viertel vor zehn. Ich stand gerade auf, da hörte ich, wie die Haustür aufging. Madame Dumont äußerte etwas wie: ›Einen Moment, ich sehe nach.‹ Es gab ein Geräusch, als ob die Tür zugeworfen würde. Ich rief: ›Hallo da draußen, wer ist da?‹ Aber das Radio machte einen solchen Lärm, daß ich hinging, um es abzuschalten. Und da hörten wir Pettis, wir dachten beide, es wäre Pettis, rufen: ›Hallo, Kinder! Ich bin's, Pettis. Was sollen diese Formalitäten, wenn ich den Chef besuchen will? Ich gehe hinauf und überfalle ihn einfach.‹«

»Das waren seine Worte?«

»Ja. Er nannte Grimaud immer den ›Chef‹. Niemand sonst hätte sich das je getraut, außer vielleicht Burnaby, und der pflegte ihn ›Pop‹ zu nennen. Also antworteten wir: ›In Ordnung‹, wie man das so macht, und kümmerten uns nicht weiter darum. Wir kehrten auf unsere Plätze zurück. Aber ich merkte, daß es immer mehr auf zehn Uhr zuging, und wurde allmählich unruhig und wachsam, weil es doch bald zehn Uhr sein würde . . .«

Hadley kritzelte Muster auf den Rand seines Notizbuches.

»Der Mann gab sich also als Pettis aus«, grübelte er laut. »Und er sprach mit Ihnen durch die geschlossene Tür, ohne Sie zu sehen? Woher wußte er dann, daß Sie beide überhaupt dort waren, was glauben Sie?«

Mangan schnitt ein verdutztes Gesicht. »Er muß uns wohl durchs Fenster gesehen haben. Wenn man draußen die Stufen hinaufgeht, kann man durch das erste Fenster direkt in den Salon schauen. Das fällt mir selbst immer auf. Wenn ich jemanden im Salon sehe, lehne ich mich rüber und klopfe ans Fenster, statt zu läuten.«

Nachdenklich kritzelte der Superintendent weiter seine Muster. Er schien eine bestimmte Frage stellen zu wollen, überlegte es sich aber anders. Rosette beobachtete ihn aufmerksam. Hadley sagte nur:

»Sprechen Sie weiter. Sie warteten darauf, daß es zehn Uhr wurde.«

»Und nichts geschah«, betonte Mangan. »Aber komischerweise wurde ich nach zehn Uhr mit jeder Minute nervöser statt entspannter. Ich sagte ja schon, daß ich nicht wirklich damit rechnete, daß der Mann überhaupt kommen oder daß es Ärger geben würde. Aber ich stellte mir diese dunkle Eingangshalle und diese unheimliche Rüstung mit der Maske vor, und je mehr ich darüber nachdachte, desto weniger gefiel es mir.«

»Ich weiß genau, was du meinst«, bestätigte Rosette. Sie warf ihm einen eigenartigen, erschreckten Blick zu. »Mir erging es ganz genauso. Aber ich wollte nicht darüber sprechen, damit du mich nicht für eine Närrin hieltest.«

»Oh, ich habe auch solche übersinnlichen Anwandlungen«, sagte Mangan bitter. »Deshalb wurde ich so oft gefeuert, und deshalb werde ich höchstwahrscheinlich gefeuert, weil ich heute abend diese Story nicht auf der Stelle durchgegeben habe. Zum Teufel mit dem Chefredakteur! Ich bin kein Judas.« Er machte eine ungeduldige Geste. »Jedenfalls war es dann fast zehn nach zehn, und ich konnte es nicht mehr aushalten. Ich warf die Karten auf den Tisch und sagte zu Rosette: ›Komm, trinken wir etwas, und schalten wir in der Halle sämtliche Lichter ein. Tun wir irgend etwas!‹ Ich wollte nach Annie klingeln, da fiel mir ein, daß es Samstag war, ihr freier Abend.«

»Annie? Ist das das Mädchen? Ich hatte sie ganz vergessen. Nun?«

»Also ging ich zur Tür, um sie aufzumachen, aber sie war von außen zugesperrt. Können Sie sich vorstellen, was das für ein Gefühl war? Manchmal geht es einem doch so, daß man einen auffallenden Gegenstand in seinem Zimmer bewahrt, ein Bild zum Beispiel oder ein Dekorationsstück, mit dem man so vertraut ist, daß man es gar nicht mehr wahrnimmt. Und dann kommt man eines Tages herein und stellt fest, daß etwas nicht stimmt. Irgend etwas irritiert und stört einen, aber man kommt nicht drauf, was es ist. Dann plötzlich springt einem eine leere Stelle ins Auge, und man begreift, daß der Gegenstand nicht mehr da ist. Verstehen Sie? So fühlte ich mich.

Ich wußte, daß etwas nicht in Ordnung war, ich spürte es, seit dieser Kerl von der Halle aus mit uns gesprochen hatte. Aber mir ging erst ein Licht auf, als ich die Tür verschlossen fand. Ich rüttelte wie ein Idiot am Türknauf, und da hörten wir auch schon den Schuß.

Eine Waffe, die in einem Haus abgefeuert wird, macht einen Höllenlärm; wir hörten den Schuß deutlich aus dem obersten Stockwerk. Rosette schrie.«

»Das tat ich n i c h t !«

»Sie wies auf mich und sagte das, was auch ich in dem Augenblick dachte! Sie rief: ›Das war nie und nimmer Pettis. E r ist hereingekommen.‹«

»Können Sie sagen, wann genau das war?«

»Ja. Es war Punkt zehn nach zehn. Na ja, ich versuchte dann, die Tür aufzubrechen.« Obwohl ihn die Erinnerung offenbar intensiv beschäftigte, schlich sich ein gequältes und spöttisches, aber dennoch heiteres Lächeln in Mangans Augen. Es war, als wolle er eigentlich nicht darüber sprechen, könne sich aber nicht zurückhalten. »Ist Ihnen übrigens schon einmal aufgefallen, wie leicht es in Büchern immer ist, Türen aufzubrechen? Diese Geschichten sind wahre Paradiese für Zimmerleute. Manche scheinen aus einer endlosen Reihe von Türen zu bestehen, die aus dem geringsten Anlaß eingetreten werden; zum Beispiel, wenn jemand auf der anderen Seite eine ganz nebensächliche Frage nicht beantworten will. Aber versuchen Sie das mal bei so einer Tür!

Das war dann schon fast alles. Ich warf mich zuerst mit der Schulter dagegen, dann fiel mir ein, zum Fenster hinauszuklettern, um durch die Haustür oder das Souterrain wieder zurück ins Haus zu gelangen. Da traf ich auf Sie, und Sie wissen, was danach geschah.«

Hadley klopfte mit dem Bleistift auf sein Notizbuch. »Wird die Haustür gewöhnlich nicht verschlossen, Mr. Mangan?«

»Oh Gott, das weiß ich nicht. Aber mir fiel nichts anderes ein. Und sie w a r ja nicht verschlossen.«

»Ja, sie war offen. Haben Sie dem irgend etwas hinzuzufügen, Miss Grimaud?«

Sie schloß die Augen. »Nichts, das heißt doch, etwas schon: Boyd hat Ihnen alles so geschildert, wie es sich zugetragen hat. Aber ihr Polizisten wollt ja immer die abwegigsten Dinge hören, selbst wenn sie mit der Sache nichts zu tun zu haben scheinen. Wahrscheinlich hat es das auch gar nicht, aber ich sag's Ihnen trotzdem. Kurz bevor es an der Tür läutete, ging ich zu einem Tisch zwischen den Fenstern, um mir Zigaretten zu nehmen. Wie

Boyd schon gesagt hat, spielte das Radio. Aber von irgendwo draußen auf der Straße oder vom Gehweg vor der Tür hörte ich ein Geräusch wie einen dumpfen Aufprall. Als wäre ein schwerer Gegenstand aus großer Höhe heruntergestürzt. Es war kein normales Straßengeräusch, wissen Sie. Eher wie ein Mensch, der von irgendwo herunterfällt.«

Rampole fühlte sich plötzlich äußerst unbehaglich. Hadley fragte: »Ein dumpfer Aufprall, sagen Sie? Hm. Schauten Sie hinaus, um nachzusehen, was es war?«

»Ja. Aber ich konnte nichts erkennen. Ich schob natürlich nur die Jalousie zur Seite, aber ich könnte schwören, daß die Straße leer . . .« Sie unterbrach sich mitten im Satz. Ihr Mund blieb offen stehen, ihre Augen waren starr auf einen Punkt gerichtet. »Oh, mein Gott!« rief sie.

»Ja, Miss Grimaud«, sagte Hadley mit tonloser Stimme, »alle die Jalousien waren heruntergelassen, ganz wie Sie sagen. Ich bemerkte es, wie Mr. Mangan sich fast darin verhedderte, als er aus dem Fenster sprang. Deshalb habe ich mich gefragt, wie der Besucher Sie wohl durch eines der Fenster im Zimmer sehen konnte. Aber vielleicht waren sie ja nicht die ganze Zeit heruntergelassen?«

Außer den entfernten Geräuschen vom Dach war es vollkommen still. Rampole sah zu Dr. Fell hinüber, der an einer der so schwer einzutretenden Türen lehnte, sein Kinn auf die Hand gestützt, seinen Schlapphut tief in die Augen gezogen. Dann schweifte Rampoles Blick über den ungerührten Hadley zurück zu dem Mädchen.

»Er denkt, wir lügen, Boyd«, sagte Rosette Grimaud kühl. »Wir sagen am besten überhaupt nichts mehr.«

Da lächelte Hadley. »Ich denke nichts dergleichen, Miss Grimaud. Ich sage Ihnen auch warum: Sie sind die einzige Person, die uns helfen kann. Ich werde Ihnen sogar sagen, was passiert ist. Fell!«

»Was?« dröhnte Dr. Fell und schaute erschreckt auf.

»Ich möchte, daß Sie mir jetzt zuhören«, beharrte der Superintendent streng. »Vor einer Weile noch bereitete es Ihnen eine Menge Vergnügen, geheimnistuerisch zu behaupten, daß Sie die anscheinend unglaublichen Geschichten von Mills und Madame Dumont glaubten, ohne dafür irgendeine Begründung anzugeben. Jetzt bin ich an der Reihe. Ich sage, daß ich nicht nur die

Geschichten jener beiden, sondern auch dieser beiden glaube. Und indem ich das begründe, werde ich darüber hinaus unsere unmögliche Situation erklären.«

Diesmal fuhr Dr. Fell mit einem Ruck aus seiner Zerstreutheit hoch. Er blies seine Backen auf und beäugte Hadley, als wappne er sich zum Gefecht.

»Vielleicht nicht vollständig, zugegeben«, sprach Hadley weiter, »aber doch in ausreichenden Maße, um das Feld der Verdächtigen auf ein paar Personen einzuengen und um zu erklären, warum es keine Fußspuren im Schnee gegeben hat.«

»Ach, das!« schnaubte Dr. Fell verächtlich. Grunzend entspannte er sich. »Wissen Sie, eine Sekunde lang hoffte ich, Sie hätten etwas herausgefunden. Aber das ist sonnenklar.«

Hadley bewahrte unter Mühen seine Fassung. »Der Mann, den wir suchen«, fuhr er fort, »hinterließ keine Spuren auf dem Gehweg oder auf den Stufen zum Eingang, weil er, nachdem es zu schneien aufgehört hatte, weder den Gehweg noch die Stufen benutzte. Er war die ganze Zeit im Haus. Zumindest schon geraume Zeit. Entweder war er ein Hausbewohner oder, was wahrscheinlicher ist, jemand, der sich dort versteckt hielt und früher am Abend mit einem Schlüssel hereingekommen war. Das würde alle Widersprüche in allen Versionen, die wir gehört haben, auflösen. Zur entsprechenden Zeit zog er seine Verkleidung an, ging hinaus vor die Haustür auf den frisch gekehrten Treppenabsatz und läutete an der Tür. Das erklärt, wieso ihm bekannt sein konnte, daß Miss Grimaud und Mr. Mangan im Salon waren, obwohl die Jalousien geschlossen waren – er hatte sie hineingehen sehen. So wissen wir, wie er einfach hereinspazieren konnte, nachdem man ihm die Tür vor der Nase zugeschlagen und ihm gesagt hatte, daß er warten müsse. Er hatte nämlich einen Schlüssel.«

Dr. Fell schüttelte langsam den Kopf und murmelte vor sich hin. Streitlustig verschränkte er die Arme.

»Ähem, ja. Aber warum sollte selbst jemand, der leicht übergeschnappt ist, all diesen komplizierten Hokuspokus veranstalten? Wenn es ein Hausbewohner war, ist der Gedanke nicht übel. Dann wollte er den Anschein erwecken, der Besucher sei von draußen gekommen. Aber wenn er wirklich von draußen kam, warum sollte er das gefährliche Risiko eingehen, sich schon lange im Haus herumzudrücken, bevor er zur Tat schreiten konnte? Warum nicht einfach zum richtigen Zeitpunkt auftauchen?«

»Erstens«, erwiderte der systematische Hadley und zählte an den Fingern mit, »mußte er wissen, wo alle sich aufhielten, um Störungen auszuschließen. Zweitens, und das ist wesentlicher, wollte er seinem Verschwinde-Trick den letzten Schliff geben, indem er keinerlei Fußspuren im Schnee hinterließ. Für das irre Hirn von, sagen wir ruhig, Bruder Henri wäre der Verschwinde-Trick das Nonplusultra. Also kam er ins Haus, während es heftig schneite, und wartete, bis es aufhörte.«

»We r«, fragte Rosette mit schneidender Stimme, »ist Bruder Henri?«

»Ein Name, meine Dame«, erwiderte Dr. Fell liebenswürdig. »Ich sagte Ihnen bereits, Sie kennen ihn nicht. Nun, Hadley, an dieser Stelle mache ich einen gelinden, aber entschiedenen Protest gegen diese ganze drollige Geschichte geltend: Wir haben so leichtfertig über das Einsetzen und Aufhören des Schneefalls geredet, als könne man ihn wie einen Wasserhahn auf- und abdrehen. Doch ich würde liebend gern wissen, wie zum Teufel ein Mensch wissen kann, wann es zu schneien anfangen oder aufhören wird? Es kommt doch wirklich nicht oft vor, daß jemand sich sagt: ›So, am Samstag abend werde ich ein Verbrechen begehen. An diesem Abend wird es genau um fünf Uhr zu schneien beginnen und um halb zehn wieder aufhören. Das läßt mir reichlich Zeit, ins Haus zu gehen und meinen Trick durchzuführen, bis es nicht mehr schneit.‹ Tz, tz! Ihre Erklärung ist eher noch phantastischer als Ihr Problem. Es ist leichter vorstellbar, daß ein Mann durch den Schnee lief, ohne Spuren zu hinterlassen, als daß er wußte, wann er ihn zum Darübergehen zur Verfügung haben würde.«

Der Superintendent war gereizt. »Ich versuche«, sagte er, »zum wesentlichen Punkt der ganzen Angelegenheit vorzustoßen. Aber wenn Sie darüber rechten wollen . . . Merken Sie denn nicht, daß es unser letztes Problem erklärt?«

»Welches Problem?«

»Unser Freund Mangan hier gibt an, daß der Besucher sein Erscheinen für zehn Uhr ankündigte, Madame Dumont und Mills sagen halb zehn. Warten Sie!« Er wehrte Mangans aufkommende Empörung ab. »Wer sagt die Unwahrheit: A oder B? Erstens: Welchen vernünftigen Grund sollte eine der beiden Seiten haben, im nachhinein den Zeitpunkt falsch anzugeben, an dem der Besucher zu kommen gedroht hatte? Zweitens: Wenn A zehn sagt und B halb zehn, dann sollte doch, ob nun schuldig oder unschuldig, eine der beiden Parteien die tatsächliche Ankunftszeit des Besuchers erfahren haben. Und welche Seite hatte nun recht?«

»Keine«, bemerkte Mangan mit starrem Blick. »Er kam etwa um Viertel vor zehn.«

»So ist es. Das ist ein Zeichen dafür, daß keine Seite gelogen hat. Es ist ein Zeichen dafür, daß die Drohung des Besuchers Grimaud gegenüber nicht präzise war; er meinte eben halb zehn oder zehn Uhr, so um den Dreh. Und Grimaud, der ziemlich verzweifelt versuchte, sich so zu benehmen, als habe die Drohung ihn nicht erschreckt, achtete trotzdem darauf, beide Zeitangaben zu erwähnen, damit auch ganz bestimmt jeder anwesend wäre. Meine Frau macht das bei Einladungen zu Bridgepartys genauso. Nun, aber warum konnte Bruder Henri keine präzise Angabe machen? Weil er, wie Fell sagt, den Schnee nicht wie einen Wasserhahn abdrehen konnte.

Das Risiko, daß es vielleicht gar nicht schneien würde, konnte er eingehen, schließlich hatte es schon seit einigen Abenden geschneit, aber er mußte warten, bis es aufhörte – selbst wenn es bis Mitternacht dauern sollte. Aber so lange brauchte er sich gar nicht zu gedulden. Um halb zehn hörte es auf.

Er handelte so, wie man es von einem Verrückten erwarten kann: Er wartete eine Viertelstunde, damit es hinterher keinen Zweifel geben konnte, dann klingelte er.«

Dr. Fell machte den Mund auf, um etwas zu sagen, warf einen verschmitzten Blick auf die gespannten Gesichter von Rosette und Mangan, und klappte den Mund wieder zu.

»Nun denn!« sagte Hadley und straffte die Schultern. »Ich habe Ihnen beiden demonstriert, daß ich Ihnen glaube, weil ich bei der wichtigsten Folgerung, die sich daraus ergibt, Ihre Hilfe brauche. Der Mann, den wir suchen, ist kein flüchtiger Bekannter. Er kennt dieses Haus in- und auswendig: die Räume, die Gepflogenheiten, die Angewohnheiten der Hausbewohner. Er kennt Ihre Redeweisen und Spitznamen. Er weiß, wie dieser Mr. Pettis nicht nur den Professor anzureden pflegt, sondern auch S i e . Also kann es sich nicht um einen flüchtigen Geschäftsfreund des Professors handeln, den Sie noch nie gesehen haben. Daher will ich alles über jeden wissen, der oft genug Gast in diesem Hause ist; über jeden, der Grimaud gut genug kennt, daß die Beschreibung auf ihn paßt.«

Das Mädchen bewegte sich nervös hin und her. »Sie meinen, jemand wie ... Oh, das ist völlig undenkbar. Nein, nein, nein!« Sie klang wie ein eigenartiges Echo der Stimme ihrer Mutter. »Nein, so jemand auf keinen Fall!«

»Warum sagen Sie das?« fragte Hadley scharf. »Wissen Sie, wer Ihren Vater erschossen hat?«

Die Plötzlichkeit der Worte ließ sie zusammenfahren. »Nein, selbstverständlich nicht!«

»Oder haben Sie einen Verdacht?«

»Nein. Es sei denn«, sie lächelte, so daß man ihre Zähne blitzen sehen konnte, »daß mir nicht klar ist, warum Sie außerhalb des Hauses Ausschau halten wollen. Sie haben uns da eine hübsche kleine Lektion im Schlußfolgern erteilt, schönen Dank auch. Aber wenn die Person zum Haus gehörte und sich so verhielt, wie Sie gesagt haben – das würde doch einen Sinn ergeben, oder? Es würde viel besser passen.«

»Auf wen?«

»Lassen Sie mich überlegen! Na ja, eigentlich ist das ja Ihre Aufgabe!« Hadley hatte eine geschmeidige Tigerkatze in ihr aufgeweckt, und Rosette war es recht. »Sie haben natürlich noch nicht den ganzen Haushalt kennengelernt. Sie kennen Annie noch nicht, und auch Mr. Drayman nicht, fällt mir gerade ein. Aber Ihre andere Idee ist vollkommen lächerlich. Erstens hat mein Vater nur sehr wenige Freunde. Außer den Menschen in diesem Haus gibt es nur zwei, auf die Ihre Beschreibung passen würde; und beide können unmöglich die betreffende Person sein. Allein wegen ihrer physischen Erscheinung kommen sie nicht in Betracht. Der eine ist Anthony Pettis selbst; er ist nicht größer als ich, und ich bin keine Amazone. Der andere ist Jerome Burnaby, der Künstler, der dieses seltsame Bild gemalt hat. Er hat eine Behinderung, eine geringfügige zwar, doch läßt sie sich nicht verbergen und ist schon aus der Ferne zu sehen. Tante Ernestine oder Stuart hätten ihn sofort erkannt.«

»Trotzdem, was wissen Sie über die beiden?«

Sie zuckte die Achseln. »Beide sind mittleren Alters, gut situiert und gehen ihren Steckenpferden nach. Pettis ist glatzköpfig und ein bißchen umständlich, aber das soll nicht heißen, daß er ein Weichling ist. Die Männer nennen ihn einen guten Kerl, und er ist blitzgescheit. Bah! Warum macht so einer nichts aus sich?« Sie ballte ihre Fäuste. Dann schaute sie zu Mangan auf, ein berechnender, genießerischer Ausdruck trat in ihre Augen. »Burnaby – ja, Jerome Burnaby hat in gewisser Hinsicht etwas aus sich gemacht. Als Künstler ist er ziemlich bekannt, obwohl er lieber als Kriminologe anerkannt wäre. Er ist groß und breit, spricht gern über Verbrechen und prahlt damit, was für ein Kerl von Athlet er einmal gewesen sei. Auf seine Art ist Jerome attraktiv. Er mag mich sehr, und Boyd ist gräßlich eifersüchtig.« Ihr Lächeln vertiefte sich.

»Ich mag den Knaben nicht«, sagte Mangan ruhig. »Ich hasse ihn sogar wie die Pest. Und das wissen wir beide. Aber Rosette hat in einem recht: So etwas würde er nie tun!«

Hadley widmete sich wieder seinen Kritzeleien. »Was ist das für eine Behinderung?«

»Ein Klumpfuß. Sie verstehen, daß er den unmöglich verbergen könnte.«

»Danke«, sagte Hadley abschließend und klappte sein Notizbuch zu. »Das wäre im Augenblick alles. Ich schlage vor, daß Sie jetzt in die Klinik gehen. Außer ... äh, Fell, irgendwelche Fragen?«

Der Doktor kam zu ihnen herübergestapft. Er baute sich vor dem Mädchen auf, neigte den Kopf ein wenig zur Seite und faßte es von oben herab ins Auge.

»Eine letzte Frage«, begann er und schlug mit der Hand das schwarze Band seines Kneifers zur Seite, wie er es ebenso mit einer lästigen Fliege getan hätte. »Ähem, nun also, Miss Grimaud, warum sind Sie so sicher, daß dieser Mr. Drayman der Schuldige ist?«

Kapitel 8

Die Kugel

Auf diese Frage erhielt er nie eine Antwort, und dennoch brachte sie einiges ans Licht. Bevor Rampole noch begriff, was geschah, war es auch schon vorbei. Der Doktor hatte in ganz beiläufigem Ton gesprochen, und deshalb war Rampole bei der Erwähnung des Namens Drayman weder hellhörig geworden, noch sah er Rosette überhaupt an. Besorgt hatte er seit einiger Zeit darüber nachgedacht, wie es wohl gekommen sein mochte, daß der ungestüm-lebhafte, strahlende Mangan, den er gekannt hatte, zu einer zutiefst verunsicherten Persönlichkeit geworden war, die in einem Atemzug eine Behauptung aufstellte und dieser dann widersprach, sich also generell wie ein Narr aufführte. Früher hatte Mangan das nie getan, wenngleich er zuweilen Dummheiten gemacht hatte. Aber jetzt . . .

»Sie Teufel!« kreischte Rosette Grimaud.

Es hörte sich an wie das schrille Quietschen von Kreide auf einer Tafel. Rampole drehte sich zu ihr um und sah, daß ihre hohen Wangenknochen noch höher wirkten, als sie ihren Mund aufriß, und daß sie Dr. Fell mit einer Glut in den Augen anstarrte, die jegliche Farbe aus ihnen zu nehmen schien. Dieser Augenblick währte jedoch nur eine Sekunde; dann war sie schon mit wehendem Nerzmantel und Mangan im Schlepptau an Dr. Fell vorbei- und in den Flur hinausgestürmt. Die Tür krachte ins Schloß. Diese öffnete sich für einen Moment noch einmal, Mangan erschien und murmelte: »Entschuldigung!« Beinahe grotesk sah er aus, wie er da im Türrahmen stand, gebeugt und mit gesenktem Kopf, und fast nur noch aus seiner zerfurchten Stirn und seinen unsteten, dunkel glänzenden Augen zu bestehen schien. Er streckte seine Hände aus, die Handflächen nach unten, als wolle er ein Publikum besänftigen. »Entschuldigung«, sagte er nochmals und schloß die Tür dann endgültig.

Dr. Fells Blick blieb auf die Tür gerichtet.

»Sie ist die Tochter ihres Vaters, Hadley«, schnaufte er und schüttelte behäbig den Kopf. »Ähem, ja. Starkem emotionalen Druck hält sie bis zu einem gewissen Punkt stand, wie Pulver, das in eine Patrone gestopft ist. Dann rührt irgend etwas ganz sacht am haarfein eingestellten Pistolenabzug, und . . . hm, ich fürchte, sie ist wirklich verzweifelt, aber vielleicht glaubt sie, Grund genug dazu zu haben. Wieviel sie wohl weiß?«

»Naja, sie ist Ausländerin. Aber darum geht es nicht. Mir scheint«, meinte Hadley ziemlich schroff, »Sie geben andauernd völlig ungezielte Schüsse ab – wie ein Trickkünstler, der jemandem die Zigarette aus dem Mund schießt. Was hatte es mit diesem Drayman auf sich?«

Dr. Fell schien besorgt.

»Gleich, gleich . . . Was halten Sie denn von ihr, Hadley? Und von Mangan?« Er sah Rampole an. »Ich werde nicht recht schlau aus ihm. Nach dem, was Sie über Mangan erzählt haben, erwartete ich einen wilden Iren von der Sorte, wie ich sie kenne und schätze.«

»So war er mal«, sagte Rampole. »Verstehen Sie?«

»Was ich von ihr halte?« fragte Hadley. »Ich glaube, sie könnte einerseits hier sitzen, vollkommen kühl, und das Leben ihres Vaters analysieren – übrigens ist sie ein verdammt schlauer Kopf –, andererseits wette ich, daß sie jetzt hysterisch und in Tränen aufgelöst in die Klinik hinüberläuft und sich Vorwürfe macht, sich nicht genug um ihn gekümmert zu haben. Ich denke, sie ist prinzipiell ein nettes Mädchen. Aber sie hat den Teufel im Leib, Fell. Sie braucht in jeder Hinsicht einen Herrn und Meister. Mit Mangan und ihr wird es nie klappen, wenn er nicht vernünftig genug ist, ihr den Kopf geradezurücken – oder ihren eigenen Ratschlag während dieser Debatte an der Universität von London zu befolgen.«

»Seit Sie Superintendent des C.I.D. geworden sind«, tat Dr. Fell mit einem schrägen Blick auf Hadley kund, »habe ich bei Ihnen einen gewissen Hang zum Ordinären festgestellt, der mich schmerzt und erstaunt. Aufgemerkt, Sie alter Satyr. Glauben Sie diesen ganzen Unsinn wirklich, den Sie da vorhin verzapft haben über den Mörder, der sich ins Haus schlich, um das Ende des Schneesturms abzuwarten?«

Hadley erlaubte sich ein breites Grinsen. »Diese Erklärung ist so gut wie jede andere«, sagte er, »bis mir eine bessere einfällt. Und es gibt ihnen zu denken. Es ist immer gut, wenn die Zeugen etwas haben, worüber sie nachdenken müssen. Wenigstens glaube ich ihre Geschichte. Wir werden schon irgendwelche Spuren auf dem Dach finden, keine Sorge. Aber darüber reden wir später. Also, was ist mit Drayman?«

»Zunächst einmal ging mir eine sonderbare Bemerkung nicht aus dem Kopf, die Madame Dumont gemacht hatte. So sonderbar, daß dieser Satz gar nicht zu dem paßte, was sie sonst sagte. Es handelte sich um keine wohlüberlegte Bemerkung: Sie machte sie in einem Augenblick, als sie der Hysterie am nächsten war, als sie nämlich nicht verstehen konnte, warum ein Mörder einen solch grotesken Mummenschanz aufführen sollte. Sie sagte, wenn man jemand töten wolle, setze man keine bemalten Masken auf wie der alte Drayman mit den Kindern in der Guy-Fawkes-Nacht. Diesen Hinweis auf das Guy-Fawkes-Gespenst heftete ich sozusagen geistig ab, ohne zu wissen, was er bedeutete. Dann stellte ich im Gespräch mit Rosette scheinbar ganz unabsichtlich eine Frage über Pettis, und zwar über Guy Fawkes am 5. November. Haben Sie ihre Reaktion bemerkt, Hadley? Allein der Gedanke, daß der Besucher so verkleidet war, brachte sie auf eine Idee, und die fand sie ebenso erschreckend wie erfreulich. Sie sagte nichts; sie dachte nach. Sie haßte die Person, an die sie dachte. Welche Person?«

Hadley starrte in die Tiefe des Zimmers. »Ja, jetzt erinnere ich mich. Ich bemerkte, daß ihr jemand einfiel, den sie verdächtigte oder verdächtigen wollte; deshalb fragte ich sie direkt danach. Sie legte mir praktisch nahe, daß es jemand aus dem Haus gewesen sein müsse. Aber, ehrlich gesagt«, er rieb sich mit der Hand über die Stirn, »das ist hier ein so seltsamer Haufen, daß ich einen Augenblick lang dachte, sie wollte den Verdacht auf ihre eigene Mutter lenken.«

»Nicht nach der Art zu urteilen, wie sie Drayman ins Spiel brachte: ›Sie kennen Annie noch nicht, und auch Mr. Drayman nicht, fällt mir gerade ein.‹ Das Postskriptum enthielt die entscheidende Botschaft.« Dr. Fell stapfte um den Schreibmaschinentisch herum und warf dem Glas Milch darauf einen vernichtenden Blick zu. »Wir müssen ihn aus dem Bett jagen. Er interessiert mich. Wer ist dieser Drayman, dieser alte Freund und Anhänger Grimauds, der Schlaftrünke schluckt und Guy-Fawkes-Masken trägt? Was hat er für eine Stellung in diesem Haushalt, was macht er hier überhaupt?«

»Denken Sie an Erpressung?«

»Unsinn, alter Junge. Haben Sie schon einmal von einem Schullehrer als Erpresser gehört? Nein, nein. Lehrer machen sich viel zu viele Sorgen, was die Leute über sie herausfinden könnten. Die akademischen Berufe mögen ihre Nachteile haben, wie ich am eigenen Leibe erfahren mußte, doch bringen sie keine Erpresser hervor. Nein, wahrscheinlich war es nur ein freundlicher Impuls von Grimaud, ihn aufzunehmen, aber . . .«

Er unterbrach sich. Ein kalter Luftzug blähte seinen Umhang auf. Eine Tür in der Zimmerecke, die offensichtlich zu der Treppe führte, über die man in die Mansarde und aufs Dach hinaufgelangen konnte, wurde geöffnet und sogleich wieder geschlossen. Mills trat ein. Seine Lippen waren bläulich verfärbt, obwohl er sich einen dicken Wollschal um den Hals gewickelt hatte, aber er schien vor innerer Befriedigung zu glühen. Nachdem er sich mit einem Schluck aus dem Milchglas erfrischt hatte (ein leidenschaftsloser Vorgang, bei dem er den Kopf auf eine Weise zurückgeworfen hatte, die an einen Schwertschlucker erinnerte), streckte er seine Hände nach dem Feuer aus.

Er schnatterte drauflos: »Ich habe Ihren Detektiv beobachtet, meine Herren, von einem Ausguck oben an der Klapptür aus. Er hat ein paar Lawinen ausgelöst, aber – oh, entschuldigen Sie, sollte ich nicht einen ganz bestimmten Auftrag für Sie ausführen? Ach ja. Ich bin bemüht, Ihnen behilflich zu sein, aber ich fürchte, ich habe ganz . . .«

»Wecken Sie Mr. Drayman«, befahl der Superintendent, »und wenn Sie ihm dazu einen Eimer Wasser über den Kopf gießen müssen. Und . . . ach ja, Pettis! Falls Mr. Pettis noch hier ist, richten Sie ihm aus, ich will ihn sprechen. Was hat Sergeant Betts da oben herausgefunden?«

Betts antwortete selbst. Er sah aus, als hätte er einen Skisprung mit einer Bauchlandung beendet, atmete schwer, klopfte und schüttelte sich den Schnee von den Kleidern, während er zum Feuer stapfte.

»Sir«, verkündete er, »ich verbürge mich dafür, daß sich auf dem Dach nicht einmal ein Vogel niedergelassen hat. Es gibt keinerlei Spuren oder Abdrücke dort oben. Ich habe keinen Quadratzentimeter ausgelassen.« Er streifte seine völlig durchweichten Handschuhe ab. »Ich ließ mich an jeden der Kamine binden, so daß ich ganz unten an den Dachrinnen entlangkriechen

90

konnte. Nichts außen an den Rändern, nichts an den Kaminen, nichts, nirgendwo. Wenn jemand heute nacht auf das Dach hinausgestiegen ist, so muß er leichter als Luft gewesen sein. Jetzt laufe ich hinunter und schaue mir den Hinterhof an.«

»Aber . . .«, rief Hadley.

»Ganz recht«, nickte Dr. Fell. »Kommen Sie, wir gehen jetzt lieber hinüber und schauen nach, was unsere Spürhunde im anderen Zimmer machen. Wenn der gute Preston . . .«

Sergeant Preston riß die Tür zum Korridor auf, als wäre er gerufen worden. Er sah erst Fell an, dann Hadley.

»Ich habe ziemlich lange gebraucht, Sir«, berichtete er, »weil wir alle Bücherregale vorrücken und anschließend wieder an die Wand schieben mußten. Das Ergebnis ist: Nichts! Keine Geheimtür irgendeiner Art. Der Kamin ist massiv, ohne jeden Firlefanz, der Rauchabzug mißt nur ungefähr fünf bis acht Zentimeter im Durchmesser und führt nicht einmal direkt, sondern verwinkelt nach oben. Wäre das alles, Sir? Die Jungs sind dann soweit.«

»Fingerabdrücke?«

»Jede Menge Fingerabdrücke, Sir, bloß . . . das Fenster haben Sie doch selbst hinauf- und wieder hinuntergeschoben, Sir? Mit Ihren Fingern auf der Scheibe oben nahe beim Rahmen? Ich habe Ihre Abdrücke erkannt.«

»Normalerweise bin ich vorsichtiger in solchen Dingen«, schnaubte Hadley. »Nun?«

»Sonst ist nichts auf der Scheibe. Alle Holzteile des Fensters, Rahmen und Sims, sind hochglanzlackiert und zeigen jeden Handschuhabdruck so deutlich wie einen Fingerabdruck. Aber da ist nichts, nicht einmal mit einem Handschuh hat dort jemand hingefaßt. Wenn jemand da hinaus ist, muß er Anlauf genommen haben und mit einem Kopfsprung hinausgesprungen sein, ohne irgend etwas zu berühren.«

»Das reicht, vielen Dank«, sagte Hadley. »Warten Sie unten. Schauen Sie nach dem Hinterhof, Betts . . . Nein, warten Sie . . . Mr. Mills, Preston holt Mr. Pettis, falls er überhaupt noch da ist. Ich möchte derweil mit Ihnen sprechen.«

Als die beiden anderen gegangen waren, sagte Mills mit schriller Stimme: »Es hat also den Anschein, daß wir nun wieder bei Zweifeln an meiner Geschichte angelangt sind. Ich versichere Ihnen, ich sage die Wahrheit. Genau hier habe ich gesessen. Sehen Sie selbst.«

Hadley öffnete die Tür. Vor ihnen erstreckte sich der hohe, düstere Flur über fast zehn Meter bis zur gegenüberliegenden Tür, die von dem Lichtschein, der durch den Türbogen fiel, hell erleuchtet war.

»Einen Irrtum können wir wohl ausschließen«, murmelte der Superintendent. »Ich meine zum Beispiel, daß er gar nicht hineingegangen sein könnte, oder so etwas? Bei einem kleinen Durcheinander an der Tür hätten vielleicht irgendwelche krummen Touren ablaufen können; soll alles schon vorgekommen sein. Ich glaube allerdings kaum, daß die Dame an irgendwelchen krummen Touren beteiligt war, zum Beispiel selbst eine Maske trug oder ... Nein, Sie haben sie ja zusammen gesehen, und außerdem ... Ach, zum Teufel damit!«

»Es hat absolut nichts stattgefunden, was Sie ›krumme Touren‹ zu nennen belieben«, sagte Mills. Obwohl er mehr als erregt schien, nahm er diesen Ausdruck nur mit Widerwillen in den Mund. »Ich habe alle drei deutlich und einzeln gesehen. Madame Dumont stand vor der Tür, ja, aber eher rechter Hand; der große Mann befand sich etwas weiter links, und Professor Grimaud zwischen ihnen. Der große Mann ging tatsächlich in das Zimmer hinein. Er schloß die Tür hinter sich und kam nicht wieder heraus. Es ist nicht etwa so, daß sich der Vorfall im Zwielicht abgespielt hätte. Es war ganz unmöglich, die Gestalt dieses riesigen Mannes nicht zu bemerken.«

»Ich sehe keine Möglichkeit, die Geschichte in Zweifel zu ziehen, Hadley«, schloß Dr. Fell nach einer Pause. »Wir müssen außerdem die Tür als Fluchtweg ausschließen.«

Er drehte sich zu Mills um. »Was wissen Sie über diesen Drayman?«

Mills' Augen verengten sich. Sein Singsang bekam einen wachsamen Unterton.

»Es trifft zu, Sir, daß er für jemanden, der intelligent und neugierig ist, ein willkommenes Objekt darstellt. Aber ich weiß sehr wenig. Er ist wohl schon seit einigen Jahren hier, jedenfalls länger als ich. Er war gezwungen, seine akademische Tätigkeit aufzugeben, weil er nahezu erblindete. Er ist nach wie vor fast blind, trotz Behandlung. Das würde man aber dem, äh, Anblick seiner Augen nicht entnehmen. Er hat sich an Professor Grimaud um Hilfe gewandt.«

»Hatte er irgendwelche Ansprüche gegenüber dem Professor?«

Der Sekretär runzelte die Stirn. »Das kann ich nicht sagen. Ich habe gehört, daß Professor Grimaud ihn schon in Paris gekannt haben soll, wo er studierte. Das ist die einzige Information, über die ich verfüge. Abgesehen von einer Bemerkung, die Professor Grimaud machte, als er einmal, sagen wir, einen über den Durst getrunken hatte.« Mills verzog die geschlossenen Lippen zu einem überheblichen Lächeln. »Er sagte, daß Mr. Drayman einmal sein Leben gerettet habe, und er nannte ihn den verdammt besten Kerl auf der Welt. Natürlich, unter Berücksichtigung der Umstände ...«

Mills hatte den nervösen Tick, einen Fuß vor den anderen zu setzen und dann in einer wiegenden Bewegung mit der Ferse des einen an die Zehen des anderen zu tippen. Seine zuckenden Bewegungen, seine winzige Gestalt und sein durch das viele Haar gewaltiger Kopf ließen ihn wie eine Karikatur Swinburnes aussehen. Dr. Fell beobachtete ihn. Doch dann sagte der Doktor nur:

»Aha. Und warum können Sie ihn nicht leiden?«

»Weder kann ich ihn leiden, noch mag ich ihn nicht. Aber er ist völlig harmlos.«

»Ist das der Grund, warum auch Miss Grimaud ihn nicht mag?«

»Miss Grimaud mag ihn nicht?« verwunderte sich Mills, riß seine Augen auf und kniff sie dann zusammen. »Ja, das vermutete ich schon. Ich beobachtete sie, war mir aber nicht sicher.«

»Hm. Und warum interessiert er sich so für die Guy-Fawkes-Nacht?«

»Guy Faw ... ah!« stammelte Mills verblüfft, dann folgte ein dünnes, blökendes Gelächter. »Ach so! Jetzt verstehe ich. Wissen Sie, er hat Kinder sehr gern. Er hatte selbst zwei Kinder, die ums Leben kamen. Ich glaube, sie fielen vor ein paar Jahren von einem Dach. Es war eine dieser dummen, lächerlichen Tragödien, die wir eliminieren werden, wenn wir einst die größere, gewaltigere, geräumigere Welt der Zukunft bauen.«

An dieser Stelle seines Berichts wurde Dr. Fells Gesichtsausdruck mörderisch, doch Mills fuhr unbeirrt fort: »Seine Frau hat das nicht lange überlebt. Dann wurden seine Augen schlechter ... Jedenfalls hilft er den Kindern gern bei ihren Spielen, er verfügt selbst über ein etwas kindliches Gemüt, trotz einiger geistiger Fähigkeiten.« Die Fischlippe hob sich ein wenig. »Sein Lieblingstag scheint der 5. November zu sein, der auch der Geburtstag eines seiner unglücklichen Sprößlinge war. Er spart das ganze

Jahr darauf, kauft Lampions und das ganze Drum und Dran, baut einen ›Guy‹ für den Umzug.«

Ein lautes Klopfen an der Tür wurde vom Auftritt Sergeant Prestons gefolgt.

»Unten ist niemand, Sir«, berichtete er. »Dieser Herr, den Sie sprechen wollten, muß schon gegangen sein. Ein Mann aus der Klinik hat dies eben für Sie abgegeben.«

Er reichte Hadley einen Umschlag und eine eckige Pappschachtel, die wie die Schachteln aussah, in der Juweliere ihre Waren zu verkaufen pflegen. Hadley riß den Umschlag auf, überflog den Brief und fluchte.

»Er ist tot«, sagte er knapp. »Hier, lesen Sie!«

Dr. Fell griff nach dem Brief, und Rampole schaute ihm beim Lesen über die Schulter:

»An Superintendent Hadley

Der arme Grimaud starb um elf Uhr dreißig. Ich schicke Ihnen die Kugel. Es ist eine 38er, wie ich vermutet hatte. Ich wollte mich an Ihren Polizeiarzt wenden, aber der ist offenbar in einem anderen Fall unterwegs, also schicke ich die Kugel direkt an Sie.

Kurz vor dem Ende war er noch bei Bewußtsein. Er sagte gewisse Dinge, die von zwei meiner Krankenschwestern sowie mir selbst bezeugt werden können; aber vielleicht war er da schon nicht mehr ganz klar im Kopf. Ich wäre seinen Worten gegenüber mißtrauisch. Ich kannte ihn recht gut, habe jedoch ganz gewiß niemals gehört, daß er einen Bruder hatte.

Zuerst verlangte er mich zu sprechen; dann sagte er wortwörtlich:

›Mein Bruder hat es getan. Ich hätte nie gedacht, daß er wirklich schießen würde. Weiß der Himmel, wie er aus diesem Zimmer gekommen ist, im einen Augenblick war er noch da, und im nächsten war er verschwunden. Holen Sie Bleistift und Papier, schnell! Ich will Ihnen sagen, wer mein Bruder ist, damit Sie nicht glauben, ich phantasiere.‹

Die Anstrengung des Sprechens löste eine letzte Blutung aus, und er starb, ohne noch etwas sagen zu können. Ich behalte den Leichnam hier, bis Sie mir Anweisungen geben. Wenn ich Ihnen irgendwie helfen kann, lassen Sie es mich wissen.

E. H. Peterson, M.D.«

Sie sahen sich an. Das Rätsel stand vollständig und als rundes Ganzes vor ihnen. Die Fakten sowie die Aussagen der Zeugen waren bekräftigt und bestätigt. Aber der Schrecken, den der Hohle Mann verbreitete, blieb derselbe. Nach einer Pause wiederholte der Superintendent mit gewichtiger Stimme einige Worte aus dem Brief:

»›Weiß der Himmel, wie er aus diesem Zimmer gekommen ist.‹«

Zweiter Sarg
Das Geheimnis der Cagliostro Street

Kapitel 9

Ein Grab öffnet sich

Dr. Fell wanderte seufzend und ziellos durch das Zimmer und ließ sich im größten Sessel nieder. »Bruder Henri«, grollte er, »ja, ich fürchtete schon, wir würden am Ende auf Bruder Henri zurückkommen müssen.«

»Zum Teufel mit Bruder Henri«, sagte Hadley tonlos. »Zuerst werden wir uns Bruder Pierre vorknöpfen. Er weiß Bescheid! Warum hat sich bloß der Constable noch nicht wieder bei mir gemeldet? Wo steckt der Mann, der ihn am Theater abfangen sollte? Ist denn der ganze verdammte Laden schlafen gegangen oder . . .?«

»Wir dürfen unseren kühlen Kopf nicht verlieren«, warf Dr. Fell ein, als Hadley laut wurde und wild durchs Zimmer zu marschieren begann. »Das ist genau das, was Bruder Henri erreichen will. Jetzt, mit Grimauds letzter Äußerung, haben wir wenigstens einen ersten Hinweis.«

»Auf was denn?«

»Auf die Worte, die er an uns gerichtet hat, auf die wir uns keinen Reim machen konnten. Das Dumme ist bloß, daß sie uns jetzt, wo wir ihre Bedeutung hypothetisch erschließen können, nicht weiterhelfen werden. Aufgrund dieser neuen Hinweise fürchte ich, daß selbst Grimaud völlig im dunkeln tappte. Angesichts dieser neuen Indizien fürchte ich sagen zu können, daß wir Zeuge waren, wie Grimaud sich in etwas verrannt hat. Er wollte uns gar nichts mitteilen, er versuchte, uns eine Frage zu stellen.«

»Wovon reden Sie überhaupt?«

»Sehen Sie nicht, daß es so gewesen sein muß? Letzte Aussage: ›Weiß der Himmel, wie er aus diesem Zimmer gekommen ist, im einen Augenblick war er noch da, und im nächsten war er verschwunden.‹

Jetzt wollen wir doch mal versuchen, die Worte in diesem Ihrem unschätzbaren Notizbuch zu deuten. Sie und Freund Ted haben leicht differierende Versionen; aber lassen Sie uns mit den Worten anfangen, die Sie b e i d e gehört haben und von denen wir daher annehmen müssen, daß sie stimmen. Die ersten Rätselsilben wollen wir beiseite lassen. Ich glaube, wir können nun mit ziemlicher Sicherheit davon ausgehen, daß er ›Horváth‹ und ›Saline‹ sagte. Lassen wir auch getrost jene Worte weg, bei denen Sie sich nicht einig sind. Welche Worte finden sich auf beiden Listen?«

Hadley schnippte mit den Fingern. »Langsam fange ich an . . . ja! Es sind die Worte: ›Seil konnte er nicht nehmen‹ – ›Dach‹ – ›Schnee‹ – ›Fokus‹ – ›Zu viel Licht‹. Also dann! Versuchen wir, eine zusammenhängende Aussage daraus zu konstruieren. Fügen wir die Worte und den Sinn beider Listen zusammen, ergibt sich etwa die folgende Botschaft: ›Weiß der Himmel, wie er hinausgekommen ist. Ein Seil kann er nicht benutzt haben, weder oben auf dem Dach noch unten im Schnee. Einen Moment war er noch da, im nächsten schon verschwunden. Es gab zu viel Licht, als daß mir irgendeine seiner Bewegungen hätte entgehen können . . . ‹ Aber Sekunde mal! Was ist dann mit . . .?«

»Und jetzt«, grunzte Dr. Fell abfällig, »können Sie damit anfangen, die unterschiedlichen Versionen zu berücksichtigen. Ted verstand ›Nicht Selbstmord‹. Das paßt als Bestätigung zu den übrigen Bruchstücken: ›Dies war kein Selbstmord; ich habe mich nicht selbst getötet.‹ Sie hörten außerdem: ›Hatte den Revolver‹. Das ist nicht schwer mit dem Satz aus dem Brief zusammenzubringen: ›Ich hätte nie gedacht, daß er wirklich schießen würde.‹ Bah! Alle Hinweise werden durcheinandergewirbelt und verwandeln sich in Fragen. Dies ist der erste mir bekannte Fall, bei dem der Ermordete ebenso neugierig ist wie alle anderen.«

»Aber was ist mit dem Wort ›Fokus‹? Es paßt nirgendwo hinein.«

Dr. Fell zwinkerte ihm verdrießlich zu.

»Oh doch, es paßt sehr wohl wo hinein. Es ist sogar das einfachste Puzzleteilchen, obwohl es andererseits auch wieder das vertrackteste sein könnte und wir keine voreiligen Schlüsse daraus ziehen dürfen. Es geht darum, wie Wörter für den unbefangenen Zuhörer klingen, wenn sie nicht buchstabiert werden. Wenn ich mit verschiedenen Probanden einen verfluchten Assoziationstest durchführe, und zum Beispiel einem Photographen ›Fokus!‹ zurufe, wird der ›Photoapparat‹ oder ›Einstellung‹ antworten; aber wenn ich dasselbe Wort einem Fachmann für englische Geschichte nenne und es dabei ein wenig anders betone« – Dr. Fell tat es, indem er das ›o‹ offen und lang aussprach und das ›u‹ praktisch verschluckte –, »dann wird er was antworten? Rasch!«

»Guy«, sagte Hadley und fluchte. Nach einer düsteren Pause fragte er: »Meinen Sie wirklich, wir müssen noch einmal auf dieses alberne Geschwätz über Guy-Fawkes-Masken oder ähnliche Verkleidungen zurückkommen?«

»Nun ja, alle haben sich ziemlich ausführlich darüber ausgelassen«, bemerkte der Doktor und kratzte sich an der Stirn. »Und ich bin nicht erstaunt, daß das dann auch von dem bemerkt worden ist, der sie aus größter Nähe sah. Was fällt Ihnen dazu ein?«

»Dazu fällt mir ein, daß wir einen kleinen Plausch mit Mr. Drayman führen müssen«, erwiderte der Superintendent grimmig. Er ging zur Tür und fuhr zurück, als dahinter das knochige Gesicht von Mills auftauchte, der eifrig lauschend hinter den dicken Brillengläsern hervorlugte.

»Langsam, Hadley«, mischte sich Dr. Fell ein, als der Superintendent Anstalten machte, in die Luft zu gehen. »Es ist schon seltsam mit Ihnen: Sie können unbewegt wie die Palastwache am Buckingham Palace sein, wenn es um Sie von Rätseln nur so wimmelt, aber es zieht Ihnen die Schuhe aus, wenn wir uns der Auflösung nähern.

Unser junger Freund hier kann ruhig dableiben. Wenn er schon gelauscht hat, soll er auch das Ende hören.« Er lachte verschmitzt. »Werden Sie jetzt mißtrauisch gegenüber Drayman? Pah! Im Gegenteil! Erinnern Sie sich, wir hatten unser Silbenrätsel noch nicht ganz bis zum Ende gelöst. Ein Teilchen war noch übriggeblieben, das wir noch nicht unterbringen konnten, und zwar eines von denen, die Sie selbst hörten.

Bei dieser rosa Maske mußte Grimaud unwillkürlich an Drayman denken – wie eine ganze Reihe der anderen Beteiligten übrigens auch. Aber Grimaud wußte, wessen Gesicht hinter der Maske steckte. Und aus diesem Grund haben wir eine ziemlich vernünftige Erklärung für die letzten Worte, die Sie notiert haben: ›Hat nichts damit zu tun.‹ Er schien Drayman sehr ins Herz geschlossen zu haben, wissen Sie.« Nach einer Weile wandte sich Dr. Fell an Mills: »Jetzt holen Sie ihn her, mein Sohn.«

Als die Tür sich hinter Mills geschlossen hatte, ließ Hadley sich erschöpft auf einen Stuhl sinken und fingerte eine zerknitterte Zigarre aus seiner Brusttasche, die er zuvor unangezündet zurückgesteckt hatte. Dann fuhr er mit einem Finger unter seinem Hemdkragen entlang und machte dabei jenes übellaunige und niedergeschlagene Gesicht, wie es Leute zeigen, denen die Sorgen den Hals zuschnüren.

»Sie können von Ihren Trickschützenkünsten nicht lassen, nicht wahr?« meinte er. »Ein weiterer detektivischer Drahtseilakt, und *The daring young man on the* . . . hm?« Er starrte auf den Boden und schnaubte verärgert. »Ich glaube, ich lasse allmählich nach! Es ist nicht gut, wenn man phantastische Einfälle hat wie ich jetzt gerade. Haben Sie irgendwelche konkreten Vorschläge?«

»Ja. Später werde ich, wenn Sie erlauben, die Grosssche Methode anwenden.«

»Sie werden was?«

»Die Grosssche Methode. Wissen Sie nicht mehr? Wir haben uns heute abend darüber gestritten. Ich werde sehr sorgfältig all das verbrannte und halbverbrannte Papier aus diesem Kamin klauben und versuchen, vermittels der Grossschen Methode die Schrift darauf zu entziffern. Halten Sie sich bitte bedeckt, ja?« polterte er, als Hadley verächtliche Geräusche von sich gab. »Ich behaupte ja keineswegs, daß ich alles oder auch nur die Hälfte zu entziffern vermag. Aber die eine oder andere Zeile, hier und da, wird mir einen Hinweis darauf geben, was Grimaud wichtiger war als sein eigenes Leben. Hah! Jawohl!«

»Und wie soll das gehen?«

»Sie werden sehen. Wohlgemerkt, ich sage nicht, daß die Schrift auf dem verbrannten Papier richtig schön zu lesen sein wird, aber etwas w i r d zu lesen sein, besonders im Inneren der Papierklumpen, die nur außen angesengt sind . . . Abgesehen davon habe ich keinen besseren Vorschlag, außer wir fragen . . . ja, was ist?«

Sergeant Betts, diesmal nicht über und über von Schnee bedeckt, blickte noch einmal hinter sich zurück, bevor er die Tür schloß und sachlich Bericht erstattete.

»Ich habe mir den ganzen Hinterhof vorgenommen, Sir, und die zwei anschließenden Nachbarhöfe sowie die Mauerkronen. Nirgendwo ein Fußabdruck oder irgendeine Spur . . . Aber ich glaube, uns ist ein Fisch ins Netz gegangen, Preston und mir. Als ich wieder ins Haus ging, kommt da so ein ziemlich großer älterer Knabe die Treppe runtergerannt, eine Hand immer auf dem

Treppengeländer. Er läuft zu einem Wandschrank, kramt umständlich darin herum, als würde er sich nicht recht auskennen. Als er schließlich Hut und Mantel gefunden hat, will er zur Tür hinaus. Er sagt, sein Name sei Drayman und er würde hier wohnen, aber wir dachten . . .«

»Sie werden feststellen, daß er nicht mehr allzu gut sieht«, sagte Dr. Fell. »Schicken Sie ihn rein.«

Der Mann, der jetzt das Zimmer betrat, war auf seine Art eine beeindruckende Gestalt. Sein längliches, sanftes Gesicht sah an den Schläfen eingefallen aus, sein graues Haar war spärlich und ließ so eine hohe, schmale und zerklüftete Stirn frei. Hellblaue Augen, die trotz zahlloser Fältchen keineswegs trübe wirkten, blickten freundlich und offenbar verwirrt drein. Von seiner Hakennase verliefen tiefe Furchen zu einem sensiblen, weichen Mund, und seine Angewohnheit, die Stirn mit einer hochgezogenen Augenbraue in Falten zu legen, ließ ihn noch unsicherer aussehen. Trotz seiner gebeugten Haltung wirkte er hochgewachsen, trotz seiner knochigen Zerbrechlichkeit machte er einen kräftigen Eindruck. Er sah wie ein alt gewordener Soldat aus, wie ein gepflegter Herr, der ein wenig nachlässig geworden ist. Humor war in seinem Gesicht nicht auszumachen; er wirkte vielmehr gutmütig und ein bißchen konfus. Sein dunkler Mantel war bis zum Kinn hinauf zugeknöpft. Er stand unschlüssig im Türrahmen, schaute die Anwesenden unter seinen dichten Augenbrauen hervor angestrengt an und drückte einen Bowler gegen seine Brust.

»Es tut mir leid, meine Herren. Es tut mir aufrichtig leid«, begann er. Seine sonore Stimme klang seltsam, so, als sei der Mann es nicht gewohnt zu reden. »Ich weiß, daß ich Sie hätte aufsuchen sollen, bevor ich hinüberging. Aber der junge Mr. Mangan weckte mich und berichtete mir, was passiert war. Ich hatte den Eindruck, ich müßte unverzüglich hinüber zu Grimaud, um zu schauen, ob ich irgend etwas für ihn tun könnte.«

Rampole kam es vor, als sei der Mann immer noch benommen vom Schlaf oder dem Schlafmittel. Der helle Blick hätte auch aus Glasaugen kommen können. Rampole trat beiseite, und Draymans Hand fand eine Stuhllehne. Aber er setzte sich erst, als Hadley ihn dazu aufforderte.

»Mr. Mangan teilte mir mit«, sagte Drayman, »Professor Grimaud . . .«

»Professor Grimaud ist tot«, informierte ihn Hadley.

Drayman blieb so kerzengerade sitzen, wie sein gekrümmter Rücken es ihm erlaubte, die Hände über seinem Hut gefaltet. Ein lastendes Schweigen senkte sich über den Raum. Drayman schloß die Augen und öffnete sie sogleich wieder. Dann starrte er in die Ferne und atmete mühsam und rasselnd.

»Gott sei seiner Seele gnädig«, sagte er schließlich ganz ruhig. »Charles Grimaud war mir ein treuer Freund.«

»Sie wissen, wie er starb?«

»Ja. Mr. Mangan hat es mir erzählt.«

Hadley beobachtete ihn. »Dann werden Sie verstehen, daß die einzige Möglichkeit, den Mörder Ihres Freundes zu finden, darin besteht, daß Sie uns alles, aber auch wirklich alles sagen, was Sie wissen.«

»Ich . . . ja, natürlich.«

»Seien Sie sich wirklich darüber im klaren, Mr. Drayman! Denken Sie daran: Wir müssen Dinge aus seiner Vergangenheit in Erfahrung bringen. Sie kannten ihn gut. Wo sind Sie ihm zum ersten Mal begegnet?«

Das lange Gesicht nahm einen irritierten Ausdruck an, wobei die einzelnen Züge in ihre Bestandteile zu zerfallen schienen. »In Paris. Er machte dort 1905 seinen Doktor an der Universität, im selben Jahr, als ich . . . als ich ihn kennenlernte.« Die Erinnerung schien Drayman entgleiten zu wollen. Er legte die Hand über die Augen, seine Stimme bekam einen nörgelnden Unterton, wie bei einem Mann, der wissen will, wer seine Kragenknöpfe versteckt hat. »Grimaud war ein brillanter Kopf. Im folgenden Jahr erhielt er eine außerordentliche Professur in Dijon. Aber ein Verwandter starb und hinterließ ihm so viel, daß er ausgesorgt hatte. Er gab seine Arbeit auf und kam bald darauf nach England, soviel ich weiß. Ich habe ihn erst Jahre später wiedergesehen. War es das, was Sie wissen wollten?«

»Vor 1905 haben Sie ihn nicht gekannt?«

»Nein.«

Hadley beugte sich weit vor. »Bei welcher Gelegenheit haben Sie ihm das Leben gerettet?« fragte er scharf.

»Sein Leben gerettet? Ich verstehe nicht.«

»Schon mal in Ungarn gewesen, Mr. Drayman?«

»Ich . . . ich habe den Kontinent bereist und war möglicherweise auch in Ungarn. Aber das war vor vielen Jahren, als ich noch jung war. Ich erinnere mich nicht.«

Jetzt war es an Hadley, sich als Kunstschütze zu versuchen und einen Schuß ins Blaue abzugeben.

»Sie haben«, konstatierte er, »bei Siebentürmen in den Karpaten sein Leben gerettet, als er aus dem Gefängnis entflohen war. War's nicht so?«

Der andere saß stocksteif da. Seine knochigen Hände umklammerten den Hut. Rampole hatte das Gefühl, der alte Mann fühle nun so viel Kraft in sich wie seit Jahren nicht mehr.

»War es so?« fragte Drayman nachdenklich.

»Es hat keinen Sinn, sich dumm zu stellen. Wir wissen alles, sogar Daten, nun, da Sie eines genannt haben. Károly Horváth trug als freier Mann das Jahr 1898 in ein Buch ein. Mit all den nötigen Vorbereitungen muß es mindestens vier Jahre gedauert haben, bis er in Paris promoviert hatte. Also können wir den Zeitpunkt seiner Verurteilung und Flucht auf drei Jahre genau eingrenzen. Mit dieser Information«, sagte Hadley kalt, »kann ich nach Bukarest kabeln und innerhalb von zwölf Stunden alle Einzelheiten erfahren. Sehen Sie, es ist also besser, Sie sagen die Wahrheit. Ich will alles hören, was Sie über Károly Horváth wissen – und über seine beiden Brüder. Einer davon hat ihn ermordet. Schließlich möchte ich Sie noch daran erinnern, daß das Zurückhalten von Informationen dieser Art ein ernstes Vergehen ist. Nun?«

Drayman blieb einen Augenblick sitzen. Mit einer Hand bedeckte er die Augen; ein Fuß scharrte auf dem Teppich. Dann blickte er auf. Erstaunt sahen die anderen, daß er freundlich lächelte, obwohl seine von Fältchen umgebenen Augen nichts von ihrer blauen Glasigkeit verloren hatten.

»Ein ernstes Vergehen«, wiederholte er nickend. »So so, tatsächlich? Nun, ehrlich gesagt, Sir, Ihre Drohungen scheren mich den Teufel. Es gibt nur wenig, was einen Menschen bewegen oder ängstigen oder erschrecken kann, der andere Menschen nur in groben Umrissen zu erkennen vermag – wie ein Spiegelei auf dem Teller. Fast alle Ängste der Welt, und auch all die hehren Erwartungen, die man an sie stellt, werden von Formen ausgelöst – von Augen, Gesten und Gestalten. Junge Leute können das nicht verstehen, aber ich hatte gehofft, Sie könnten das. Wissen Sie, ich bin nicht wirklich blind. Ich kann Gesichter erkennen und den Morgenhimmel und all die Dinge, von denen die Dichter behaupten, daß Blinde von ihnen phantasieren. Aber ich kann zum einen nicht lesen, und zweitens können diejenigen Augen, die mir am meisten am Herzen lagen, seit nunmehr acht Jahren noch weniger sehen als ich. Warten Sie, bis diese beiden Dinge Ihr Leben grundsätzlich bestimmen, und Sie werden entdecken, daß Sie nicht mehr viel erschüttern kann, wenn es sie nicht mehr gibt.« Wieder nickte er und starrte ins Zimmer. Seine Stirn kräuselte sich. »Sir, ich bin bereit, Ihnen jede Information zu geben, die Sie haben wollen, wenn es Charles Grimaud hilft. Aber ich sehe keinen Sinn darin, alte Skandale aufzurühren.«

»Nicht einmal, wenn es darum geht, den Bruder zu finden, der ihn getötet hat?«

Drayman machte stirnrunzelnd eine mißbilligende Geste. »Schauen Sie, wenn es Ihnen hilft, kann ich Ihnen ehrlich versichern, daß Sie diese Idee vergessen können. Ich habe keine Ahnung, wie Sie darauf gekommen sind. Er hatte tatsächlich zwei Brüder. Und sie waren eingekerkert.« Wieder lächelte er. »Es war nichts Schlimmes dabei. Sie waren wegen eines politischen Vergehens eingesperrt worden. Ich nehme an, die Hälfte aller jungen Hitzköpfe damals muß darin verwickelt gewesen sein. Vergessen Sie die beiden Brüder. Sie sind seit vielen Jahren tot.«

Es war so still in dem Zimmer, daß Rampole das letzte Prasseln des verlöschenden Feuers und die keuchenden Atemzüge Dr. Fells hören konnte. Hadley schielte zu Dr. Fell hinüber. Der hielt die Augen geschlossen. Dann sah Hadley Drayman so unbeteiligt an, als verfüge dieser über ein völlig gesundes Augenlicht.

»Woher wissen Sie das?«

»Grimaud hat es mir selbst gesagt«, entgegnete er und betonte den Namen auf eine spezielle Weise. »Außerdem waren damals alle Zeitungen von Budapest bis Kronstadt voll davon. Das können Sie sich leicht bestätigen lassen.« Er sprach ohne Umschweife. »Sie starben an der Beulenpest.«

Hadley blieb verbindlich. »Wenn Sie das zweifelsfrei beweisen könnten . . .«

»Versprechen Sie, daß keine alten Skandale aufgerührt werden?« Dem hellblauen Starren war schwer standzuhalten. Drayman krampfte seine knochigen Hände ineinander. »Wenn ich Ihnen Auskunft gebe und Sie erhalten Beweise, werden Sie dann die Toten ruhen lassen?«

»Das hängt von dem ab, was Sie uns berichten.«

»Nun gut. Ich werde Ihnen erzählen, was ich selbst gesehen habe.« Er dachte nach – ziemlich nervös, wie Rampole fand. »Es war an sich schon eine grauenhafte Geschichte. Grimaud und ich haben später nie wieder darüber gesprochen. Das hatten wir so ausgemacht. Aber ich werde Sie nicht anlügen und behaupten, ich hätte irgend etwas vergessen. Ich habe nicht das geringste Detail vergessen.«

Er verfiel nun so lange in Schweigen und klopfte mit den Fingerspitzen sachte gegen seine Schläfen, daß sogar der geduldige Hadley ihn antreiben wollte. Da fuhr Drayman endlich fort:

»Verzeihen Sie, meine Herren; ich versuchte, mich an das genaue Datum zu erinnern, damit Sie alles überprüfen können. Ich glaube, es war im August oder September des Jahres 1900 – oder war es 1901? Eben kommt mir der Gedanke, daß ich den Beginn dieser wahren Geschichte im Stil der zeitgenössischen französischen Schmöker erzählen könnte; etwa so: ›Um die Dämmerstunde eines kühlen Septembertages des Jahres 19... hätte man einen einsamen Reiter über eine Landstraße‹ (und was für eine Straße!) ›in einem zerklüfteten Tal in den südöstlichen Karpaten galoppieren sehen können.‹ Darauf müßte ich eine Beschreibung der wilden Landschaft einfügen und so fort ... Der Reiter war ich natürlich selbst; Regen lag in der Luft; und ich versuchte, vor Einbruch der Dunkelheit nach Tradj zu gelangen.«

Er lächelte. Hadley wurde unruhig, aber Dr. Fell schlug die Augen auf, was Drayman sofort bemerkte.

»Ich muß auf dieser romanhaften Atmosphäre bestehen, denn sie paßte zu meiner Stimmung und erklärt einiges. Ich war in einem Alter, da einem der Kopf von Byronscher Romantik und politischen Freiheitsidealen nur so schwirrt. Ich ritt zu Pferde, statt zu Fuß zu gehen, weil ich annahm, als Reiter eine gute Figur abzugeben. Ich leistete mir sogar das Vergnügen, einen Revolver gegen – mythische – Briganten bei mir zu tragen, und einen Rosenkranz als Zaubermittel gegen Gespenster. Aber wenn auch weder Gespenster noch Briganten erschienen, so hätten doch welche da sein sollen. Ich weiß noch, daß ich mich mehrere Male vor beiden fürchtete.

Eine märchenhafte Wildheit und Finsternis lag über diesen düsteren Wäldern und Schluchten. Sogar die zivilisierten Gegenden hatten etwas Fremdartiges. Transsylvanien, müssen Sie wissen, wird von drei Seiten von Bergen umschlossen. Es erschreckt ein englisches Auge, wenn es an einem steilen Berghang ein Roggenfeld oder Weinstöcke sieht; die roten und gelben Trachten, die

Knoblauchketten an jeder Gasthauspforte und sogar, in den öderen Gegenden, Hügel aus purem Salz.

Jedenfalls ritt ich auf gewundenem Weg durch den gottverlassensten Teil des Landes. Bald kam ein Sturm auf, und bis zum nächsten Gasthaus waren es noch viele Meilen. Die Art und Weise, wie die Einheimischen hinter jeder Hecke den Teufel lauern sahen, machte mich schaudern, aber ich hatte noch schlimmeren Anlaß, mich zu ängstigen. Nach einem heißen Sommer war die Pest ausgebrochen und hatte sich wie ein Schwarm Mücken über die ganze Gegend ausgebreitet – trotz des nunmehr kühlen Wetters. Im letzten Dorf, durch das ich geritten war – seinen Namen habe ich vergessen –, hatte ich erfahren, daß die Seuche in den Salinen in den Bergen, auf die ich mich zubewegte, wütete. Doch ich hoffte, in Tradj einen englischen Freund, auch einen Touristen, zu treffen. Ferner wollte ich mir das Gefängnis anschauen, das seinen Namen von den sieben weißen Hügeln hat, die es wie ein flacher Gebirgszug umgürten. Also sagte ich, ich wolle weiterreiten.

Ich wußte, daß es nicht mehr weit bis zum Gefängnis sein konnte, denn ich vermochte schon die weißen Hügel auszumachen. Aber als es gerade so dunkel geworden war, daß man kaum mehr etwas sehen konnte, und der Wind die Bäume zu zerfetzen schien, kam ich in die Senke mit den drei Gräbern. Sie waren frisch ausgehoben, wie ich an den Fußspuren ringsum erkannte, aber es war keine Menschenseele in der Nähe.«

Hadley durchbrach die unheimliche Atmosphäre, die Draymans träumerische Stimme geschaffen hatte.

»Ein Ort«, kommentierte er, »wie auf dem Bild, das Professor Grimaud Mr. Burnaby abgekauft hat.«

»Davon weiß ich nichts«, bemerkte Drayman sichtlich überrascht. »Ist das so? Das ist mir nicht aufgefallen.«

»Nicht aufgefallen? Haben Sie das Bild denn nicht gesehen?«

»Nicht sehr gut. Nur als flüchtige Umrisse; Bäume, eine gewöhnliche Landschaft . . .«

»Und drei Grabsteine.«

»Ich habe keine Ahnung, was Burnaby da inspiriert hat«, sagte der andere matt und rieb sich die Stirn. »Ich habe ihm weiß Gott nie davon erzählt. Wahrscheinlich ist es Zufall. Auf diesen Gräbern standen keine Grabsteine. Die Mühe hätte sich niemand gemacht. Da waren nur drei schlichte Kreuze aus Ästen.

Wie gesagt, ich saß da, hoch zu Roß, schaute auf die Gräber hinab und fühlte mich nicht besonders wohl dabei. Sie sahen recht unheimlich aus inmitten der schwarzgrünen Landschaft und den weißen Hügeln im Hintergrund. Aber das allein war es nicht. Wenn es sich um Gräber des Gefängnisses handelte, fragte ich mich, warum waren sie dann so weit außerhalb angelegt worden?

Das nächste war, daß sich mein Pferd aufbäumte und mich beinahe abgeworfen hätte. Es drückte mich gegen einen Baum; als ich mich umsah, wußte ich, was mit dem Pferd nicht stimmte. Einer der Grabhügel hob und verschob sich; es gab ein berstendes Geräusch; etwas zuckte und zappelte, und ein dunkles Ding tastete sich aus dem Grabhügel heraus. Es war nur eine Hand, deren Finger sich bewegten, aber ich glaube nicht, daß ich jemals wieder etwas Gräßlicheres gesehen habe.«

Kapitel 10

Das blutige Jackett

»Inzwischen«, fuhr Drayman fort, »stimmte auch mit mir etwas nicht mehr. Ich wagte nicht abzusteigen, aus Angst, mein Pferd könne durchgehen, und ich befürchtete überdies, daß mein Verstand durchgehen könnte. Ich dachte an Vampire und an all die Legenden über die Hölle, deren Bewohner im Zwielicht herangekrochen kommen. Ehrlich gesagt, ich war außer mir vor Angst. Ich hüpfte wie ein Gummiball auf dem Pferd herum und versuchte, es mit der einen Hand zu zügeln, während ich mit der anderen meinen Revolver ziehen wollte. Als ich wieder nach dem Grab sah, war das Ding ganz herausgekrochen und wankte auf mich zu.

So, meine Herren, habe ich einen meiner engsten Freunde zum ersten Mal getroffen. Der Mann bückte sich und nahm einen Spaten vom Boden auf, den einer der Totengräber liegengelassen haben mußte. Er kam immer näher. Ich schrie auf Englisch: ›Was wollen Sie?‹; ich war so fassungslos, daß mir in keiner anderen Sprache auch nur ein Wort eingefallen wäre. Der Mann blieb stehen. Nach einem Augenblick antwortete er auf Englisch, aber mit einem fremdländischen Akzent: ›Hilfe! Hilfe, Milord, haben Sie keine Angst!‹ oder etwas diesen Sinnes, worauf er den Spaten wieder fallenließ.

Das Pferd hatte sich unterdessen beruhigt, aber ich mich nicht. Der Mann war nicht groß, aber sehr kräftig, sein Gesicht war dunkel und angeschwollen, kleine schuppige Flecken ließen es im Zwielicht rosa aussehen. Und in diesem Augenblick brach der Regen los, während er noch dastand und seine Arme schwenkte.

Er stand im Regen und bat mich um Hilfe. Ich will nicht versuchen, es wörtlich zu wiederholen, aber er sagte etwa: ›Hören Sie, Milord, ich bin nicht an der Pest gestorben wie diese beiden armen Teufel.‹ Dabei zeigte er auf die beiden anderen Gräber. Er fuhr fort: ›Ich habe mich nicht einmal infiziert. Sehen Sie, der Regen wäscht alles ab. Es ist mein eigenes Blut, das aus meiner Haut ausgetreten ist.‹ Er streckte mir sogar die Zunge heraus, damit ich sehen konnte, daß sie nur von der Erde geschwärzt war und der Regen sie reinwusch. Dieser Anblick war so verrückt wie die Gestalt selbst und die ganze Szenerie. Dann eröffnete er mir, er sei kein Verbrecher, sondern ein politisch Verfolgter, und daß er sich auf der Flucht aus dem Gefängnis befinde.«

Draymans Stirn legte sich in tiefe Falten. Er lächelte wieder.

»Ihm helfen? Selbstverständlich tat ich das. Die Idee beflügelte meine Phantasie. Er schilderte mir seine Lage, und wir machten Pläne. Er war einer von drei Brüdern, Studenten an der Universität von Klausenburg, die während eines Aufstandes festgesetzt worden waren, der ein unabhängiges Transsylvanien unter dem Schutz Österreichs, wie vor 1860, zum Ziel gehabt hatte. Die drei hatten in einer Zelle gesessen, und zwei von ihnen waren der Pest zum Opfer gefallen. Mit Hilfe des Gefängnisarztes, auch eines Häftlings, hatte er die gleichen Symptome simuliert – und war ›gestorben‹. Es war nicht wahrscheinlich, daß sich irgend jemand sehr nahe an ihn heranwagen würde, um das Zeugnis des Arztes zu überprüfen. Die gesamte Gefängnisbelegschaft war außer sich vor Angst. Selbst die Männer, welche die drei Brüder begraben sollten, würden ihre Gesichter zur Seite wenden, wenn sie die Leichen in Kiefernsärge warfen und eilig die Deckel daraufnagelten. Gewöhnlich begrub man die Leichen in einiger Entfernung vom Gefängnis. Vor allem würden die Totengräber sich nicht viel Mühe beim Zunageln geben.

Der Arzt hatte eine Drahtschere in den Sarg geschmuggelt, die mir der Ausbrecher zeigte. Ein starker Mann war in der Lage, sofern er die Nerven behielt und nach seinem Begräbnis nicht zu viel Luft verbrauchte, den Sargdeckel mit seinem Kopf so weit hochzudrücken, daß er die Schere in den Zwischenraum zu klemmen vermochte. Anschließend konnte er sich durch das lose Erdreich nach oben graben.

So weit, so gut. Als ich ihm sagte, daß ich ein Student aus Paris sei, wurde die Unterhaltung lebendiger. Seine Mutter war Französin gewesen, und er beherrschte die Sprache perfekt. Wir beschlossen, uns nach Frankreich durchzuschlagen, wo er sich, ohne Verdacht zu erregen, eine neue Identität aufbauen konnte. Er hatte ein bißchen Geld versteckt, und in seiner Heimatstadt lebte ein Mädchen, das ...«

Drayman unterbrach sich abrupt, wie jemand, dem soeben einfällt, daß er zu weit gegangen ist. Hadley nickte nur.

»Ich glaube, wir wissen bereits, wer das Mädchen war«, sagte er. »Für den Augenblick lassen wir Madame Dumont getrost aus dem Spiel. Was geschah weiter?«

»Sie wurde damit betraut, Geld mitzubringen und ihm nach Paris zu folgen. Es war unwahrscheinlich, daß die Sache großes Aufsehen erregen würde – sie erregte tatsächlich überhaupt keines. Er galt einfach als verstorben, obwohl Grimaud sich derart fürchtete, daß er aus der Gegend verschwinden wollte, ehe er sich noch rasierte oder wenigstens einen Anzug von mir anzog. Wir erregten nicht den geringsten Verdacht. In jenen Tagen existierten noch keine Reisepässe, und auf dem Weg aus Ungarn heraus gab er sich für den englischen Freund aus, den ich in Tradj hatte treffen wollen. Als wir erst einmal in Frankreich waren . . . den Rest kennen Sie. So, meine Herren!« Drayman atmete auf eigentümlich rasselnde Weise ein, setzte sich aufrecht hin und sah sie aus seinen harten, leeren Augen an. »Sie können jedes Wort nachprüfen.«

»Was hatte es mit dem berstenden Geräusch auf sich?« fragte Dr. Fell, als handele es sich um eine akademische Debatte.

Die Frage war so ruhig und dennoch so überraschend gestellt worden, daß Hadley zu Dr. Fell herumfuhr. Sogar Draymans Blick tastete nach ihm. Dr. Fells hochrotes Gesicht war geistesabwesend verzogen, atemlos klopfte er mit seinem Stock auf den Teppich.

»Das ist sehr wichtig«, sagte er zum Feuer, als habe ihm jemand widersprochen. »Wirklich sehr wichtig. Hm, schauen Sie, Mr. Drayman, ich muß Ihnen nur noch zwei Fragen stellen: Sie hörten ein berstendes Geräusch – war das der Deckel, der von dem Sarg gerissen oder gedrückt wurde? Hm, ja, das würde bedeuten, daß es ein ziemlich flaches Grab war, aus dem Grimaud stieg?«

»Ja, sehr flach, er wäre sonst vielleicht nie wieder hinausgelangt.«

»Zweite Frage: Dieses Gefängnis – war das eine gut- oder schlechtgeführte Institution?«

Drayman schien verwirrt; seine Kiefermuskeln verhärteten sich. »Das weiß ich nicht, Sir. Aber ich weiß, daß es damals von einer Reihe von höheren Beamten kritisiert wurde. Ich glaube, sie waren darüber verärgert, daß die Gefängnisleitung die Ausbreitung der Krankheit geduldet hatte – und dadurch die Gefangenen nicht mehr in der Lage waren, in den Minen zu arbeiten. Die Namen der Toten wurden übrigens veröffentlicht; ich habe sie selbst gesehen. Und ich frage Sie nochmals: Welchen Sinn hat es, alte Skandale aufzurühren? Es wird Ihnen nicht helfen. Sie sehen, daß die Geschichte kein sonderlich schlechtes Licht auf Grimaud wirft, aber . . .«

»Eben, das ist es ja gerade«, erregte sich Dr. Fell und schaute ihn neugierig an. »Ich will das ausdrücklich festhalten: Die Geschichte wirft ganz und gar kein schlechtes Licht auf ihn. Ist sie dann Grund genug für einen Menschen, alle Spuren seiner Vergangenheit zu beseitigen?«

»Aber vielleicht wirft sie ein schlechtes Licht auf Ernestine Dumont«, sagte Drayman und ließ seine Stimme noch eine Spur lauter und ungehaltener werden. »Sehen Sie nicht, was ich damit sagen will? Was ist mit Grimauds Tochter? Und all dieses Stochern im Nebel beruht auf irgendeiner wilden Vermutung, daß einer seiner Brüder, oder womöglich beide, noch am Leben sein könnten. Sie sind tot, und die Toten erheben sich nicht aus ihren Gräbern. Darf ich fragen, woher Sie diese Idee nehmen, daß einer seiner Brüder ihn ermordete?«

»Von Grimaud selbst«, entgegnete Hadley.

Eine Sekunde lang dachte Rampole, Drayman hätte nicht verstanden. Dann erhob der Mann sich unsicher von seinem Stuhl, als bekäme er keine Luft mehr; er hantierte an seinem Mantel herum, bis er aufgeknöpft war, faßte sich an den Hals und setzte sich wieder. Nur der glasige Blick seiner Augen blieb unverändert.

»Lügen Sie mich an?« fragte er. Ein bebender, quengelnder, kindischer Ton stahl sich in seinen Ernst. »Warum lügen Sie mich an?«

»Es ist die Wahrheit. Lesen Sie!«

Mit einer schnellen Bewegung gab Hadley Drayman die Nachricht von Dr. Peterson. Drayman streckte zuerst die Hand aus, ließ den Arm aber dann wieder sinken und schüttelte den Kopf.

»Ich könnte doch nichts damit anfangen, Sir. Ich . . . ich . . . Meinen Sie, er hat noch etwas gesagt, bevor er . . .?«

»Er sagte, sein Bruder habe ihn ermordet.«

»Hat er noch etwas gesagt?« fragte Drayman langsam. Hadley ließ die Phantasie des Mannes arbeiten und blieb eine Antwort schuldig. Schließlich sprach Drayman weiter: »Aber ich sage Ihnen, das ist absurd! Wollen Sie behaupten, daß dieser Scharlatan, der ihn bedroht hat, dieser Kerl, den er nie zuvor in seinem Leben gesehen hatte, einer seiner Brüder war? Ist es das, was Sie meinen? Ich verstehe immer noch nicht. Sobald ich gehört hatte, daß er niedergestochen . . .«

»Niedergestochen?«

»Ja. Wie ich bereits sagte, so . . .«

»Er wurde erschossen«, sagte Hadley. »Wie kommen Sie darauf, daß er erstochen wurde?«

Drayman zuckte die Achseln. Ein ironischer, spöttischer, gleichwohl verzweifelter Ausdruck schlich über sein runzliges Gesicht.

»Ich bin vermutlich ein jämmerlicher Zeuge, meine Herren«, sagte er tonlos. »Ich teile Ihnen besten Gewissens Dinge mit, die Sie nicht glauben. Vielleicht habe ich vorschnelle Schlüsse gezogen. Mr. Mangan sagte, Grimaud sei attackiert worden und läge im Sterben, und der Mörder sei verschwunden, nachdem er das Gemälde zerschnitten habe. Also nahm ich an . . .«

Er rieb sich verwirrt die Nasenwurzel. »Wollten Sie noch etwas wissen?«

»Wie haben Sie den Abend verbracht?«

»Ich habe geschlafen. Ich . . . sehen Sie, ich habe Schmerzen. Hier, hinter den Augäpfeln. Nach dem Abendessen war es so schlimm, daß ich, statt auszugehen – ich wollte eigentlich ein Konzert in der Albert Hall besuchen –, eine Schlaftablette nahm und mich hinlegte. Leider weiß ich nicht, was nach halb acht geschah, bis Mr. Mangan kam und mich weckte.«

Hadley musterte in aller Ruhe Draymans offenen Mantel, machte dabei jedoch ein Gesicht wie ein Mann, der gefährlich nah daran ist, einen entscheidenden Schlag zu landen.

»Verstehe. Zogen Sie sich aus, als Sie zu Bett gingen, Mr. Drayman?«

»Ich bitte um . . . ob ich mich auszog? Nein, lediglich die Schuhe. Warum?«

»Haben Sie Ihr Zimmer irgendwann verlassen?«

»Nein.«

»Wie kommt dann das Blut auf Ihr Jackett? Ja, Sie haben mich richtig verstanden! Stehen Sie mal auf! Jetzt laufen Sie mir bloß nicht davon. Bleiben Sie, wo Sie sind. Jetzt ziehen Sie Ihren Mantel aus!«

Als Drayman, unsicher neben seinem Sessel stehend, den Mantel auszog, entdeckte Rampole es auch. Drayman strich sich mit der Hand über die Brust wie ein Mann, der auf dem Fußboden herumtastet. Er trug einen hellgrauen Anzug, von dem ein Fleck überdeutlich abstach; dieser zog sich von der einen Seite der Jacke bis zur rechten Tasche hinunter. Draymans Finger ertasteten ihn, hielten inne, rieben über den Fleck, dann gegeneinander.

»Das kann kein Blut sein«, murmelte er. Der quengelnde Unterton wurde deutlicher. »Ich weiß nicht, was es ist, aber Blut kann es nicht sein, das versichere ich Ihnen!«

»Wir werden sehen. Ziehen Sie das Jackett auch aus, bitte. Ich muß Sie ersuchen, die Sachen hier bei uns zu lassen. Haben Sie etwas in den Taschen, das Sie herausnehmen möchten?«

»Aber . . .«

»Wie kommt dieser Fleck dahin?«

»Ich weiß es nicht. Ich schwöre bei Gott, daß ich es nicht weiß, und ich kann es mir auch nicht denken. Es ist kein Blut. Wie kommen Sie nur darauf?«

»Bitte, geben Sie mir das Jackett. So ist es recht.« Hadley sah genau zu, wie Drayman mit zitternden Fingern ein paar Münzen, eine Konzertkarte, ein Taschentuch, ein Päckchen Woodbine-Zigaretten und eine Streichholzschachtel aus den Taschen holte. Dann nahm er das Jackett an sich und breitete es über seine Knie. »Haben Sie Einwände dagegen, daß wir Ihr Zimmer durchsuchen? Fairerweise muß ich Ihnen sagen, daß ich über keine rechtliche Handhabe dazu verfüge, falls Sie sich weigern.«

»Überhaupt keinen Einwand«, entgegnete der andere matt. Wieder rieb er sich die Stirn. »Wenn Sie mir nur sagen würden, wie das passiert ist, Inspektor! Ich weiß es nicht. Ich wollte das Richtige tun, ja, das Richtige . . . Ich hatte mit dieser Sache nichts zu tun.« Er unterbrach sich und lächelte mit einer sardonischen Bitterkeit, die Rampole eher verwirrte als mißtrauisch machte. »Bin ich nun verhaftet? Auch dagegen hätte ich keine Einwände, wissen Sie.«

Irgend etwas stimmte hier nicht, aber nicht auf eine Weise, wie es nicht hätte stimmen sollen. Rampole bemerkte, daß auch Hadley ähnliche, scheinbar unbegründete Zweifel hegte.

Hier war ein Mann, der eine Reihe unzusammenhängender und falscher Aussagen gemacht hatte. Er hatte eine gespenstische Geschichte erzählt, die wahr sein konnte oder auch nicht, die jedoch etwas Theatralisches, etwas Unechtes und Fadenscheiniges hatte. Schließlich war da das Blut auf seiner Anzugjacke. Und doch war Rampole aus Gründen, die er nicht bestimmen konnte, geneigt, Draymans Geschichte Glauben zu schenken – oder zumindest gelangte er zu der Überzeugung, daß Drayman selbst an seine Geschichte glaubte. Vielleicht lag es daran, daß ihm anscheinend jegliche Durchtriebenheit abging – in seiner vollkommenen Einfalt. Da stand er und sah in seinen Hemdsärmeln noch größer, hagerer und knochiger aus. Das einst blaue Hemd war nahezu weiß ausgeblichen; die Ärmel wurden von Bändern um die Oberarme hochgerafft; seine Krawatte saß schief, und sein Mantel, von einer Hand gehalten, hing auf den Boden hinunter. Er lächelte.

Hadley unterdrückte einen Fluch. »Betts!« rief er. »Betts! Preston!« Er wippte ungeduldig auf den Fersen, bis die beiden auftauchten. »Betts, bringen Sie dieses Jackett ins Labor, und lassen Sie diesen Fleck analysieren. Sehen Sie, den hier! Bericht morgen früh. Das ist alles für heute. Preston, Sie gehen mit Mr. Drayman hinunter und sehen sich in seinem Zimmer um. Sie wissen schon, wonach Sie suchen müssen. Achten Sie auf alles, was in Richtung Masken weist. Ich komme gleich nach . . . Überdenken Sie's, Mr. Drayman. Ich möchte Sie bitten, morgen früh zum Yard zu kommen. Das wäre alles.«

Drayman achtete nicht auf ihn. Wie eine Vogelscheuche stolperte er aus dem Zimmer, schüttelte den Kopf und zog seinen Mantel hinter sich her. Er zupfte sogar Preston am Ärmel. »Wie könnte das Blut da drauf gekommen sein?« fragte er aufgeregt. »Das ist doch eigenartig, finden Sie nicht? Wie kommt bloß das ganze Blut dahin?«

»Keinen Schimmer, Sir«, sagte Preston. »Vorsicht, der Türpfosten!«

Endlich war es ruhig in dem düsteren Zimmer. Hadley schüttelte langsam den Kopf.

»Ich bin soweit, Fell«, kapitulierte er. »Ich weiß nicht mehr, wo mir der Kopf steht. Was halten Sie nun von dem Burschen? Er scheint freundlich und fügsam und umgänglich; aber andererseits kann man auf ihn eindreschen wie auf einen Sandsack – hinterher baumelt er immer noch in aller Ruhe an derselben Stelle. Er scheint sich keinen Deut darum zu scheren, was wir von ihm halten oder was wir mit ihm anstellen. Vielleicht mögen ihn die jungen Leute deshalb nicht.«

»Hm, ja. Sobald ich die Papiere aus dem Kamin eingesammelt habe«, knurrte Dr. Fell, »gehe ich heim, um nachzudenken. Denn was ich jetzt denke ...«

»Ja?«

»... ist schlicht und einfach grauenhaft.«

In einem Anfall von Energie wuchtete sich Dr. Fell aus seinem Sessel, drückte seinen Schlapphut tief in die Stirn und schwang seinen Stock.

»Ich will keine voreiligen Theorien aufstellen. Nach der Wahrheit werden Sie kabeln müssen. Ha! Ja. Aber diese Geschichte mit den drei Särgen, die glaube ich nicht – auch wenn Drayman sie, weiß der Himmel, vielleicht selbst glaubt. Wenn unsere ganze Theorie nicht zum Teufel gehen soll, können wir nicht annehmen, daß die zwei Horváth-Brüder tot sind. Na?«

»Die Frage ist doch ...«

»... was mit ihnen geschehen ist. Ähem, ja. Was meiner Auffassung nach möglicherweise passiert ist, gründet auf der Annahme, daß Drayman überzeugt ist, die Wahrheit zu sagen. Erster Punkt: Ich glaube keinen Augenblick, daß diese Brüder wegen eines politischen Delikts ins Gefängnis geworfen wurden.

Grimaud bricht mit einem ›bißchen versteckten Geld‹ aus dem Kerker aus. Er hält sich fünf Jahre oder länger verborgen und ›erbt‹ dann ganz plötzlich ein beträchtliches Vermögen, unter einem anderen Namen, von jemand, den wir nicht kennen. Aber er verläßt Frankreich kommentarlos, um sein Erbe zu genießen. Zweiter Punkt, der den ersten bestätigt: Wenn all das stimmt, was ist eigentlich das Geheimnis in Grimauds Leben? Die meisten würden doch so eine Monte-Christo-Flucht nur für aufregend und romantisch halten. Und was sein Vergehen angeht, so klingt es für englische Ohren ungefähr so abscheulich und infam, als hätte er an einem Fußgängerüberweg ein gelbes Blinklicht geklaut – oder in der Nacht nach dem Bootsrennen einen Bobby geohrfeigt. Verdammt, Hadley, das paßt nicht zusammen!«

»Sie meinen ...?«

»Ich meine«, antwortete Dr. Fell mit leiser Stimme, »daß Grimaud noch lebte, als sein Sarg zugenagelt wurde. Aber angenommen, die beiden anderen lebten ebenfalls noch? Angenommen, alle drei Todesfälle waren fingiert und nicht nur der von Grimaud? Angenommen, in den beiden anderen Särgen lagen zwei lebende Menschen, als Grimaud sich aus seinem befreite? Aber sie gelangten nicht heraus, weil er die Drahtschere hatte und sich dafür entschied, sie nicht zu benutzen. Es ist nicht wahrscheinlich, daß mehr als eine Drahtschere im Spiel war. Und Grimaud hatte sie, weil er der stärkste war.

Einmal draußen, wäre es leicht für ihn gewesen, auch die beiden anderen zu befreien, wie es ausgemacht war. Aber er beschloß kaltblütig, sie in ihren Gräbern zu lassen; so mußte er mit niemandem das Geld teilen, das sie gemeinsam gestohlen hatten. Ein brillantes Verbrechen, wie Sie sehen. Ein brillantes Verbrechen.«

Niemand sprach. Hadley murmelte etwas Unverständliches; auf seinem Gesicht spiegelten sich Ungläubigkeit und Erregung. Er stand auf.

»Oh, ich weiß, das ist eine finstere Geschichte«, grollte Dr. Fell. »Eine finstere, ruchlose Geschichte, die jedem den Schlaf rauben würde, der so etwas getan hat. Aber nur so läßt sich dieser unheilige Fall aufklären; nur so verstehen wir, warum sich ein Mann von allen Hunden gehetzt fühlen würde, wenn seine Brüder jemals aus ihren Gräbern stiegen. Warum hatte es denn Grimaud so verzweifelt eilig, mit Drayman von dort zu verschwinden? Nicht mal seine Anstaltskleidung wollte er loswerden. Warum sollte er riskieren, auf der Straße gesehen zu werden, da doch ein Versteck in der Nähe eines Pestgrabes der letzte Ort wäre, den ein Einheimischer aufsuchen würde?

Nun, die Gräber waren sehr flach. Wenn die Brüder nach einiger Zeit bemerkten, daß sie dem Ersticken nahe waren, und immer noch kam niemand, um sie zu befreien – da würden sie doch versuchen, in ihren Särgen um Hilfe zu schreien und Radau zu machen. Und Drayman hätte die lockere Erde zittern sehen oder den letzten verzweifelten Schrei hören mögen.«

Hadley zog sein Taschentuch hervor und tupfte sich das Gesicht ab.

»Welcher Unmensch würde . . .?« fragte er ungläubig. Seine Stimme versagte. »Nein. Wir kommen vom Weg ab, Fell. Das ist doch alles nur Einbildung. Das kann nicht sein! In diesem Fall wären sie übrigens nicht aus ihren Gräbern entkommen. Sie wären tot.«

»Wären sie?« fragte Dr. Fell obenhin. »Sie vergessen den Spaten.«

»Welchen Spaten?«

»Den Spaten, den irgendein armer Teufel in seiner Angst oder Eile liegenließ, nachdem er damit ein Grab ausgehoben hatte. Kein Gefängnis der Welt läßt eine derartige Schlamperei durchgehen. Er würde ihn holen müssen. Mein Freund, ich kann mir diese Geschichte in allen Einzelheiten vorstellen, auch wenn ich nicht die Spur eines Beweises habe. Erinnern Sie sich an die Worte, die der verrückte Pierre Fley in der Warwick Tavern zu Grimaud sprach, und überlegen Sie, ob nicht alles zusammenpaßt. Ein paar sture, bewaffnete Gefängniswärter kommen zurück und suchen nach dem vergessenen Spaten. Sie sehen oder hören, was Grimaud fürchtete, daß Drayman sehen oder hören könnte. Entweder geht ihnen plötzlich ein Licht auf, oder sie reagieren einfach gemäß der menschlichen Natur. Die Särge werden jedenfalls aufgebrochen, die beiden Brüder, vielleicht bewußtlos und blutverschmiert, aber lebendig, herausgeholt.«

»Und warum gab es keine Jagd auf Grimaud? Ganz Ungarn wäre doch auf den Kopf gestellt worden bei der Suche nach dem Mann, der aus dem Gefängnis ...«

»Hm, ja, daran habe ich auch gedacht und eine entsprechende Frage gestellt. Die Gefängnisleitung hätte genau das veranlaßt, wenn sie damals von ihren vorgesetzten Instanzen nicht so scharf unter Beschuß gestanden hätte, daß Köpfe zu rollen drohten. Was, glauben Sie, hätten die Vorgesetzten getan, wenn bekannt geworden wäre, daß eine solche Sache durch eine Nachlässigkeit ermöglicht worden war? Da hält man doch lieber den Mund, nicht wahr? Man steckt die zwei Brüder in Einzelhaft und bewahrt über den dritten Stillschweigen.«

»Das ist doch alles graue Theorie«, sagte Hadley nach einer Pause. »Aber sollte es wahr sein, dann bin ich bald soweit, an böse Geister zu glauben. Grimaud hat weiß Gott bekommen, was er verdient hat. Und wir müssen trotzdem weiter nach seinem Mörder suchen. Wenn es das ist, worum es geht ...«

»Natürlich geht es nicht allein darum«, sagte Dr. Fell. »Nicht mal dann, wenn es sich wirklich so abgespielt hat, und das ist das Schlimmste daran. Sie sprachen von bösen Geistern. Ich sage Ihnen, irgendwie kann ich es nicht fassen, daß es einen böseren Geist geben soll als Grimaud, und zwar X, den Hohlen Mann, unseren Bruder Henri.« Er zielte mit seinem Stock auf Hadley. »Warum? Warum gesteht Pierre Fley, daß er ihn fürchtet? Grimaud hätte gute Gründe, seinen Feind zu fürchten. Aber warum fürchtet Fley seinen Bruder und Alliierten gegen den gemeinsamen Widersacher? Warum fürchtet sich ein ausgewiesener Illusionist vor einer Illusion, wenn Bruder Henri nicht so verrückt wie ein geisteskranker Schwerverbrecher und schlau wie Satan ist?«

Hadley steckte sein Notizbuch ein und knöpfte sich den Mantel zu.

»Gehen Sie nur heim, wenn Sie wollen«, sagte er. »Hier sind wir fertig. Aber ich kümmere mich noch um Fley. Ganz gleich, wer der andere Bruder ist, Fley weiß es. Und er wird es uns verraten, das verspreche ich Ihnen. Ich werde mich auch selbst mal in Draymans Zimmer umsehen, aber davon verspreche ich mir nicht allzu viel. Fley ist der Schlüssel zu diesem Rätsel, und er wird uns zu dem Mörder führen.«

Sie erfuhren es erst am nächsten Morgen, aber als Hadley das sagte, war Fley bereits tot. Er war mit derselben Waffe erschossen worden, die Grimaud getötet hatte. Und der Mörder war unsichtbar vor den Augen von Zeugen geblieben, und er hatte noch immer keine Spur im Schnee hinterlassen.

Kapitel 11

Der magische Mord

Als Dr. Fell am nächsten Morgen um neun an die Tür hämmerte, befanden sich seine Gäste noch in einem recht benommenen Zustand. Rampole hatte in der Nacht sehr wenig Schlaf gefunden. Als er und der Doktor um halb zwei nach Hause gekommen waren, war Dorothy buchstäblich auf- und abgehüpft vor Neugier, alle Einzelheiten zu erfahren, und ihr Mann war alles andere als unwillig, sie ihr zu erzählen. Sie versorgten sich mit Zigaretten und Bier und zogen sich auf ihr Zimmer zurück, wo Dorothy wie Sherlock Holmes ein paar Sofakissen auf dem Fußboden arrangierte und es sich mit einem Glas Bier und einem ernsthaften und klugen Gesichtsausdruck bequem machte, während ihr Ehemann dozierend den Raum durchmaß.

Ihre Ansichten waren recht undifferenziert, doch äußerte sie sie um so nachdrücklicher. Ihr gefielen die Beschreibungen Madame Dumonts und Draymans, aber sie faßte eine heftige Abneigung gegen Rosette Grimaud. Selbst als Rampole Rosettes Bemerkung im Debattierklub zitierte – ein Motto, dem beide zustimmten –, war sie nicht besänftigt.

»Trotzdem glaub' mir eines«, sagte Dorothy und wies wissend mit ihrer Zigarette auf ihn, »diese Blonde mit dem komischen Gesicht hat etwas mit der Sache zu tun. Die ist nicht echt, alter Junge. Ich wette, sie würde nicht einmal eine gute, äh, Kurtisane abgeben, um in ihrer Terminologie zu bleiben. Und wenn ich dich jemals so behandelt hätte, wie sie Boyd Mangan behandelt, und du hättest mir keinen Kinnhaken verpaßt, dann hätte ich mit keinem von uns jemals wieder ein Wort gewechselt, wenn du verstehst, was ich meine.«

»Lassen wir das Persönliche mal beiseite«, sagte Rampole. »Außerdem, was hat sie Mangan denn getan? Meiner Meinung nach nichts. Und du denkst doch nicht ernsthaft, sie hätte ihren Vater umbringen können, selbst wenn sie nicht im Salon eingesperrt gewesen wäre?«

»Nein. Ich kann mir nämlich nicht vorstellen, daß sie diese Verkleidung anziehen und Madame Dumont an der Nase herumführen würde«, bemerkte Dorothy mit einem tiefgründigen Ausdruck in ihren klugen dunklen Augen. »Aber ich sage dir, wie es war. Die Dumont und Drayman sind unschuldig. Was Mills betrifft, nun, Mills scheint ein eingebildeter Lackel zu sein, aber du bist ihm gegenüber sehr voreingenommen, denn du hast etwas gegen die Naturwissenschaften und ihre Visionen von einer besseren Zukunft. Aber du gibst immerhin zu, daß er den Eindruck erweckt, als sage er die Wahrheit?«

»Ja.«

Sie zog nachdenklich an ihrer Zigarette. »Hm. Diejenigen, die mir am verdächtigsten scheinen und gegen die man am leichtesten einen Fall konstruieren könnte, sind die beiden, die ihr noch gar nicht gesehen habt: Pettis und Burnaby.«

»Was?«

»Paß auf: Der Einwand gegen Pettis lautet doch, er sei zu klein. Ich hätte ja vermutet, der gewiefte Dr. Fell wäre sofort darauf gekommen. Ich dachte da an eine Geschichte ... Ich weiß nicht mehr, wo ich sie gelesen habe, aber in der einen oder anderen Variante taucht sie in mittelalterlichen Legenden auf. Erinnerst du dich nicht? Es kommt immer eine riesige Gestalt in einer Ritterrüstung vor, die mit geschlossenem Visier zu einem Turnier reitet und jeden Gegner aus dem Sattel hebt. Dann tritt der tapferste aller Ritter gegen den Fremden an. Donnernd prescht er auf ihn los, trifft mit seiner Lanze den Helm des Riesen mitten im Visier, und zum allgemeinen Entsetzen fliegt diesem der Kopf davon. Darauf ertönt aus der Rüstung eine Stimme, und es zeigt sich, daß sie einem hübschen Jüngling gehört, der so klein ist, daß er die gewaltige Rüstung gar nicht auszufüllen vermochte.«

Rampole sah sie an. »Meine Teuerste«, sagte er würdevoll, »das ist doch das reinste Gefasel. Ohne Frage der verrückteste Einfall, den ... hör zu, willst du ernsthaft behaupten, Pettis könnte hereinmarschiert sein, mit einem falschen Kopf und falschen Schultern auf seinem echten Kopf?«

»Du bist einfach zu konservativ«, sagte sie und zog die Nase kraus. »Ich halte das für eine prächtige Idee. Du willst Argumente? Bitte sehr! Hat nicht Mills selbst eine Bemerkung darüber gemacht, daß der Kopf geglänzt und überhaupt ausgesehen hätte wie aus Pappmaché? Was hast du dazu zu sagen?«

»Es ist ein Alptraum. Hast du keinen näherliegenden Vorschlag?«

»Und ob«, rief Dorothy. Offenbar war ihr die neue Idee gerade
erst gekommen, aber sie gab sie als eine alte aus. »Es betrifft die
unmögliche Situation. Warum wollte der Mörder eigentlich
keine Fußspuren hinterlassen? Ihr sucht unentwegt nach den
schrecklichsten und kompliziertesten Gründen. Und trotzdem
laufen sie stets darauf hinaus, daß der Mörder sich über die Polizei lustig machen wollte. Alles Unsinn, Liebling! Was ist der einzige wirkliche Grund, der erste Grund, an den bei einem Mordfall
jeder sofort denken sollte, wenn ein Mann offenbar keine Spuren
hinterlassen will? Na, selbstverständlich weil seine Spuren so cha-
rakteristisch sind, daß sie ihn sofort verraten würden! Weil er eine
Behinderung hat, etwas, das ihn an den Galgen brächte, wenn er
eine Fußspur hinterließe.«

»Und?«

»Und du erzählst mir«, triumphierte sie, »dieser Burnaby habe
einen Klumpfuß.«

Als Rampole gegen Morgen endlich einschlief, wurde er von
Visionen heimgesucht, in denen Burnabys Klumpfuß sogar noch
eine unheimlichere Rolle spielte als der Mann mit dem falschen
Kopf. Es war alles Unsinn, aber es war eine verstörende Sorte
Unsinn, sobald er sich in seinen Träumen mit dem Geheimnis der
drei Gräber vermischte.

Als Dr. Fell am Sonntag morgen gegen neun an seine Tür
klopfte, rappelte er sich aus dem Bett auf. Hastig rasierte er sich,
kleidete sich an und stolperte durch ein stilles Haus nach unten.
Für Dr. Fell und die übrigen Hausbewohner war dies eine un-
christliche Zeit, schon auf den Beinen zu sein; deshalb wußte
Rampole, daß sich über Nacht eine neue Teufelei ereignet haben
mußte. Die Flure waren kühl; sogar die große Bibliothek, in deren Kamin ein gewaltiges loderndes Feuer entfacht worden war,
schien unwirklich wie alle Dinge, wenn man früh bei Tagesan-
bruch aufsteht, um zu verreisen. In der Nische des Erkerfensters,
mit Blick auf das Sträßchen, war Frühstück für drei gedeckt. Es
war ein trübsinniger Tag; der Himmel sah nach Schnee aus. Dr.
Fell saß vollständig bekleidet am Tisch, stützte seinen Kopf in die
Hände und starrte auf eine Zeitung.

»Bruder Henri ...«, murmelte er und schlug die Zeitung auf.
»Oh ja. Er kann's nicht lassen. Hadley hat mir eben am Telefon

weitere Einzelheiten durchgegeben. Er wird jeden Augenblick hier eintreffen. Schauen Sie sich das hier für den Anfang mal an. Wenn wir letzte Nacht dachten, wir hätten ein kniffliges Rätsel zu lösen, beim Bacchus, dann sehen Sie sich das mal an! Ich bin wie Drayman, ich kann's nicht fassen. Der Mord an Grimaud ist glatt von der Titelseite verschwunden. Zum Glück hat noch keiner gemerkt, daß eine Verbindung zwischen beiden Verbrechen besteht – oder Hadley hat ihnen verboten, darüber zu berichten. Hier!«

Während ihm Kaffee eingeschenkt wurde, warf Rampole einen Blick auf die Schlagzeilen: MAGISCHER MORD AN MAGIER, lautete eine, die dem Journalisten ein besonderes Vergnügen bereitet haben mußte. DAS GEHEIMNIS DER CAGLIOSTRO STREET – DIE ZWEITE KUGEL IST FÜR DICH!

»Cagliostro Street«, las der Amerikaner laut vor. »Wo um alles in der Welt gibt es eine Cagliostro Street? Ich dachte, ich hätte schon viele seltsame Straßennamen gehört, aber . . .«

»Normalerweise hätten Sie diesen nie gehört«, brummte Dr. Fell. »Eins von diesen Gäßchen, die hinter anderen Straßen verborgen liegen und in die man immer nur durch Zufall stolpert, wenn man eine Abkürzung sucht und sich dann wundert, mitten in London ein ganzes unbekanntes Viertel zu entdecken. Cagliostro Street befindet sich jedenfalls nur drei Minuten zu Fuß von Grimauds Haus entfernt; eine kleine Sackgasse hinter der Guilford Street, jenseits des Russell Square. Soweit ich mich erinnere, gibt es dort viele kleine Läden von Händlern, die in der Lamb's Conduit Street keinen Platz mehr gefunden haben. Der Rest sind Pensionen und Mietshäuser. Bruder Henri hat Grimauds Haus nach dem Schuß verlassen, ging hinüber, hielt sich kurze Zeit dort auf und vollendete dann sein Werk.«

Rampole überflog die Meldung:

»Der Leichnam des Mannes, der letzte Nacht ermordet in der Cagliostro Street, W.C.1, aufgefunden wurde, konnte als Mr. Pierre Fley identifiziert werden, ein französischer Zauberkünstler und Illusionist. Obwohl er seit einigen Monaten in einem Varieté-theater in der Commercial Road auftrat, hatte er sich erst vor zwei Wochen in der Cagliostro Street eingemietet. Ungefähr um halb elf Uhr gestern abend wurde er unter Umständen erschossen aufgefunden, die darauf hinzuweisen scheinen, daß der Magier selbst ein Opfer der Magie wurde. Niemand hat etwas gesehen, und keine Spur blieb zurück, wie drei Zeugen übereinstimmend bestätigen. Alle drei haben deutlich eine Stimme sagen hören: ›Die zweite Kugel ist für dich!‹

Die Cagliostro Street ist 200 Meter lang und endet vor einer glatten Backsteinmauer. Am Anfang der Straße befinden sich ein paar Läden, die zu dieser Zeit jedoch geschlossen waren. Einige Nachtbeleuchtungen hatte man eingeschaltet, und die Gehwege vor den Läden waren gekehrt. Aber nach etwa 20 Metern der Gasse begann eine unberührte Schneedecke auf den Gehwegen und auf der Straße.

Mr. Jesse Short und Mr. R. G. Blackwin aus Birmingham, die zur Zeit London besuchen, befanden sich auf dem Weg zu einem Freund am Ende der Straße. Sie gingen auf dem rechten Gehweg, mit dem Rücken zur Einmündung der Straße. Mr. Blackwin, der sich umsah, um die Hausnummern an den Türen zu prüfen, bemerkte einen Mann, der in einiger Entfernung hinter ihnen ging. Dieser Mann bewegte sich langsam, wirkte nervös und sah sich um, als ob er nach jemandem Ausschau hielt. Er ging in der Mitte der Straße. Das Licht war spärlich, und abgesehen davon, daß er groß war und einen Schlapphut trug, haben weder Mr. Short noch Mr. Blackwin irgendwelche Einzelheiten erkennen können. Zum selben Zeitpunkt passierte Police-Constable Henry Withers, zu dessen Revier Lamb's Conduit Street gehört, die Mündung der Cagliostro Street. Er sah den Mann durch den Schnee gehen, aber als er gleich danach noch einmal hinschaute, war er verschwunden. In diesem Zeitraum von drei oder vier Sekunden passierte es:

Mr. Short und Mr. Blackwin vernahmen hinter sich einen Aufschrei, schon fast ein schrilles Kreischen. Dann hörten sie jemanden deutlich die Worte sagen: ›Die zweite Kugel ist für dich!‹ und ein Lachen, gefolgt von einem gedämpften Pistolenschuß. Als sie sich umdrehten, taumelte der Mann hinter ihnen, schrie noch einmal auf und fiel vornüber aufs Gesicht.

Die Zeugen konnten deutlich erkennen, daß die Straße von einem Ende zum anderen absolut verlassen war. Dazu kam, daß der Mann in der Straßenmitte gegangen war, und beide Zeugen beteuern, daß es, außer den seinen, keinerlei Fußspuren im Schnee gegeben habe. Das wird von P. C. Withers bestätigt, der von der Mündung der Gasse herbeigelaufen kam. Im Licht eines Juwelierschaufensters sahen sie das Opfer auf dem Gesicht liegen, die Arme von sich gestreckt. Aus einem Einschuß unterhalb des linken Schulterblattes strömte Blut. Die Waffe, ein 38er Revolver mit langem Lauf, ein Modell, das seit 30 Jahren nicht mehr gebaut wird, war etwa drei Meter hinter ihm fallengelassen worden.

Trotz der Worte, die alle übereinstimmend gehört hatten, sowie dem Revolver, der in einiger Entfernung von ihm lag, dachten die Zeugen aufgrund der menschenleeren Straße, das Opfer habe sich selbst erschossen. Es wurde indes festgestellt, daß der Mann noch atmete; man trug ihn in die Praxis von Dr. M. R. Jenkins am Ende der Straße, während sich der Constable vergewisserte, daß nirgendwo Fußspuren waren. Aber das Opfer verstarb kurz darauf, ohne das Bewußtsein wiederzuerlangen.

Später wurde eine erschreckende Entdeckung gemacht: Der Mantel des Mannes war im Umkreis der Schußwunde auf eine Weise schwarz und versengt, die eindeutig bewies, daß die Waffe auf seinen Rücken aufgesetzt oder aus geringster Distanz abgefeuert worden sein mußte. Dr. Jenkins vertrat die Ansicht, die später von der Polizei bestätigt wurde, daß es sich folglich nicht um Selbstmord gehandelt haben kann. Kein Mensch, stellte er fest, sei in der Lage, eine Handfeuerwaffe so zu handhaben, daß er sich auf diese Weise und in diesem Winkel selbst in den Rücken schießen könne; besonders nicht mit einer langläufigen Waffe. Es war also Mord, aber ein unglaublicher Mord. Wenn der Mann aus einiger Entfernung erschossen worden wäre, aus einem Fenster oder einer Tür, dann wäre die Abwesenheit des Mörders und der Mangel an Spuren bedeutungslos. Er wurde jedoch von jemand erschossen, der dicht bei ihm stand, mit ihm sprach und sich dann offenbar in Luft auflöste.

In den Kleidern des Opfers wurden keine Papiere oder andere Hinweise auf seine Identität gefunden, und niemand schien ihn zu kennen. Nach einiger Verzögerung brachte man den Toten in die Leichenhalle.«

»Aber was war denn mit dem Constable, den Hadley zu ihm geschickt hatte?« wollte Rampole wissen. »Konnte er den Mann nicht identifizieren?«

»Er identifizierte ihn auch, später«, sagte Dr. Fell. »Doch als er dort ankam, war das ganze Spektakel schon vorbei. Hadley sagt, der Constable habe Withers getroffen, als dieser von Tür zu Tür lief und Erkundigungen einzog. Da war ihm die Sache klar. In der

Zwischenzeit hatte der Beamte, den Hadley, auch auf der Suche nach Fley, in das Varieté geschickt hatte, angerufen und durchgegeben, Fley sei nicht da.

Fley hatte dem Theatermanager kühl mitgeteilt, er habe nicht die Absicht, am Abend aufzutreten. Er verabschiedete sich mit irgendeiner kryptischen Bemerkung ... Nun ja, zur Identifizierung des Toten in der Leichenhalle holten sie sich Fleys Zimmerwirt aus der Cagliostro Street. Und um ganz sicher zu sein, daß es sich um dieselbe Person handelte, baten sie jemand aus dem Varieté dorthin. Ein Ire mit einem italienischen Namen, der auch auf dem Programm steht, der aber gestern abend wegen irgendeiner Verletzung nicht auftreten konnte, erklärte sich dazu bereit. Ähem, ja, es war Fley, er ist tot, und wir sind in Teufels Küche. Bah!«

»Und diese Geschichte«, rief Rampole, »ist tatsächlich wahr?«

Die Antwort erhielt er von Hadley, der jetzt kampfeslustig an der Tür läutete. Hadley stürmte ins Zimmer, schwang seine Aktentasche wie einen Tomahawk und mußte augenscheinlich einiges von seinem Kummer loswerden, ehe er sich bereit erklärte, Eier und Speck anzurühren.

»Es ist leider wahr«, sagte er grimmig und schlug vor dem Kamin seine Stiefel gegeneinander. »Ich habe die Zeitungen darüber schreiben lassen, damit wir einen Aufruf an die Bevölkerung herausgeben können, um Informationen zu Pierre Fley und seinem Bruder Henri zu erhalten. Mein Gott, Fell, ich verliere noch den Verstand. Dieser verfluchte Spitzname, den Sie sich da ausgedacht haben, geht mir dauernd im Kopf herum, und ich kann ihn nicht mehr vergessen. Ich beziehe mich laufend auf Bruder Henri, als wäre das sein richtiger Name. Ich stelle mir vor meinem geistigen Auge diesen Bruder Henri leibhaftig vor. Wenigstens werden wir bald wissen, wie er wirklich heißt. Ich habe nach Bukarest gekabelt. Bruder Henri! Bruder Henri! Wir hatten seine Spur und haben sie wieder verloren.«

»Um Himmels willen, beruhigen Sie sich doch«, schnaubte Dr. Fell aufgebracht. »Fangen Sie bloß nicht an zu toben, es ist so schon alles schlimm genug. Ich nehme an, Sie sind die ganze Nacht mit der Sache befaßt gewesen und haben weitere Informationen, ja? Jetzt setzen Sie sich erst einmal, und tun Sie was für Ihr leibliches Wohl. Danach können wir die Sache ein bißchen, äh, philosophischer angehen, nicht?«

Hadley sagte, er wolle nichts essen. Aber nachdem er sich zweimal genommen, mehrere Tassen Kaffee getrunken und eine Zigarre angezündet hatte, heiterte sich seine Stimmung ein wenig auf.

»Nun denn, fangen wir an«, meinte er entschlossen und entnahm seiner Aktentasche einige Papiere. »Als erstes wollen wir mal Punkt für Punkt diesen Zeitungsbericht durchgehen, auch das, was nicht drinsteht. Zuerst diese beiden Burschen, Blackwin und Short. Ihr Zeugnis ist verläßlich. Außerdem steht fest, daß keiner von beiden unser Bruder Henri sein kann. Wir haben nach Birmingham telegraphiert. Beide wohnen dort seit ihrer Geburt, gutsituierte, anständige Leute, die als Zeugen in einer Sache wie dieser nicht die Nerven verlieren würden. Der Constable, Withers, gilt als ein durch und durch zuverlässiger Mann: Er ist so penibel, daß man seine Korrektheit schon beinah als Laster bezeichnen muß. Wenn diese drei angeben, niemand gesehen zu haben, dann mögen sie getäuscht worden sein, aber aus ihrer Sicht sagen sie die Wahrheit.«

»Getäuscht? Wie das?«

»Weiß ich doch nicht«, grollte Hadley, holte tief Luft und schüttelte zornig den Kopf, »außer, daß sie ja wohl getäuscht worden sein müssen. Ich habe mir die Straße angeschaut, war aber nicht in Fleys Zimmer. Was die Beleuchtung angeht, ist die Cagliostro Street nicht gerade Piccadilly Circus, aber es ist nicht so dunkel, daß sich ein Mensch, der seine fünf Sinne beisammen hat, in bezug auf seine Wahrnehmung derartig irren könnte. Schatten – ich weiß nicht; Fußspuren – wenn Withers schwört, daß es keine gab, dann nehme ich ihm das ab. Und das wär's.«

Dr. Fell ächzte vernehmlich, und Hadley fuhr fort:

»Jetzt zur Tatwaffe: Fley wurde mit einer Kugel aus diesem 38er Colt erschossen, Grimaud desgleichen. In der Trommel steckten zwei leere Patronenhülsen; es gab nur zwei Kugeln, und der Bru-, der Mörder hat mit beiden getroffen.

Sehen Sie, moderne Revolver werfen die leeren Patronen wie bei einer Automatik aus, aber diese Waffe war so alt, daß wir nicht die geringste Chance haben, ihre Herkunft festzustellen. Sie ist in gutem Zustand, kann Stahlmantelmunition abfeuern, aber jemand muß sie seit Jahren versteckt haben.«

»Er hat nichts vergessen, unser Henri. Also, haben Sie feststellen können, was Fley vor seinem Ableben getan hat?«

»Ja. Er wollte zu Henri.«

Dr. Fell riß die Augen auf. »Wie bitte? Hören Sie, wollen Sie sagen, Sie hätten eine Spur?«

»Die einzige, die wir haben. Und«, ergänzte Hadley mit bitterer Genugtuung, »wenn wir dank ihrer nicht in ein paar Stunden etwas finden, verspeise ich diese Aktentasche. Ich habe Ihnen doch am Telefon erzählt, daß sich Fley gestern abend geweigert hat aufzutreten und einfach aus dem Varieté marschiert ist? Gut. Mein Beamter in Zivil hat das vom Manager des Theaters, einem gewissen Isaacstein, sowie einem Akrobaten namens O'Rourke, der mit Fley auf etwas vertrauterem Fuß stand und der später die Leiche identifiziert hat.

Am Samstag abend herrschte natürlich Hochbetrieb im Nachtleben von Limehouse. Das Theater zeigt eine Varietévorstellung nach der anderen von ein Uhr mittags bis elf Uhr nachts. Gestern lief das Geschäft gut, und Fleys erster Abendauftritt sollte um Viertel nach acht beginnen. Ungefähr fünf Minuten vorher schlich sich O'Rourke, der sich das Handgelenk gebrochen hatte und deshalb nicht auftreten konnte, zum Rauchen in den Keller. Dort gibt es einen Kohlenkessel für die Heißwasserversorgung.«

Hadley faltete ein eng beschriebenes Blatt Papier auseinander.

»Ich habe hier die Aussage von O'Rourke, so wie Somers sie niedergeschrieben und O'Rourke sie später unterschrieben hat:

›Sobald ich durch die Feuerschutztür nach unten gegangen war, hörte ich ein Geräusch, als würde jemand Feuerholz kleinhacken. Was ich dann sah, jagte mir einen gehörigen Schrecken ein. Die Kesseltür war offen, davor stand unser Loony, der Verrückte, der mit einer Axt die paar Habseligkeiten, die er besaß, entzweischlug und allesamt ins Feuer warf. Ich rief ihn an: ›Sakrament, Loony, was tust du denn da?‹ Er antwortete auf seine verschrobene Art: ›Ich zerstöre soeben meine Requisiten, Signor Pagliacci.‹ Ich benutze den Namen *Der Große Pagliacci* bei der Arbeit, verstehen Sie, aber Loony redete weiß Gott immer so. Weiter sagte er: ›Meine Arbeit ist beendet, ich werde die Sachen nicht mehr brauchen.‹ Und so wanderten seine falschen Seile und die hohlen Bambusstäbe, die er für sein Zauberkabinett brauchte, ins Feuer. Ich sagte: ›Loony, Gott im Himmel, reiß dich doch zusammen! In ein paar Minuten bist du dran, und du bist nicht mal umgezogen.‹ Meinte er: ›Hab' ich's dir nicht gesagt? Ich gehe zu meinem Bruder. Er wird eine alte Geschichte für uns beide regeln.‹

Na, er ging dann zur Treppe hinüber und drehte sich plötzlich noch mal um. Loony sah aus wie ein Gespenst, Gott verzeih mir, daß ich sowas sage, ganz seltsam und richtig unheimlich, wie sich die Flammen aus dem Ofen so in seinem Gesicht spiegelten. Er sagte: ›Wenn mir was passieren sollte, nachdem die Sache geregelt ist, werdet ihr meinen Bruder in derselben Straße finden, in der ich wohne. Er wohnt nicht richtig dort, aber er hat dort ein Zimmer gemietet.‹ In diesem Moment kam der alte Isaacstein herunter, um nach ihm zu suchen. Er traute seinen Ohren nicht, als Loony sich weigerte aufzutreten. Es gab Streit. Isaacstein blaffte: ›Du weißt, was mit dir passiert, wenn du nicht auftrittst?‹ Und Loony antwortete sanft wie ein Falschspieler: ›Oh ja, ich weiß wohl, was dann passiert.‹ Daraufhin lüpfte er sehr formvollendet den Hut und sagte: ›Guten Abend, die Herren. Ich kehre in mein Grab zurück.‹ Und ohne ein weiteres Wort stieg er die Treppe hinauf, der Spinner.‹«

Hadley faltete das Blatt zusammen und schob es in seine Aktentasche zurück.

»Ja, er war zweifellos ein Schauspieler, der wußte, wie man Effekte erzielt«, sagte Dr. Fell und bemühte sich, seine Pfeife anzuzünden. »Es ist wirklich bedauerlich, daß Bruder Henri ihn ... hm. Was dann?«

»Nun, ob uns das hilft, Henri in der Cagliostro Street aufzuspüren, sei mal dahingestellt«, fuhr Hadley fort, »aber wir sind immerhin sicher, seinen vorübergehenden Unterschlupf ausfindig machen zu können. Ich habe mir die Frage gestellt, wohin Fley eigentlich unterwegs war, als er erschossen wurde. Wohin? frage ich Sie. Nicht zu seinem Zimmer jedenfalls. Er wohnte Nummer 2B, am Anfang der Gasse, und er hatte die andere Richtung eingeschlagen. Als er erschossen wurde, hatte er ein wenig mehr als die Hälfte der Straßenlänge hinter sich gebracht; er befand sich zwischen der Nummer 18 rechter Hand und der Nummer 21 linker Hand, in der Mitte der Straße. Das ist ein brauchbarer Hinweis, und ich habe Somers damit beauftragt, sich jedes Haus jenseits dieser Stelle vorzunehmen und auf jeden neuen oder verdächtigen oder sonstwie auffälligen Mieter zu achten. Wie Zimmerwirtinnen nun einmal sind, werden wir sicherlich Dutzende von Hinweisen erhalten, aber das macht ja nichts.«

Dr. Fell, der so tief in seinem Sessel versunken war, wie sein Schwergewicht es erlaubte, zerzauste seinen Haarschopf.

»Richtig, aber ich würde mich nicht allzu sehr nur auf ein Ende der Straße konzentrieren. Stellen Sie alle Häuser auf den Kopf! Wissen Sie, es könnte doch sein, daß Fley vor jemandem davonrannte, daß er sich von jemandem entfernen wollte, als auf ihn geschossen wurde.«

»In eine Sackgasse?«

»Da stimmt was nicht! Ich sage Ihnen, da stimmt was nicht!« dröhnte der Doktor und stemmte sich wieder aus dem Sessel hoch. »Nicht nur, weil ich nirgendwo eine Spur, auch nur ein Fitzelchen eines Zusammenhanges entdecken kann – ich gebe das gerne zu –, sondern auch wegen der Simplizität der ganzen Angelegenheit, die mich rasend machen könnte. Wir haben hier keinen Hokuspokus in vier Wänden, wir haben eine offene Straße, wir haben einen Mann, der durch den Schnee geht, Schreien, Flüstern, peng! Zeugen fahren herum, der Mörder ist verschwunden. Wohin verschwunden? Kam der Revolver wie ein Wurfmesser durch die Luft gesegelt, explodierte an Fleys Rücken und prallte ein ganzes Stück zurück?«

»Blödsinn!«

»Ich weiß, daß das Blödsinn ist. Aber trotzdem stelle ich diese Frage.« Dr. Fell nickte gewichtig. Er ließ seinen Kneifer fallen und rieb mit den Handflächen seine Schläfen. »Ich frage also: Inwiefern betrifft diese neue Entwicklung die Bewohner des Russell Square? Ich meine, wenn wir bedenken, daß offiziell jeder von ihnen unter Verdacht steht, können wir jetzt nicht den einen oder anderen ausschließen? Selbst wer in Grimauds Haus gelogen hat, kann doch immerhin nicht zur gleichen Zeit in der Cagliostro Street gewesen sein und mit Colts um sich geworfen haben.«

Der Superintendent verzog sein Gesicht zu einer sarkastischen Grimasse. »Ach, aufgemerkt, es gibt ja noch einen Glückstreffer für uns, hätte ich fast vergessen: Einige Verdächtige könnten wir ausschließen, wenn der Vorfall in der Cagliostro Street sich ein wenig später oder früher zugetragen hätte – hat er aber nicht. Fley wurde exakt um fünf Minuten vor halb elf erschossen, mit anderen Worten, ungefähr 15 Minuten nach Grimaud. Bruder Henri hat nichts dem Zufall überlassen. Er sah genau voraus, was wir tun würden, nämlich einen Mann zu Fley schicken, sobald es am Russell Square Alarm gäbe. Bloß sah Bruder Henri – oder sonstwer – unser Verhalten noch in einem weiteren Punkt voraus: Er führte uns noch mal seinen Verschwinde-Trick vor.«

129

»Oder sonstwer?« fragte Dr. Fell. »Ihre geistigen Prozesse sind interessant. Wieso sonstwer?«

»Darauf will ich ja hinaus: die unseligen, unbeobachteten 15 Minuten unmittelbar nach dem Mord an Grimaud. Ich lerne neue Kniffe auf dem Gebiet des Verbrechens kennen, Fell. Wenn Sie ein paar ausgeklügelte Morde begehen wollen, würden Sie da nicht den ersten begehen und dann einen dramatischen Moment für den zweiten abwarten? Schlägt man jedoch einmal zu und dann unverzüglich noch einmal, während alle Beteiligten völlig durcheinander und benommen sind, weiß niemand, inklusive der Polizei, mehr genau, wer zu einem bestimmten Zeitpunkt wo war. Oder wissen wir das vielleicht?«

»Aber, aber«, seufzte Dr. Fell, um davon abzulenken, daß auch er dazu nicht in der Lage war. »Es sollte doch möglich sein, einen Zeitplan aufzustellen. Also: Wir kamen wann bei Grimauds Haus an?«

Hadley kritzelte etwas auf ein Stück Papier. »Als Mangan aus dem Fenster sprang, was nicht mehr als zwei Minuten nach dem Schuß gewesen sein kann. Sagen wir um zehn Uhr zwölf. Wir liefen nach oben, fanden die Tür verschlossen, holten die Zange und öffneten die Tür, drei weitere Minuten.«

»Rechnen Sie da nicht zu wenig Zeit?« mischte sich Rampole ein. »Mir scheint, wir haben ziemlich lange dort herumgefuhrwerkt.«

»Das glaubt man oft«, meinte Hadley. »Mir ging es selbst immer so, bis ich den Fall der Kynaston-Messerstecherei bearbeiten mußte – erinnern Sie sich, Fell? Das Alibi eines verflixt schlauen Mörders hing von der Neigung der Zeugen ab, die Zeitdauer immer zu überschätzen. Das kommt daher, daß wir in Minuten statt in Sekunden denken. Probieren Sie das mal selbst aus. Legen Sie eine Uhr auf den Tisch, schließen Sie die Augen und schauen Sie wieder hin, wenn Sie glauben, eine Minute sei vergangen. Sie werden wahrscheinlich 30 Sekunden zu früh auf die Uhr schauen. Nein, nein, mehr als drei Minuten sind es nicht gewesen.« Er machte ein finsteres Gesicht. »Mangan lief zum Telefon, und der Krankenwagen war in Nullkommanichts da. Haben Sie sich die Adresse dieser Privatklinik gemerkt, Fell?«

»Nein. Solche prosaischen Details überlasse ich Ihnen«, sprach Dr. Fell würdevoll. »Jemand sagte, sie läge gleich um die Ecke. Daran erinnere ich mich noch. Ähem.«

130

»In der Guilford Street, neben dem Kinderkrankenhaus. Die Rückseite der Klinik reicht sogar so nah an die Cagliostro Street heran, daß die Hinterhöfe aneinanderstoßen müssen. Also, sagen wir fünf Minuten, bis die Ambulanz am Russell Square ankam. Das wäre dann zehn Uhr zwanzig. Und was war mit den folgenden fünf Minuten, dem Zeitraum unmittelbar vor dem zweiten Mord, und mit den ebenso wesentlichen fünf oder zehn oder fünfzehn Minuten danach? Rosette Grimaud fuhr als einzige in der Ambulanz bei ihrem Vater mit und blieb einige Zeit fort. Mangan war allein unten, erledigte für mich einige Telefonate und kam erst gemeinsam mit Rosette wieder nach oben. Diese beiden verdächtige ich nicht ernsthaft, aber um der Vollständigkeit halber wollen wir nichts außer acht lassen. Drayman? Während dieser Zeit und noch lange nach diesem Zeitpunkt wurde Drayman von niemandem gesehen. Mills und die Dumont? Hm. Tja nun, die beiden sind wohl auch aus dem Schneider. Mills sprach während der ganzen Zeit mit uns, mindestens bis halb elf, und Madame Dumont stieß kurze Zeit später dazu. Beide blieben eine ganze Weile bei uns. Das wäre dann wohl alles.«

Dr. Fell lachte leise.

»Man könnte sagen«, überlegte er laut, »wir wissen exakt so viel wie zuvor, nicht mehr und nicht weniger. Die einzigen Personen, die als Mörder nicht mehr in Frage kommen, sind dieselben, von deren Unschuld wir bereits zuvor überzeugt waren, und die die Wahrheit gesagt haben müssen, wenn die ganze Sache irgendeinen Sinn ergeben soll. Hadley, es ist die Vertracktheit dieses Falls im allgemeinen, die mir den Hut hochgehen läßt. Hat die Durchsuchung von Draymans Zimmer gestern abend übrigens irgendwelche Erkenntnisse gebracht? Und was war nun mit dem Blut?«

»Oh, es war Menschenblut, aber in Draymans Zimmer war rein gar nichts, was irgendeinen Hinweis darauf oder irgend etwas anderes gegeben hätte. Einige von diesen Pappmasken wurden gefunden, ja. Alles aufwendige Stücke mit langen Schnurrbarthaaren, Glotzaugen und dergleichen; von der Sorte, mit denen man Kinder beeindrucken kann. Nichts von der einfachen rosafarbenen Sorte. Eine Menge Zeug, das in Amateurtheateraufführungen verwendet wird: ein paar alte Wunderkerzen, Feuerräder und so etwas, ein Spielzeugtheater . . .«

»'nen Penny einfach, farbig das Doppelte«, kommentierte Dr. Fell mit einem erinnerungsseligen Seufzer. »Für immer dahin, die Freuden der Kinderzeit. Hui, die Pracht eines Spielzeugtheaters! In meinen unschuldigen Kindertagen, Hadley, als ich noch öffentlich Ruhmeswolken aufwirbelte – eine These, die meine Eltern übrigens ernsthaft hätten bestreiten mögen –, in meinen Kindertagen also besaß ich ein Spielzeugtheater mit 16 Szenenbildern. Die Hälfte davon, ich erinnere mich mit Entzücken, zeigte Gefängnisszenen. Warum reagiert die jugendliche Phantasie so stark auf Gefängnisszenen, frage ich mich? Warum?«

»Was zum Teufel ist denn mit Ihnen los?« wollte Hadley wissen und starrte ihn an. »Woher die plötzliche Sentimentalität?«

»Weil ich gerade eine Idee hatte«, entgegnete Dr. Fell liebenswürdig. »Und, oh, bei meinem Schnurrbart, was für eine vorzügliche Idee!« Er zwinkerte Hadley zu. »Was ist mit Drayman? Werden Sie ihn festnehmen?«

»Nein. Erstens sehe ich nicht, wie er es getan haben könnte, ich bekäme nicht mal einen Haftbefehl. Zweitens . . .«

»Sie glauben also nicht, daß er schuldig ist?«

»Hm«, brummte Hadley in angeborenem Mißtrauen gegenüber jedermanns Unschuld. »Das will ich nicht sagen, aber ich glaube, daß er weniger leicht ein Verbrechen begehen könnte als alle übrigen. Auf jeden Fall sollten wir uns auf den Weg machen. Zuerst in die Cagliostro Street, danach müssen wir ein paar Leute ins Gebet nehmen. Schließlich . . .«

Die Türglocke läutete, und das Hausmädchen stolperte schläfrig hinunter, um zu öffnen.

»Unten wartet ein Herr, Sir«, meldete Vida, indem sie den Kopf ins Zimmer streckte, »der sagt, daß er Sie oder den Superintendent sprechen möchte. Ein Mr. Anthony Pettis, Sir.«

Kapitel 12

Das Bild

P olternd, prustend und wie der Geist aus dem Vulkan Asche aus seiner Pfeife verstreuend, wuchtete sich Dr. Fell auf die Füße und begrüßte den Besucher mit einer Herzlichkeit, die sehr beruhigend auf Mr. Anthony Pettis zu wirken schien. Mr. Pettis verbeugte sich leicht vor den drei Anwesenden.

»Sie müssen entschuldigen, meine Herren, daß ich Sie so früh am Morgen überfalle«, sagte er. »Aber ich muß etwas loswerden, sonst finde ich keine Ruhe. Wie ich hörte, haben Sie gestern abend, hm, nach mir gesucht. Und das hat mir eine unschöne Nacht bereitet, seien Sie dessen versichert.« Er lächelte. »Ich habe mich in meinem Leben ein einziges Mal in ein kriminelles Abenteuer gestürzt, als ich vergessen habe, die Hundesteuer zu bezahlen; und das schlechte Gewissen hat mich fast zugrunde gerichtet. Jedesmal, wenn ich den vermaledeiten Hund ausführte, dachte ich, jeder Polizist in London werfe mir unheilverkündende Blicke zu. Ich traute mich kaum mehr auf die Straße. Deshalb dachte ich, in d i e s e m Fall suche ich Sie besser gleich selber auf. Ihre Anschrift habe ich bei Scotland Yard erfahren.«

Dr. Fell zog seinem Gast mit einer an Unhöflichkeit grenzenden Ungeduld den Mantel vom Leib und nötigte Mr. Pettis in einen Sessel. Mr. Pettis lächelte. Er war klein, ordentlich gekleidet und förmlich, besaß eine spiegelblanke Glatze und hatte eine erschreckend dröhnende Stimme. Seine Augen standen vor, eine tiefe Denkerfalte ließ sie schlau wirken, den humorvollen Mund konterkarierte ein kantiges Kinn mit zahlreichen Grübchen. Es war ein knochiges Gesicht – phantasiereich, asketisch, nervös.

Beim Sprechen hatte er die Angewohnheit, sich in seinem Sessel nach vorn zu beugen, die Hände zu falten und stirnrunzelnd auf den Boden zu starren.

»Schlimme Sache, das mit Grimaud«, sagte er vorsichtig. »Ich halte mich natürlich an die übliche Formel, daß ich bereit bin zu helfen, wo ich nur kann. Was in diesem Fall sogar stimmt.« Wieder lächelte er. »Äh – soll ich mit dem Gesicht zum Licht sitzen? Dies ist meine erste Begegnung mit der Polizei außerhalb von Romanen.«

»Unsinn«, beschied ihn Dr. Fell und stellte die Anwesenden einander vor. »Ich wollte Sie schon seit einiger Zeit kennenlernen. Wir haben ein paar Dinge in der gleichen Richtung geschrieben. Was möchten Sie trinken? Whisky? Brandy mit Soda?«

»Es ist noch recht früh«, sagte Pettis zweifelnd. »Aber wenn Sie meinen – danke. Ihr Buch über das Übernatürliche in der englischen Literatur ist mir geläufig, Doktor. Sie sind weitaus berühmter, als ich es je sein werde. Und was Sie schreiben, hat Hand und Fuß.« Er runzelte die Stirn. »Ihr Buch hat wirklich Hand und Fuß, aber ich stimme mit Ihnen und Dr. James nicht völlig darin überein, daß ein Gespenst in einer Geschichte immer bösartig sein muß.«

»Selbstverständlich muß es immer bösartig sein«, donnerte Dr. Fell und verzog sein Gesicht zu einem extrem scheußlichen Grinsen. »Je bösartiger, desto besser. Ich verlange kein sanftes, säuselndes Seufzen auf meiner Couch. Ich verlange kein süßes Wispern aus dem Garten Eden. Ich verlange Blut!« Er warf Pettis einen Blick zu, der diesen auf den ungemütlichen Gedanken zu bringen schien, es könne sich dabei um sein Blut handeln. »Ähem, ja. Ich will Ihnen mal ein paar Regeln nennen, Sir: Das Gespenst muß bösartig sein. Es darf nie ein Wort sprechen. Es darf nie durchsichtig sein, sondern muß immer einen festen Körper haben. Es sollte nie für lange Zeit die Szene beherrschen, sondern kurz, intensiv und blitzartig auftreten – wie ein Gesicht, das um eine Ecke linst. Es darf nie bei zu guter Beleuchtung auftreten. Als Hintergrund sollte es eine Studierstube oder eine alte Kirche haben. Es sollte nach Klostermauern oder lateinischen Manuskripten riechen.

Heutzutage existiert die bedauerliche Tendenz, gegenüber alten Bibliotheken oder antiken Ruinen die Nase zu rümpfen und die angeblich wirklich grauenhaften Phantome in einem Süßwarenladen oder an einem Limonadenstand erscheinen zu lassen; das wird dann als ein Beweis für ›Modernität‹ gehalten. Nun gut, sehen wir uns das wirkliche Leben an. Na, und im wirklichen Leben haben sich die Leute eben tatsächlich in alten Ruinen oder auf Kirchhöfen zu Tode geängstigt. Wer wollte das bestreiten? Aber bevor jemand im wirklichen Leben beim Anblick eines Limonadenstandes – und zwar nicht etwa wegen des Gesöffs selbst – vor Furcht schreit und in Ohnmacht fällt, kann man über diese Theorie nichts weiter sagen, als daß sie purer Unsinn ist.«

»Manche Leute würden sagen«, bemerkte Pettis und hob eine Augenbraue, »daß die alten Ruinen purer Unsinn sind. Meinen Sie nicht, daß auch heute noch gute Gespenstergeschichten geschrieben werden können?«

»Natürlich können sie das, und es gibt genügend brillante Köpfe, die dazu in der Lage wären – wenn sie nur wollten. Das Problem ist nur, daß sie sich vor diesem Ding namens Melodrama fürchten. Wenn es ihnen also nicht gelingt, das Melodramatische zu verbannen, versuchen sie es zu verbergen, indem sie es so verschwommen und verdreht beschreiben, daß niemand mehr zu begreifen vermag, worum es eigentlich geht. Anstatt geradeheraus zu sagen, was eine Person gesehen oder gehört hat, versuchen sie, Impressionen wiederzugeben. So, als würde ein Butler, der die Gäste bei einem Ball ankündigt, die Tür zum Salon aufreißen und rufen: ›Und hier können Sie einen flüchtigen Blick auf den Glanz eines Zylinders werfen, oder bilde ich mir da vielleicht etwas ein, und es ist nur der Schirmständer, der den Lichtschein vom Kronleuchter reflektiert?‹

Nun, bei seinem Herrn würde er damit auf wenig Gegenliebe stoßen. Dieser würde nämlich möglicherweise gerne wissen, wer zum Teufel ihm die Ehre erweist. Das Entsetzen ist kein Entsetzen mehr, wenn es wie ein mathematisches Problem aufgelöst werden muß. Es mag bedauerlich sein, wenn einem Menschen am Samstag abend ein Witz erzählt wird, und am Sonntag morgen in der Kirche fängt er an zu lachen. Aber es ist noch um einiges bedauerlicher, wenn ein Mensch am Samstag abend eine grauenerregende Gespenstergeschichte liest und zwei Wochen später plötzlich die Hände über dem Kopf zusammenschlägt, weil er feststellt, daß er sich hätte ängstigen sollen. Sir, ich versichere Ihnen . . .«

Seit geraumer Zeit schon hatte ein irritierter und wütender Superintendent des C.I.D. sich lautstark im Hintergrund geräuspert. Nun brachte Hadley den Vortrag zu einem jähen Ende, indem er seine Faust auf den Tisch krachen ließ.

»Nun machen Sie aber mal einen Punkt, wenn ich bitten darf«, verlangte er. »Wir möchten jetzt keine Vorlesung hören. Und übrigens wollte Mr. Pettis das Reden besorgen. Also ...« Als er sah, wie Dr. Fells aufbrausendes Luftholen zu einem Grinsen verpuffte, fuhr er besänftigt fort: »Wir wollten ja auch über einen Samstag abend sprechen, und zwar über den gestrigen.«

»Und auch über ein Gespenst?« erkundigte sich Pettis verschmitzt. Dr. Fells Ausbruch hatte ihm jede Befangenheit genommen. »Das Gespenst, das den armen Grimaud heimgesucht hat?«

»Ja. Zuerst muß ich Sie der Form halber allerdings bitten, uns zu berichten, was Sie gestern abend getan haben. Besonders zwischen halb zehn und halb elf.«

Pettis setzte sein Glas ab. Sein Gesicht nahm jetzt wieder einen besorgten Ausdruck an. »Sie wollen damit sagen, Mr. Hadley, daß ich unter Verdacht stehe?«

»Das Gespenst behauptete, Sie zu sein. Wußten Sie das nicht?«

»Behauptete, es sei ... Großer Gott, nein!« rief Pettis und sprang wie ein glatzköpfiger Springteufel aus seinem Sessel auf. »Behauptete, wäre ... Ich meine, äh, sagte ... Ach, zum Teufel mit der Grammatik! Ich möchte wissen, wovon Sie reden! Was wollen Sie?« Als Hadley zu einer Erklärung ansetzte, ließ er sich wieder nieder und starrte ruhig vor sich hin. Aber er fingerte dabei an seinem Kragen und seiner Krawatte herum und hätte den Superintendent mehrere Male fast unterbrochen.

»Wenn Sie also beweisen könnten, daß nichts an der Sache ist, indem Sie uns mitteilen, wie Sie den gestrigen Abend verbracht haben ...« Hadley holte sein Notizbuch hervor.

»Davon hat mir gestern abend niemand etwas gesagt. Ich kam erst zu Grimaud, nachdem er bereits erschossen worden war, aber niemand hat mir etwas gesagt«, murmelte Pettis verwirrt. »Und davor war ich im Theater. In His Majesty's Theatre.«

»Das können Sie natürlich beweisen.«

Pettis runzelte die Stirn. »Ich weiß nicht. Ich hoffe es inständig. Ich könnte Ihnen von dem Stück erzählen, aber das hilft natürlich nicht viel. Oh doch, ich glaube, ich habe meine Eintrittskarte noch irgendwo – oder mein Programm. Aber Sie werden wissen wollen, ob ich irgendwelche Bekannte getroffen habe. Ich fürchte, nein, es sei denn, ich kann jemanden auftreiben, der sich an mich erinnert. Ich war allein dort. Wissen Sie, die paar Freunde, die ich noch habe, führen alle ein sehr regelmäßiges Leben. Wir wissen voneinander, wer wann wo zu finden ist, besonders an Samstagabenden, und wir versuchen nicht, uns in unseren Gewohnheiten zu stören.« Er zwinkerte Hadley unmerklich zu. »Eine Art respektable Boheme, um nicht sagen zu müssen, langweilige Boheme.«

»Das«, bemerkte Hadley, »wäre interessant für den Mörder. Was sind das für Gewohnheiten?«

»Grimaud arbeitet immer – entschuldigen Sie, ich kann mich nicht daran gewöhnen, daß er tot ist –, arbeitete immer bis elf Uhr. Danach konnte man ihn stören, so viel man wollte, aber vorher nicht. Er war eine Nachteule. Burnaby pokert gewöhnlich in seinem Klub. Mangan, so etwas wie unser Famulus, weilt bei Grimauds Tochter. Er ist übrigens fast jeden Abend bei ihr. Ich gehe ins Theater oder in ein Kino, aber nicht an jedem Abend. Ich bin die Ausnahme.«

»Aha. Und gestern abend nach dem Theater? Wann war es zu Ende?«

»Kurz vor elf oder kurz danach. Ich hatte keine Ruhe. Ich dachte, ich könnte noch bei Grimaud vorbeischauen und einen Schluck mit ihm trinken. Und dann ... Sie wissen ja, was geschah. Mills hat mir alles erzählt. Ich bat darum, Sie oder irgendeinen anderen Zuständigen zu sprechen. Nachdem ich lange unten gewartet hatte, ohne daß jemand Notiz von mir nahm« – er sagte dies ziemlich schnippisch –, »ging ich in die Klinik hinüber, um nach Grimaud zu sehen. Ich kam in dem Moment an, als er starb. Nun, Mr. Hadley, ich weiß, dies ist eine schlimme Sache, doch ich schwöre ...«

»Warum wollten Sie mich sprechen?«

»Ich war dabei, als Fley im Warwick seine Drohung aussprach, und ich dachte, da könnte ich Ihnen helfen. Gestern abend nahm ich natürlich an, Fley habe ihn erschossen, und heute morgen lese ich in der Zeitung ...«

»Augenblick! Bevor wir weitermachen, möchte ich mich vergewissern, daß derjenige, der in Ihre Rolle schlüpfte, Ihre Besonderheiten, wie Sie mit den Menschen reden und so weiter, korrekt imitierte? Schön. Wem aus Ihrem Kreis oder außerhalb davon würden Sie denn zutrauen, so etwas tun zu können?«

»Oder tun zu wollen«, sagte sein Gegenüber scharf.

Er lehnte sich zurück, wobei er sorgfältig auf seine Bügelfalte achtete. Seine Nervosität wurde offensichtlich von akademischer, unersättlicher Wißbegierde erstickt. Ein abstraktes Problem hatte von ihm Besitz ergriffen. Er legte seine Fingerspitzen sorgfältig zusammen und sah durch die hohen Fenster nach draußen.

»Glauben Sie nicht, ich versuche Ihrer Frage auszuweichen, Mr. Hadley«, sagte er mit einem unvermittelten Hüsteln. »Ehrlich gesagt, mir fällt einfach niemand ein. Aber dieses Rätsel beschäftigt mich unabhängig von der Gefahr, die es in gewisser Weise für mich selbst darstellen mag. Wenn Sie meinen, meine Ideen seien ein wenig zu spitzfindig – oder zu abwegig –, dann möchte ich es Dr. Fell überlassen, darüber zu urteilen. Gehen wir einmal davon aus, ich sei der Mörder, um einen Ansatzpunkt für einen Disput zu haben.«

Er sah Hadley spöttisch an, der sich kerzengerade aufgerichtet hatte.

»Augenblick! Ich bin nicht der Mörder, aber nehmen wir es gleichwohl einmal an. Ich mache mich also auf, Grimaud zu ermorden; dazu lege ich eine verwegene Verkleidung an. Übrigens würde ich tatsächlich eher einen Mord begehen, als mich so blikken zu lassen. Und ich mache auch sonst den ganzen Hokuspokus, den der Mörder veranstaltet hat. Ist es da denn wahrscheinlich, daß ich in diesem Fall den jungen Leuten meinen richtigen Namen vorflöte?«

Er unterbrach sich und legte seine Fingerspitzen gegeneinander.

»Das ist der erste Gedanke, der aber zu kurz greift. Ein sehr durchtriebener Detektiv würde darauf antworten: ›Ja, ein schlauer Mörder würde genau das tun. Es wäre die wirksamste Art und Weise, all die an der Nase herumzuführen, die den ersten Schluß gezogen haben. Er verstellte seine Stimme ein ganz klein wenig, gerade genug, damit sich die Leute später daran erinnern. Er sprach wie Pettis, weil er sie glauben machen wollte, daß er nicht Pettis sei.‹ Haben Sie das bedacht?«

»Oh ja«, sagte Dr. Fell freudestrahlend. »Das war mein allererster Gedanke.«

Pettis nickte. »Dann werden Sie sich auch die Antwort dazu gedacht haben, die mich in jedem Fall entlastet. Wenn ich so etwas aufgeführt hätte, dann hätte ich nicht meine Stimme verstellen dürfen. Wenn die Zuhörer sie akzeptierten, wären ihnen später gar nicht die Zweifel gekommen, die ich ihnen eingeben wollte. Sondern«, fuhr er mit erhobenem Zeigefinger fort, »was ich hätte tun müssen: Ich hätte mich versprechen müssen. Ich hätte etwas Ungewöhnliches sagen müssen, etwas Falsches, das offensichtlich nicht zu mir paßte, woran sich die Zuhörer später erinnert hätten. Und das hat der Besucher nicht getan. Seine Imitation war zu perfekt, und das entlastet mich. Ob Sie die Sache nun geradeheraus oder differenzierter betrachten, ich kann auf ›Nicht schuldig!‹ plädieren – entweder, weil ich kein Narr bin, oder weil ich einer bin.«

Hadleys Blick wanderte von Pettis zu Dr. Fell, sein Gesichtsausdruck wandelte sich von besorgt zu belustigt, bis er schließlich lauthals lachte.

»Sie beide sind aus demselben Holz geschnitzt«, sagte er. »Ich liebe diese Gedankenspiele. Aber aus der praktischen Erfahrung heraus sage ich Ihnen, Mr. Pettis, daß ein Verbrecher, der so etwas versuchen würde, in die Grube fiele, die er sich selbst gegraben hat. Die Polizei würde sich gar nicht die Mühe machen herauszufinden, ob er nun ein Narr ist oder nicht. Die Polizei würde die Sache geradeheraus angehen – und ihn aufknüpfen.«

»So wie Sie mich aufknüpfen würden«, sagte Pettis, »wenn Sie weitere Indizien gegen mich hätten?«

»So ist es.«

»Nun, das nenne ich eine aufrichtige Antwort«, meinte Pettis, obwohl ihn diese Antwort zu beunruhigen und zu erschrecken schien. »Äh – soll ich fortfahren? Sie haben mir ganz schön den Wind aus den Segeln genommen.«

»Gewiß doch, fahren Sie fort«, forderte ihn der Superintendent mit einer freundlichen Geste auf. »Von einem klugen Mann können wir gewiß noch etwas lernen. Was haben Sie weiter vorzubringen?«

Ob dies nun eine beabsichtigte Spitze war oder nicht, es zeitigte eine Wirkung, mit der niemand gerechnet hatte. Pettis lächelte, aber seine Augen blieben starr, sein Gesicht schien noch knochiger geworden zu sein.

»Ja, ich glaube, das können Sie. Sie können Dinge lernen, auf die Sie selbst hätten kommen müssen. Lassen Sie mich nur eines herausgreifen: Sie – oder jemand anderer – ließen sich heute morgen in allen Zeitungen ausführlich über den Mord an Grimaud zitieren. Sie verbreiteten sich darüber, daß der Mörder darauf Wert gelegt habe, eine unberührte Schneedecke für sein Verschwinden zur Verfügung zu haben, wie auch immer er dies bewerkstelligte.

Er konnte sicher sein, daß es gestern nacht schneien würde, legte sich seinen Plan entsprechend zurecht, wartete, bis der Schneefall aufhörte, und führte seinen Plan aus. Auf jeden Fall konnte er sich darauf verlassen, daß es schneien würde. Ist das so richtig?«

»Ja, ich sagte etwas in der Richtung. Warum?«

»Dann hätte Ihnen doch auffallen müssen«, antwortete Pettis gelassen, »daß laut der Wettervorhersage nichts dergleichen hätte geschehen dürfen. Der gestrige Wetterbericht sagte überhaupt keinen Schneefall vorher.«

»Oh Bacchus!« stöhnte Dr. Fell, und nach einer Pause, in der er Pettis zublinzelte, schlug er mit der Faust auf den Tisch. »Sehr scharfsinnig! Daran habe ich nicht gedacht. Hadley, das verändert alles! Das . . .«

Pettis entspannte sich. Er nahm ein Zigarettenetui heraus und öffnete es. »Natürlich gibt es dagegen einen Einwand. Ich meine, Sie könnten erwidern, der Mörder habe gewußt, daß es schneien würde, gerade weil der Wetterbericht das Gegenteil behauptete. Aber in diesem Fall trieben Sie die Spitzfindigkeit bis zur Lächerlichkeit. Da könnte ich nicht mehr mithalten. Es ist doch so, daß sich die Wettervorhersage ungefähr genauso viele Fehler leistet wie der telefonische Auskunftsdienst. Diesmal ist ihr ein Schnitzer passiert, ja, aber das spielt keine Rolle. Glauben Sie mir nicht? Werfen Sie einen Blick in die gestrigen Abendzeitungen.«

Hadley fluchte; dann grinste er.

»Tut mir leid«, sagte er. »Ich wollte Sie nicht so grob anfassen, aber ich bin froh, daß ich es getan habe. Ja, jetzt sieht doch alles anders aus. Verflucht, wenn jemand ein Verbrechen begehen will, das von Schnee abhängt, dann würde er mit Sicherheit die Wettervorhersage beachten.« Hadley trommelte auf den Tisch. »Aber lassen wir das für den Augenblick; wir werden darauf zurückkommen. Ich frage Sie jetzt ernsthaft nach Lösungsvorschlägen.«

»Ich fürchte, das war alles. Kriminologie ist eher Burnabys Gebiet als meines. Mir ist es nur zufällig aufgefallen«, räumte Pettis mit einem spöttischen Blick auf seine eigene Bekleidung an, »als ich überlegte, ob ich Überschuhe tragen sollte. Gewohnheit! . . . Was die Person angeht, die meine Stimme imitierte, stellt sich wohl die Frage, warum sie versuchte, mich in die Sache zu verwickeln. Ich bin ein harmloser alter Kauz, glauben Sie mir. Ich passe nicht in die Rolle der unbarmherzigen Nemesis. Mir fällt beim besten Willen nur ein Grund ein, daß ich der einzige aus der Warwick-Gruppe bin, der für den Samstagabend keine festen Gewohnheiten hat und deshalb möglicherweise kein Alibi haben würde. Doch wer es auch immer war ... Jeder gute Schauspieler hätte das fertiggebracht, aber wer wußte, wie ich die Leute anspreche?«

»Was ist mit dem Kreis aus der Warwick Tavern? Es gab doch noch andere außer jenen, von denen wir schon wissen?«

»Oh ja. Es gibt zwei weitere Herren, die unregelmäßig zu uns stoßen. Aber ich glaube nicht, daß einer von ihnen für uns in Frage kommt. Da ist einmal der alte Mornington, der seit über 50 Jahren einen Posten am Museum hat. Er hat eine derart brüchige Stimme, daß man ihn unmöglich für mich halten könnte. Dann ist da noch Swayle, aber ich glaube, er sprach gestern abend im Radio über das Leben der Ameisen oder so etwas, und das wäre ein Alibi.«

»Er sprach wann?«

»Viertel vor zehn ungefähr, nehme ich an, aber das würde ich nicht beschwören. Außerdem war keiner der beiden jemals in Grimauds Haus ... Passanten, die zufällig im Pub vorbeigeschaut haben? Nun ja, der eine oder andere saß manchmal bei uns im Hinterzimmer und hat zugehört. Aber es hat sich nie jemand am Gespräch beteiligt. Das ist eine ganz dünne Spur, aber vielleicht immer noch Ihre beste.« Pettis nahm eine Zigarette aus dem Etui und ließ den Deckel hörbar einschnappen. »Ja. B e s c h l i e ß e n wir lieber, daß wir es mit einem Großen Unbekannten zu tun haben, sonst verlieren wir den Boden unter den Füßen. Burnaby und ich waren Grimauds engste Freunde. Und ich hab's nicht getan, und Burnaby hat Karten gespielt.«

Hadley sah ihn an. »Ich nehme an, Mr. Burnaby hat wirklich Karten gespielt?«

»Das weiß ich nicht. Ich habe keine Ahnung«, gestand der andere ohne Umschweife. »Aber ich würde trotzdem wetten, daß es so war. Burnaby ist kein Narr. Und er müßte schon ein ausgemachter Dummkopf sein, wenn er ausgerechnet in d e r Nacht einen Mord beginge, da seine Abwesenheit von einer ganz bestimmten Gruppe ganz bestimmt auffallen würde.«

Diese letzten Worte beeindruckten den Superintendent stärker als alles, was Pettis bislang gesagt hatte. Mürrisch fuhr er fort, auf die Tischplatte zu trommeln. Dr. Fell schielte düster meditierend in sich hinein. Pettis sah neugierig von einem zum anderen.

»Habe ich Ihnen etwas zum Zähneausbeißen gegeben, meine Herren?« erkundigte er sich, worauf Hadley kurzangebunden entgegnete:

»Ja, ja! Hoffentlich werden sie uns darüber nicht stumpf! Nun zu Burnaby: Sie wissen doch, daß er der Maler des Bildes ist, das Grimaud zu seiner Selbstverteidigung gekauft hat?«

»Zu seiner Selbstverteidigung? Wie das? Vor was?«

»Das wissen wir nicht. Ich hatte gehofft, das würden Sie erklären können.« Hadley beobachtete ihn. »Die Vorliebe für kryptische Bemerkungen scheint bei ihm Familientradition zu sein. Was wissen Sie übrigens über seine Familie?«

Pettis war sichtlich verwirrt. »Nun ja, Rosette ist ein ganz reizendes Mädel. Äh, obwohl ich nicht unbedingt sagen würde, daß sie eine Vorliebe für kryptische Bemerkungen hat . . . ganz im Gegenteil. Für meinen Geschmack ist sie ein bißchen zu modern.« Er legte die Stirn in Falten. »Grimauds Frau habe ich nie gekannt; sie ist seit Jahren tot. Aber ich verstehe immer noch nicht . . .«

»Lassen wir das. Was halten Sie von Drayman?«

Pettis lachte in sich hinein. »Der alte Hubert Drayman ist der unverdächtigste Mensch, dem ich je begegnet bin. So unverdächtig, daß manche glauben, er verberge tief in seinem Innersten eine teuflische Gerissenheit. Entschuldigen Sie, haben Sie ihn etwa im Visier? Das können Sie vergessen.«

»Kommen wir also auf Burnaby zurück. Wissen Sie, was ihn dazu bewogen hat, dieses Bild zu malen, wann er es tat, oder sonst etwas darüber?«

»Ich glaube, er hat es vor ein oder zwei Jahren gemalt. Ich erinnere mich daran, weil es die größte Leinwand in seinem Atelier war. Er benutzte sie, senkrecht aufgestellt, als Wandschirm oder Raumteiler. Einmal fragte ich ihn, was es darstellen sollte. Er antwortete: ›Eine Phantasie von etwas, das ich nie gesehen habe.‹ Der Titel war irgend etwas Französisches: *Dans l'Ombre des Montagnes du Sel,* oder so ähnlich.« Seine Finger hörten nun auf, mit der unangezündeten Zigarette auf das Etui zu klopfen. Sein neugieriger, rastloser Verstand hatte seine Arbeit wieder aufgenommen.

Dann meinte er: »Jetzt fällt es mir wieder ein. Burnaby sagte: ›Gefällt es Ihnen nicht? Grimaud hat fast der Schlag getroffen, als er es gesehen hat.‹«

»Wieso?«

142

»Ich gab nichts darauf. Ich habe angenommen, es handele sich zum einen Witz oder um Aufschneiderei. Er lachte, als er das sagte, so ist Burnaby. Aber das Ding verstaubte bereits so lange im Atelier, daß es mich wunderte, als Grimaud am Freitag morgen hereingestürzt kam und danach fragte.«

Hadley beugte sich rasch vor. »Sie waren also dabei?«

»Im Atelier? Ja. Ich hatte schon früh bei Burnaby vorbeigeschaut, ich weiß nicht mehr, warum. Grimaud kam herein . . .«

»Wirkte er . . . verstört?«

»Ja, n-nein. Sagen wir aufgeregt.« Pettis dachte nach, wobei er Hadley aus den Augenwinkeln beobachtete. »Grimaud sagte auf seine typische schnelle, abgehackte Art: ›Burnaby, wo ist Ihr Bild mit den Salzbergen? Ich brauche es. Was kostet es?‹ Burnaby warf ihm einen schrägen Blick zu, kam angehumpelt, wies auf das Bild und sagte: ›Das Ding gehört Ihnen, Mann, wenn Sie's haben wollen. Nehmen Sie's einfach.‹ Grimaud erwiderte: ›Nein, ich habe Verwendung dafür und bestehe darauf, es zu kaufen.‹ Na, und als dann Burnaby irgendeinen lächerlichen Preis von zehn Shilling oder so nannte, nahm Grimaud ganz feierlich sein Scheckbuch und schrieb einen Scheck über zehn Shilling aus. Er wollte nicht mehr sagen, als daß er es an der Wand seines Arbeitszimmers aufhängen wollte. Das war alles. Er trug das Bild auf die Straße hinunter, ich besorgte ihm noch eine Droschke, in der er es mitnahm.«

»War es eingepackt?« fragte Dr. Fell so scharf, daß Pettis ein wenig zusammenzuckte.

Dr. Fell hatte an der letzten Ausführung mehr Anteilnahme, um nicht zu sagen, intensives Interesse gezeigt als an allem, was Pettis zuvor berichtet hatte. Nun saß er vornübergebeugt da, die Hände auf seinem Stock gefaltet, und Pettis sah ihn gespannt an.

»Wie kommen Sie nur darauf, diese Frage zu stellen?« sagte er. »Ich wollte gerade selbst darauf zu sprechen kommen. Grimaud machte ein ziemliches Theater um das Einpacken. Er bat um Papier, und Burnaby sagte: ›Woher soll ich denn ein Stück Papier kriegen, das groß genug ist, das da einzuwickeln? Schämen Sie sich denn wegen des Bildes? Nehmen Sie's doch, wie es ist.‹ Aber Grimaud blieb hartnäckig und ging in irgendeinen Laden hinunter, besorgte sich meterweise braunes Papier von einer dieser großen Packpapierrollen. Burnaby schien das zu verärgern.«

»Sie wissen nicht, ob Grimaud damit direkt nach Hause gegangen ist?«

»Nein, ich glaube, er wollte es rahmen lassen, aber ich bin nicht sicher.«

Dr. Fell lehnte sich seufzend zurück und verfolgte das Thema trotz Pettis' Andeutungen nicht weiter. Hadley stellte Pettis noch einige weitere Fragen, aber soweit Rampole sagen konnte, kam nichts Wesentliches mehr dabei heraus. Was persönliche Dinge betraf, so blieb Pettis zurückhaltend; er habe in dieser Hinsicht, so sagte er, wenig zu verbergen. In Grimauds Haushalt habe es keine Spannungen gegeben, ebensowenig im engeren Warwick-Zirkel, abgesehen von einer gewissen Rivalität zwischen Mangan und Burnaby.

Burnaby legte seinen 30 Jahren Altersvorsprung zum Trotz ein starkes Interesse an Rosette an den Tag, das er mehr oder weniger intensiv verfolgte. Professor Grimaud hatte sich dazu nie geäußert; wenn überhaupt, so ermutigte er es, wohingegen er andererseits, soweit Pettis das beurteilen konnte, auch keine Einwände gegen Mangan erhoben hatte.

»Aber ich denke, Sie werden feststellen, meine Herren«, schloß Pettis und erhob sich, als Big Ben zehn Uhr schlug, »daß all das nur Nebensächlichkeiten sind. Es wäre problematisch, irgend jemanden von uns mit einem *crime passionel* in Verbindung bringen zu wollen. Was das Finanzielle angeht, kann ich Ihnen auch nicht viel mitteilen. Grimaud war recht wohlhabend, würde ich meinen. Seine Anwälte sind Tennant und Williams von Gray's Inn, wie ich Ihnen zufällig sagen kann. Übrigens, würden Sie alle an diesem tristen Sonntag mit mir zu Mittag essen wollen? Ich wohne gleich drüben auf der anderen Seite des Russell Square, ich habe seit 15 Jahren eine Suite im Imperial. Sie ermitteln ja in der Nachbarschaft, da könnte es Ihnen doch gelegen kommen; und vielleicht hat Dr. Fell Lust, Gespenstergeschichten mit mir zu diskutieren?«

Er lächelte in die Runde. Der Doktor beeilte sich, zuzusagen, bevor Hadley ablehnen konnte, und Pettis verabschiedete sich weitaus aufgeräumterer Laune, als er noch bei seiner Ankunft gezeigt hatte. Als er fort war, schauten die drei einander an.

»Na?« brummte Hadley. »Schien mir offen und freimütig zu sein. Wir werden es natürlich überprüfen. Der Punkt, der entscheidende Punkt, ist doch der: Keiner von ihnen hatte einen Grund, ausgerechnet an jenem Abend einen Mord zu begehen, an dem seine Abwesenheit bestimmt bemerkt worden wäre. Diesen Burnaby werden wir uns noch vorknöpfen, aber er kommt wohl auch nicht in Frage, und sei es nur aus diesem Grund.«

»Und der Wetterbericht sagte keinen Schnee voraus«, wiederholte Dr. Fell nachdenklich. »Hadley, das zerreißt alles in der Luft! Es stellt den ganzen Fall auf den Kopf, aber ich sehe nicht, wie ... Cagliostro Street! Begeben wir uns in die Cagliostro Street. Alles ist besser als diese Finsternis.«

Wütend stapfte er los und griff nach Umhang und Schlapphut.

Kapitel 13

Die geheime Wohnung

Im grauen Morgen des Wintersonntags lagen die Straßen Londons über viele Meilen in gespenstischer Verlassenheit. Und die Cagliostro Street, in die Hadleys Wagen schließlich einbog, sah aus, als würde sie niemals erwachen.

Die Cagliostro Street, wie Dr. Fell bereits gesagt hatte, beherbergte einige in die Seitenstraße abgewanderte schäbige Läden und Pensionen – eine Art Abstellkammer der Lamb's Conduit Street. Die Lamb's Conduit Street selbst war eine lange, schmale Durchgangsstraße; ein eigener kleiner Ladenbereich, der sich von der stillen Guilford Street mit ihren Mietskasernen im Norden zur Hauptverkehrsader der Theobald's Road im Süden erstreckte.

Zur Guilford Street hin verbarg sich auf der Westseite der Lamb's Conduit Street der Zugang zur Cagliostro Street zwischen einem Schreibwarengeschäft und einem Metzgerladen. Sie sah wie ein kleines Gäßchen aus, das man leicht verpassen konnte, wenn man nicht nach dem Straßenschild Ausschau hielt. Jenseits der zwei Häuser an der Einmündung weitete sich die Straße zu unerwarteter Breite aus und verlief 200 Meter schnurgerade bis zu einer Backsteinmauer an ihrem Ende.

Die unheimlichen Empfindungen, die einen bei der Entdeckung versteckter Straßen überkamen oder durch Häuserreihen ausgelöst wurden, die nur mit Hilfe der Magie geschaffene Illusionen zu sein schienen, hatten Rampole auf seinen Streifzügen durch London niemals losgelassen. Es war, als träte man morgens vor seine Haustür, und die ganze Straße habe sich über Nacht auf geheimnisvolle Weise verwandelt: Fremde Gesichter grinsten einen aus Häusern an, die man noch nie gesehen hatte.

Er stand mit Hadley und Dr. Fell am Eingang der Gasse, und sie schauten hinein. Die Läden, die hierher abgewandert waren, reichten auf beiden Seiten nur ein kleines Stück weit. Alle waren mit Rolläden verschlossen oder hatten Stahlgitter vor ihren

Schaufenstern herabgelassen, wodurch sie Kunden zu trotzen schienen, wie eine Festung ihren Angreifern trotzt. Sogar die vergoldeten Ladenschilder hatten etwas Trutziges an sich.

Die Schaufenster wiesen alle Grade von Sauberkeit auf, vom strahlenden Glanz eines Juweliergeschäfts ganz hinten rechts bis zum schmuddeligen Grau eines Tabakwarenladens unmittelbar rechts vor ihnen: ein Geschäft, das einen vertrockneteren Eindruck machte als alter Tabak und sich geduckt hinter Schlagzeilen mit Neuigkeiten versteckte, an die sich kein Lebender mehr erinnern konnte.

Dahinter schlossen sich zwei Reihen flacher, dreistöckiger Gebäude aus dunkelrotem Backstein und mit weißen oder roten Fensterrahmen an. Ein paar der zugezogenen Gardinen im Erdgeschoß zeigten mutig ein wenig Spitze. Ruß hatte der ganzen Häuserfront die gleiche graue Farbe verliehen. Sie hätte wie ein einziges Haus ausgesehen, wenn nicht die Eisengeländer vor den Souterrains vor jeder Haustür unterbrochen gewesen wären. Hoffnungsvolle Schilder annoncierten möblierte Zimmer. Über den Dächern hoben sich die Kamine dunkel gegen den schweren Himmel ab. Trotz des eisigen Windes, der in die Straßenmündung pfiff und eine weggeworfene Zeitung flatternd und knatternd um einen Laternenpfahl wickelte, war der Schnee zu grauen Matschinseln geschmolzen.

»Ein fröhlicher Anblick«, grunzte Dr. Fell. Er stapfte los, und das Echo seiner Schritte hallte von den Wänden wider. »Wir wollen das rasch klären, bevor wir Aufmerksamkeit erregen. Zeigen Sie mir, wo Fley sich befand, als er getroffen wurde. Augenblick! Wo wohnte er übrigens?«

Hadley zeigte auf das nicht weit entfernte Tabakgeschäft.

»Dort, über dem Laden, am Anfang der Straße, wie ich schon sagte. Wir werden noch hinaufgehen, obwohl Somers bereits dort war und sagt, da sei rein gar nichts zu finden. Kommen Sie jetzt weiter, ungefähr in der Straßenmitte...« Er schritt mit nahezu meterlangen Schritten aus. »Der gefegte Abschnitt des Gehweges sowie die Fußspuren auf der Straße endeten irgendwo hier; sagen wir, nach ungefähr 50 Metern. Dann noch ein gutes Stück, weitere 50 Meter: Hier war es!«

Er blieb stehen und drehte sich langsam um.

»Auf halber Strecke bis zum Ende der Straße und auf der Mitte der Fahrbahn. Sie sehen, wie breit die Straße ist. Indem er hier ging, war er fast zehn Meter von den Häusern auf beiden Seiten entfernt. Wenn er auf dem Gehweg geblieben wäre, hätten wir eine gewagte Theorie konstruieren können, daß sich jemand aus einem Fenster oder einem Souterrain gelehnt hätte, einen Revolver am Ende einer Stange oder so . . .«

»Unsinn!«

»Ja sicher, Unsinn, aber was sollten wir uns denn sonst denken?« verlangte Hadley ziemlich aufbrausend zu wissen und machte eine umfassende Geste mit seiner Aktentasche. »Wie Sie selbst schon sagten: Hier ist die Straße, es ist klar, eindeutig und unmöglich! Ich weiß selbst, daß es keinen Hokuspokus gab, aber was gab es dann? Außerdem haben die Zeugen nichts gesehen. Und wenn es etwas zu sehen gegeben hätte, dann hätten sie es sehen müssen. Schauen Sie nur! Bleiben Sie, wo Sie sind, und schauen Sie in die gleiche Richtung.« Wieder ging er ein Stück weiter geradeaus, überprüfte die Hausnummern, wandte sich dann wieder um und kehrte auf den Gehweg rechter Hand zurück. »An dieser Stelle hielten sich Blackwin und Short auf, als sie den Schrei hörten. Sie, Fell, gehen genau hier in der Straßenmitte; ich bleibe vor Ihnen. Ich drehe mich plötzlich um – so! Wie weit bin ich jetzt von Ihnen weg?«

Rampole, der sich ein Stück von beiden entfernt hatte, sah Dr. Fell riesenhaft und einsam in der Mitte eines leeren Rechtecks aufragen.

»Kürzere Entfernung diesmal. Diese beiden Burschen«, rief der Doktor, »waren ihm nicht viel mehr als zehn Meter voraus. Hadley, das ist noch unglaublicher, als ich dachte. Er ging in der Mitte einer Schneewüste. Und doch, als sie sich nach dem Schuß umdrehten . . . hm . . .«

»Genau. Jetzt zur Beleuchtung. Sie übernehmen die Rolle Fleys. Zu Ihrer Rechten, ein Stück voraus und gleich nach dem Eingang von Nummer 18, sehen Sie eine Straßenlaterne. Etwas weiter, auch rechterseits, erkennen Sie das Schaufenster des Juweliers. Schön. In dem Fenster brannte ein Licht, kein besonders helles, aber es brannte eines. Können Sie mir jetzt erklären, wie zwei Männer, die dort gestanden haben, wo ich jetzt stehe, sich darüber täuschen können, ob sie jemanden in der Nähe von Fley gesehen haben oder nicht?«

Seine Stimme war lauter geworden, und die Straße warf ein höhnisches Echo zurück. Die alte Zeitung wurde wieder von einem Windstoß erfaßt und raschelte plötzlich über das Pflaster davon, der Wind dröhnte mit einem hohlen Ton zwischen den Kaminen, als bliese er durch einen Tunnel. Dr. Fells schwarzer Umhang flatterte um ihn herum, und das Band seines Kneifers tanzte wild in der Luft.

»Ein Juwelier«, murmelte er und starrte nach dem Schaufenster. »Ein Juwelier. Mit einem Licht . . . War dort jemand?«

»Nein. Withers dachte auch daran und sah nach. Nur eine Schaufensterbeleuchtung. Das Drahtgitter war vor Fenster und Tür heruntergelassen, so wie jetzt. Dort kann niemand hinein- oder herausgekommen sein. Außerdem ist es viel zu weit von Fleys Standort entfernt.«

Dr. Fell reckte seinen Hals, ging hinüber und starrte mit eulenhaftem Blick in das gesicherte Fenster. Auf samtenen Auslagen befanden sich billige Ringe und Armbanduhren, ein paar Kerzenständer und in der Mitte eine große, runde deutsche Tischuhr, deren Zifferblatt ein Sonnenantlitz darstellte, das bewegliche Augen besaß. Die Uhr schlug in diesem Augenblick elf. Dr. Fell betrachtete die herumkullernden Augen; sie schienen mit ebenso unerfreulichem wie idiotischem Vergnügen den Ort anzuglotzen, an dem ein Mann getötet worden war. Dieser Umstand ließ die Cagliostro Street fast unheimlich aussehen. Endlich stapfte Dr. Fell zur Straßenmitte zurück.

»Aber das«, sagte er halsstarrig, als griffe er einen alten Streitpunkt wieder auf, »ist auf der rechten Straßenseite. Und der Schuß, der Fley in den Rücken traf, kam von links. Wenn wir annehmen, und das müssen wir wohl, daß sich der Schütze von links näherte, oder wenigstens, daß der geflügelte Revolver von links angeflogen kam – ich weiß nicht. Wenn wir dem Mörder einmal versuchsweise zugestehen, daß er durch den Schnee gehen konnte, ohne Fußspuren zu hinterlassen, können wir dann entscheiden, aus welcher Richtung er kam?«

»Er kam von hier«, sagte eine Stimme.

Der brausende Wind schien ihnen die Worte um die Ohren zu treiben, als hätte er sie aus der Luft gegriffen. Einen kurzen Augenblick lang durchfuhr Rampole in diesem stürmischen Zwielicht ein größeres Entsetzen, als er es selbst in den Tagen des Mordfalles im Gefängnis von Chatterham durchgestanden hatte. Er wurde von wahnsinnigen Visionen umherfliegender Gegenstände ergriffen und glaubte, die Worte eines Unsichtbaren zu vernehmen, so wie die beiden Zeugen am Abend zuvor das Flüstern des Hohlen Mannes gehört hatten. Einen kurzen Augenblick lang also schnürte es ihm die Kehle zu, bis er sich umdrehte und beinah enttäuscht die Erklärung entdeckte. Ein untersetzter junger Mann mit rötlichem Gesicht und einer Melone, die er tief in die Stirn gezogen trug, was ihm ein düsteres Aussehen gab, kam die Stufen vor der offenen Tür der Hausnummer 18 herab. Er grinste breit, als er Hadley begrüßte.

»Er kam von hier, Sir. Ich bin Somers, Sir. Wissen Sie noch, Sie haben mich beauftragt, herauszufinden, wo der Tote, der Franzmann, hinging, bevor er ermordet wurde; und welche Zimmerwirtin einen sonderbaren Mieter hat, der unser Mann sein könnte... Na, wo der sonderbare Mieter wohnt, habe ich rausgefunden, und es dürfte auch nicht schwer sein, ihn selbst zu finden. Er kam von hier. 'tschuldigung, falls ich Sie unterbrochen habe.«

Hadley, der nicht zeigen wollte, welch einen Schrecken ihm die Unterbrechung eingejagt hatte, murmelte einen Dank. Seine Augen wanderten zu der Tür, wo eine weitere Gestalt unschlüssig abwartete. Somers folgte seinem Blick.

»Oh, nein Sir, das ist nicht der Mieter«, erklärte er und grinste wieder. »Das ist Mr. O'Rourke, der Bursche aus dem Varieté, wissen Sie, der den Franzmann gestern identifiziert hat. Heute morgen geht er mir ein bißchen zur Hand.«

Die Gestalt löste sich aus dem Schatten und kam die Stufen hinab. Trotz seines schweren Mantels wirkte der Mann dünn, dünn, aber kräftig, mit den schnellen sicheren Schritten auf den Ballen des Fußes, welche den Trapezkünstler oder Hochseilartisten auszeichnen. Er gab sich leutselig, gutmütig und neigte beim Sprechen den Oberkörper leicht nach hinten – wie ein Mann, der sich Raum für seine Gesten verschafft. Seine dunkle Erscheinung erinnerte an den Süden, an Italien, ein Effekt, den ein üppiger schwarzer Schnauzbart mit gewachsten Enden, der sich unter einer Hakennase lockte, noch verstärkte. Darunter hing ihm eine große gebogene Pfeife aus dem Mundwinkel, die er mit sichtlichem Wohlbehagen schmauchte. Seine von Fältchen umgebenen Augen funkelten lustig-blau; und als er sich vorstellte, schob er einen ausladenden rehbraunen Hut aus der Stirn.

Das war also der Ire mit italienischem Künstlernamen, der redete wie ein Amerikaner und tatsächlich, wie er eben erläuterte, aus Kanada stammte.

»O'Rourke heiß' ich, ja«, sagte er. »John L. Sullivan O'Rourke. Weiß jemand, wie mein mittlerer Name lautet? Sie wissen schon, der Name des...« Er nahm die Fäuste hoch und schoß eine rechte Gerade in die Luft. »...des Größten aller Zeiten? Ich weiß es nicht. Mein alter Herr wußte es auch nicht, als er mich taufte. L., mehr ist nicht bekannt. Hoffentlich stört es Sie nicht, wenn ich mich hier so einmische. Wissen Sie, ich kannte den alten Loony.« Er unterbrach sich, grinste und zwirbelte seinen Schnurrbart. »Aha! Die Herrn haben meinen Krümelfänger im Visier. Das geht allen so. Das ist wegen des verdammten Liedes, wissen Sie. Der Manager dachte, es wäre nicht übel, wenn ich so auftrete wie der Bursche aus dem Lied. Oh, aber er ist echt! Schauen Sie.« Er zupfte daran. »Alles echt! Doch wie gesagt, 'tschuldigen Sie, daß ich mich einmische. Der alte Loony tut mir verdammt leid.« Ein Schatten fiel auf sein Gesicht.

»Schon gut«, beschied ihn Hadley. »Unter diesen Umständen bin ich Ihnen für jede Hilfe dankbar. Und Sie ersparen mir den Gang ins Theater.«

»Ich arbeite sowieso nicht«, grollte O'Rourke. Er stieß seine Linke aus seinem langen Mantelärmel; das Handgelenk war bandagiert und eingegipst. »Wenn ich nur einen Funken Verstand hätte, wäre ich Loony gestern abend nachgegangen. Aber was rede ich, ich will Sie nicht stören.«

»Ja, wenn Sie bitte mitkommen wollen, Sir«, meldete sich Somers wieder zu Wort. »Ich habe Ihnen etwas ziemlich Wichtiges zu zeigen – und zu sagen. Die Zimmerwirtin ist unten und macht sich fertig; sie wird mit Ihnen über ihren Mieter sprechen. Es handelt sich ohne jeden Zweifel um den Gesuchten. Aber zuerst sollten Sie sich seine Zimmer ansehen.«

»Was ist mit seinen Zimmern?«

»Nun, Sir, zunächst mal ist dort Blut«, antwortete Somers. »Und ein sehr seltsames Seil.« Als er Hadleys Miene sah, konnte er seine Genugtuung nicht verbergen. »Dieses Seil, und noch anderes, wird Sie interessieren. Der Bursche ist ein Einbrecher, jedenfalls irgendein Halunke, wenn man sich seine Ausrüstung ansieht. An der Tür hat er ein spezielles Schloß angebracht, so daß Miss Hake, seine Wirtin, nicht hinein konnte. Ich hab' einen meiner Schlüssel benutzt – ist nichts Illegales dabei, Sir: Der Bursche hat offensichtlich das Weite gesucht. Miss Hake sagt, daß er die Zimmer schon seit einiger Zeit gemietet hat, aber erst ein- oder zweimal dort war.«

»Auf geht's«, sagte Hadley.

Somers zog die Tür hinter ihnen zu und ging ihnen zunächst durch einen dämmrigen Flur und dann drei Treppen hinauf voran. Das Haus war eng; jedes Stockwerk bestand aus einer möblierten Wohnung, welche die gesamte Fläche des Hauses einnahm. Die Wohnungstür im obersten Stock neben einer Leiter, die auf das Dach führte, stand weit offen. Über dem eigentlichen Schlüsselloch glänzte das Extraschloß. Somers führte sie durch einen dunklen Korridor, von dem drei Türen abgingen.

»Hier entlang, Sir«, dirigierte er und deutete auf die erste Tür links. »Das ist das Badezimmer. Ich mußte einen Shilling in den Zähler werfen, um Licht machen zu können – jetzt!«

Er drückte auf einen Schalter. Das Bad entpuppte sich als eine schmuddelige ehemalige Abstellkammer, ausgekleidet mit einem glatten Kachelimitat und ausgetretenem Wachstuch auf dem Boden. Der Tank des mächtigen Boilers war angerostet. Über einem Waschtisch mit Schüssel und Krug hing ein halbblinder Spiegel.

»Er hat versucht, sauberzumachen, sehen Sie, Sir«, erklärte Somers. »Aber Sie können immer noch rötliche Schlieren in der Wanne erkennen, wo das Wasser ausgeschüttet wurde. Hier hat er sich die Hände gewaschen. Und hier, hinter diesem Wäschekorb...«

Mit großer dramatischer Geste stieß er den Korb zur Seite, faßte dahinter in den Staub und hob einen noch nassen Lappen auf, der trübe rosa Flecken aufwies. »Damit hat er seine Kleider abgerieben«, rief Somers aus.

»Gut gemacht«, sagte Hadley milde. Er hielt den Lappen mit spitzen Fingern, warf Dr. Fell einen Blick zu, lächelte und legte den Fund wieder ab. »Jetzt die anderen Zimmer. Ich bin gespannt auf dieses Seil.«

Jemandes Persönlichkeit hatte diese Räume so durchdrungen wie das kümmerliche Gelb der elektrischen Glühbirne oder der stechende Geruch von Chemikalien, den nicht einmal O'Rourkes starker Tabakgeruch ganz zu überdecken vermochte. Es war in mehr als nur einem Sinn eine Räuberhöhle. Schwere Vorhänge waren vor die Fenster des großen vorderen Zimmers gezogen. Auf einem Tisch unter hellem Licht lag ein Arsenal von kleinen Stahl- und Drahtwerkzeugen mit gebogenen Enden und runden Köpfen – »Dietriche!« sagte Hadley und pfiff durch die Zähne beim Anblick eines Sortimentes loser Türschlösser und eines Bündels Geldscheine.

Ein starkes Mikroskop und ein Kasten mit Glasplättchen befanden sich ebenfalls dort. Auf einem Experimentiertisch waren in einem Holzständer sechs beschriftete Reagenzgläser aufgereiht. Eine Wand war mit Büchern verstellt. Der kleine eiserne Panzerschrank in einer Ecke des Zimmers entlockte Hadley einen erstaunten Ausruf.

»Wenn er ein Einbrecher ist«, meinte der Superintendent, »dann ist er der modernste und gelehrteste Einbrecher, der mir seit langem begegnet ist. Ich wußte gar nicht, daß dieser Trick in England bekannt ist. Sie haben sich doch damit beschäftigt, Fell. Erkennen Sie es?«

»In die obere Eisenplatte ist ein großes Loch hineingeschnitten, Sir«, warf Somers ein. »Wenn er mit einem Schweißbrenner gearbeitet hat, dann ist das die sauberste Schneidearbeit mit Acetylen, die mir je untergekommen ist. Er . . .«

»Er hat mit keinem Schweißbrenner gearbeitet«, sagte Hadley, »sondern viel sauberer und einfacher. Sie sehen hier das Kruppsche Präparat. Ich bin eher schwach in Chemie, aber soweit ich weiß, handelt es sich um pulverisiertes Aluminium und Eisenoxyd. Man mischt das Pulver auf dem Panzerschrank an, gibt, wie heißt es doch, pulverisiertes Magnesium dazu und zündet ein Streichholz an. Es explodiert nicht, es entwickelt lediglich eine Temperatur von ein paar 1 000 Grad, und schon schmilzt ein Loch direkt durch das Metall. Sehen Sie die Metallröhre dort auf dem Tisch? So eine haben wir im Schwarzen Museum. Es ist ein Detektoskop oder eine sogenannte Fischaugenlinse, deren Brechung einen Winkel von 180 Grad einfangen kann, wie das Auge eines Fisches. Man kann die Röhre in ein Loch in der Wand schieben und alles erkennen, was sich im benachbarten Zimmer abspielt. Was halten Sie davon, Fell?«

»Ja, ja«, murmelte der Doktor abwesenden Blickes, als sei dies alles von nur untergeordneter Bedeutung. »Hoffentlich wissen Sie, was Sie davon zu halten haben. Das Rätsel, das . . . Aber wo ist das Seil? Ich bin sehr auf dieses Seil gespannt.«

»Anderes Zimmer, Sir, hinteres Zimmer«, sagte Somers. »Es ist ziemlich bombastisch hergerichtet, irgendwie orientalisch, Sie verstehen.«

Vermutlich dachte er an einen Diwan – oder gar einen Harem. Die farbenprächtigen Sofas und Wandbehänge, die Quasten, Troddeln und kleineren Spielereien, die Waffenarrangements:

All das wirkte in seinem türkischen Prunk und seiner Märchenhaftigkeit zwar unecht, verschlug aber den Eintretenden nichtsdestotrotz fast den Atem, hätte doch niemand erwartet, dergleichen an einem solchen Ort zu finden. Hadley öffnete die Vorhänge. Bloomsbury drang mit winterlichem Tageslicht in das Zimmer ein. Die Illusion verblaßte. Der Blick ging hinaus auf die Rückseiten der Gebäude in der Guilford Street, hinunter auf die gepflasterten Hinterhöfe und auf eine Gasse, die sich bis zur Rückseite des Kinderkrankenhauses wand. Aber Hadley hatte keine Muße für diesen Augenblick. Er stürzte sich auf das aufgerollte Seil, daß er auf einem Diwan fand.

Es war dünn, aber fest und in Abständen von etwa 60 Zentimetern geknotet; ein ganz gewöhnliches Seil, wäre nicht an einem Ende dieses seltsame Ding angebunden gewesen. Es sah wie eine schwarze Gummitasse aus, größer als eine Kaffeetasse, hart und mit einer griffigen Kante – wie ein Autoreifen.

»Hoppla!« ließ Dr. Fell sich vernehmen. »Sagen Sie, ist das etwa . . . ?«

Hadley nickte. »Ich habe davon gehört, aber noch nie eines gesehen, und ich habe nicht geglaubt, daß so etwas wirklich existiert. Hier, schauen Sie! Ein Unterdrucksaugnapf. Sie kennen das Prinzip von einem Kinderspielzeug. Es gibt Spielzeugpistolen, aus denen man einen kleinen Pfeil mit einem Miniatursaugnapf aus Gummi an der Spitze abschießen kann. Wenn man damit auf eine glatte Fläche trifft, saugt er sich fest, der Unterdruck läßt ihn festkleben.«

»Wollen Sie damit sagen«, fragte Rampole, »daß ein Einbrecher dieses Ding gegen eine Wand schießen und sich an das Seil hängen könnte, und der Sauger würde dem standhalten?«

Hadley zögerte. »So funktioniert es angeblich. Ich bin allerdings nicht . . .«

»Aber wie würde er es wieder losbekommen? Oder würde er einfach weggehen und es an der Wand hängen lassen?«

»Der Täter benötigte natürlich einen Komplizen. Wenn man die Kante dieses Dings nach innen drückt, dringt Luft hinein, und mit dem Unterdruck ist es vorbei. Trotzdem ist mir nicht klar, wie zum Teufel es benutzt worden sein könnte.«

O'Rourke, der sich das Seil sorgfältig angesehen hatte, räusperte sich. Er nahm die Pfeife aus dem Mund und räusperte sich noch mal, bis ihm die anderen ihre Aufmerksamkeit schenkten.

»Schauen Sie, Herrschaften«, begann er in gesenktem, vertraulichem Ton. »Ich will mich wirklich nicht einmischen, aber ich glaube, das ist alles Kokolores.«

Hadley drehte sich abrupt zu ihm um: »Wie meinen Sie das? Was wissen Sie darüber?«

»Ich würde eine kleine Wette mit Ihnen abschließen«, sagte der andere und stocherte zur Bekräftigung mit seinem Pfeifenstiel in der Luft herum, »daß dieses Ding Loony Fley gehört hat. Geben Sie es mir einen Moment, dann will ich mal sehen. Wohlgemerkt, ich kann nicht beschwören, daß es tatsächlich Loony gehörte. Es gibt hier 'ne Menge merkwürdiger Dinge. Aber...«

Er nahm das Seil und ließ seine Finger sanft darübergleiten, bis er an seine Mitte gelangt war. Dann zwinkerte er und nickte zufrieden. Er schloß seine Finger um das Seil und hielt dann plötzlich mit dem Gehabe eines Magiers seine Hände weit auseinander. Das Seil hatte sich in zwei Hälften geteilt.

»Hm-hm. Ja. Habe ich mir doch gedacht, daß es eins von Loonys Trickseilen ist. Sehen Sie? Die beiden Seilstücke sind mit einem Gewinde verbunden. An einem Ende sitzt eine Schraube, am anderen ein Gewinde; man schraubt es zusammen, wie man eine Schraube in Holz hineindreht. Die Verbindung ist unsichtbar: Man kann das Seil, so lange man will, untersuchen, es fällt unter keiner Beanspruchung auseinander. Verstehen Sie? Leute aus dem Publikum fesseln damit den Illusionisten, oder wie er sich nennen mag, und stecken ihn in eine Kiste. Dieses Seilstück liegt über seinen Händen. Die Zuschauer dürfen die Seilenden festhalten, um sicherzugehen, daß er nicht entwischt. Aber er schraubt das Ding einfach mit den Zähnen auseinander, hält das Seil mit den Knien straff und veranstaltet dann einen Höllenlärm in der Zauberkiste. Ein Wunder! Unfaßbar! Er hat sich befreit – das tollste Kunststück der Welt!« rief O'Rourke heiser. Er blickte freundlich in die Runde, klemmte sich die Pfeife wieder in den Mund und inhalierte tief. »Ja. Das war eins von Loonys Seilen, da halte ich jede Wette.«

»Das bestreite ich auch gar nicht«, entgegnete Hadley. »Aber was ist mit dem Saugnapf?«

Wieder lehnte sich O'Rourke leicht zurück, um Platz für seine ausholenden Gesten zu haben.

»Nun, Loony tat natürlich so geheimnisvoll wie sonstwas damit, wie Sie sich denken können. Doch ich habe bei diesen Zauberkunststücken immer wie ein Schießhund aufgepaßt ... Aber halt, verstehen Sie mich nicht falsch! Loony beherrschte manche Tricks, die wirklich gut waren, große Klasse! Dies hier war nur Routinezeug, über das jeder Bescheid wußte. Ja. Aber er arbeitete an etwas! Sie haben doch bestimmt schon mal von dem Indischen Seiltrick gehört? Der Fakir wirft ein Seil in die Luft, das straff senkrecht stehen bleibt, ein Junge klettert daran hoch und – hui! – verschwindet. Na?«

Eine Rauchwolke schwebte aus seinem Mund und verschwand in seiner ausgreifenden Geste.

»Soweit ich gehört habe«, sagte Dr. Fell und sah ihn blinzelnd an, »hat noch kein Mensch diesen Trick jemals gesehen.«

»So ist es! Das ist der springende Punkt«, konterte O'Rourke und schlug einen rechten Haken in die Luft. »Deshalb hat Loony ja versucht, auszutüfteln, wie man es bewerkstelligen könnte. Weiß Gott, ob's ihm jemals gelungen wäre. Ich vermute, dieser Saugnapf hatte den Zweck, das Seil irgendwo zu befestigen, nachdem er es in die Höhe geworfen hätte. Aber fragen Sie mich nicht, wie.«

»Und dann sollte jemand daran hochklettern«, sagte Hadley gewichtig, »hochklettern und verschwinden?«

»Na ja, ein Kind...« O'Rourke fegte den Gedanken beiseite. »Ich sag' Ihnen, dieses Ding könnte das Gewicht eines Erwachsenen nicht tragen. Hören Sie, meine Herrn, ich würde es für Sie ausprobieren und mich daran am Fenster hinausschwingen, aber ich will mir mein verdammtes Genick nicht brechen, außerdem ist mein Handgelenk nicht in Ordnung.«

»Ich glaube, wir haben trotzdem ausreichende Indizien«, sagte Hadley. »Sie sagen, der Bursche sei durchgebrannt, Somers? Liegt eine Beschreibung von ihm vor?«

Somers nickte wieder äußerst selbstzufrieden.

»Es dürfte kein Problem sein, ihn dingfest zu machen, Sir. Er nennt sich Jerome Burnaby, wahrscheinlich ein falscher Name, aber er ist eine ziemlich unverwechselbare Erscheinung und hat einen Klumpfuß.«

Kapitel 14

Die Kirchenglocken

Als nächstes war der gewaltige, staubaufwirbelnde Lärm Dr. Fellscher Heiterkeit zu vernehmen. Der Doktor lachte nicht nur, er brüllte. Er sank auf einen rotgelben Diwan, der bedenklich knarrend durchsackte, dröhnte vor Lachen und klopfte mit seinem Stock auf den Boden.

»Kalt erwischt!« rief er aus. »Kalt erwischt, meine lieben Freunde. Hihihi! Peng – und dahin ist das Gespenst; peng – und dahin sind unsere Indizien. Oh, Wunder über Wunder!«

»Was meinen Sie mit kalt erwischt?« wollte Hadley wissen. »Ich kann nichts Komisches dabei finden, unseren Mann eindeutig überführt zu haben. Sind Sie denn jetzt nicht ganz und gar von Burnabys Schuld überzeugt?«

»Ich bin jetzt ganz und gar von seiner Unschuld überzeugt«, antwortete Dr. Fell. Er zog ein rotes Tuch aus der Tasche und wischte sich über die Augen, während seine Belustigung allmählich verebbte. »Als wir in dem anderen Zimmer drüben waren, habe ich schon befürchtet, daß so etwas passieren würde. Es war alles ein bißchen zu schön, um wahr zu sein. Burnaby ist die Sphinx ohne Rätsel, der Verbrecher ohne Verbrechen – oder wenigstens ohne dieses spezielle Verbrechen.«

»Wenn Sie das bitte erklären wollen?«

»Mit Vergnügen«, sagte der Doktor umgänglich. »Hadley, sehen Sie sich doch mal um, und sagen Sie mir, woran Sie diese Wohnung erinnert. Haben Sie schon mal einen Einbrecher gekannt, irgendeinen Kriminellen, der seinen geheimen Schlupfwinkel so romantisch ausstaffiert hätte, mit einer derartigen Kulisse? Die Dietriche auf dem Tisch arrangiert, das Mikroskop, das zum Darüber-Brüten einlädt, die Chemikalien – und so weiter? Der echte Einbrecher, der echte Kriminelle, gleich welcher Couleur, achtet doch darauf, daß seine Behausung noch eine Spur respektabler als die eines Mitglieds im Kirchenvorstand aussieht. Diese

Ausstellung hier erinnert mich nicht einmal an jemanden, der den Einbrecher nur spielt. Aber wenn Sie einen Augenblick nachdenken, werden Sie darauf kommen, woran Sie das alles erinnert: aus hundert Geschichten und Filmen. Ich weiß das«, erklärte der Doktor, »weil ich mich selbst in dieser Atmosphäre mit ihrer ganzen Theatralik überaus wohl fühle. Hier spielt doch jemand Detektiv.«

Hadley stutzte und rieb nachdenklich sein Kinn. Dann sah er sich um.

»Als Sie ein Kind waren«, fuhr Dr. Fell behaglich fort, »haben Sie sich da nie einen Geheimgang in Ihrem Haus gewünscht? Haben Sie nie so getan, als wäre irgendein Loch in der Mansarde ein Geheimgang? Sind Sie nicht mit einer Kerze hineingekrochen und haben beinah das ganze Haus in Brand gesteckt? Haben Sie nie gespielt, Sie seien der Große Detektiv, und sich ein Geheimversteck an geheimem Ort gewünscht, wo Sie unter falschem Namen Ihre tödlichen Experimente durchführen konnten?

Hat nicht jemand die Bemerkung fallen lassen, Burnaby sei ein begeisterter Amateurkriminologe? Vielleicht schreibt er an einem Buch. Jedenfalls hat er die Zeit und das Geld, auf ziemlich anspruchsvolle Weise zu tun, was viele andere erwachsene Kinder auch gerne tun würden. Er hat sich ein Alter ego geschaffen. Er hat es im Verborgenen getan, denn sein Zirkel würde in schallendes Gelächter ausbrechen, wenn er Bescheid wüßte. Unbarmherzig haben die Bluthunde von Scotland Yard sein gefährliches Geheimnis aufgestöbert. Und sein gefährliches Geheimnis ist bloß ein Witz.«

»Sir!« protestierte Somers; es klang wie ein Aufschrei.

»Nun mal halblang«, sagte Hadley nachdenklich und bedeutete Somers Stillschweigen. Wieder sah sich der Superintendent verärgert und skeptisch in der Wohnung um. »Ich gebe zu, daß dieser Ort nicht sehr überzeugend wirkt; ja, ich gebe sogar zu, daß hier alles ein bißchen wie Kintopp aussieht. Aber was ist mit dem Blut und dem Seil? Bedenken Sie, es ist Fleys Seil. Und das Blut . . .«

Dr. Fell nickte.

»Ähem, ja. Mißverstehen Sie mich nicht. Ich sage nicht, daß diese Räume in unserer Sache keine Rolle spielen. Ich warne Sie lediglich davor, sich allzusehr in die Idee zu verrennen, Burnaby führte ein teufliches Doppelleben.«

»Das werden wir bald wissen. Und«, knurrte Hadley, »wenn der Bursche ein Mörder ist, dann kümmert es mich herzlich wenig, wie unschuldig seine zweite Existenz als Einbrecher sein mag. Somers!«

»Sir?«

»Sie gehen jetzt in Mr. Jerome Burnabys Wohnung hinüber – ja, ich weiß, daß Sie das nicht verstehen, aber ich meine seine andere Wohnung. Die Adresse ist Bloomsbury Square Nr. 13 A, zweiter Stock. Haben Sie das? Holen Sie ihn her. Benutzen Sie jeden beliebigen Vorwand, aber bringen Sie ihn her. Beantworten Sie keine Fragen über diese Wohnung, und stellen Sie auch keine. Verstanden? Und wenn Sie hinuntergehen, machen Sie dieser Wirtin mal ein bißchen Beine.«

Ein geknickter Somers verschwand, während Hadley im Zimmer auf- und abmarschierte und zornige Fußtritte gegen das Mobiliar austeilte. O'Rourke, der sich hingesetzt hatte und mit liebenswürdigem Interesse zuschaute, schwenkte seine Pfeife.

»Nun, meine Herren«, sagte er, »ich sehe es gern, wie die Bluthunde die Witterung aufnehmen. Ich kenne diesen Burnaby nicht, aber Sie scheinen ihn schon zu kennen. Wollen Sie noch irgend etwas wissen? Über Loony habe ich schon Sergeant, oder was immer er ist, Somers alles gesagt. Aber wenn es noch etwas gibt?«

Hadley holte tief Luft, um sich wieder auf seine Aufgabe zu besinnen. Er kramte in seiner Aktentasche herum.

»Dies ist Ihre Aussage, richtig?« Der Superintendent überflog die Zeilen. »Haben Sie dem noch irgend etwas hinzuzufügen? Ich meine, sind Sie sicher, daß er sagte, sein Bruder habe sich in dieser Straße eingemietet?«

»Ja, das sagte er, Sir. Er behauptete, er hätte ihn hier herumlungern sehen.«

Hadley blickte kurz auf. »Das ist aber nicht dasselbe. Was hat er denn nun genau gesagt?«

O'Rourke schien das für Wortklauberei zu halten. Er rutschte ungeduldig hin und her. »Na ja, das sagte er eben danach. Er sagte: ›Er hat sich hier ein Zimmer genommen. Ich hab' ihn hier herumlungern sehen.‹ Oder so ähnlich. Das ist die ganze Wahrheit!«

»Aber das ist nicht besonders eindeutig«, blieb Hadley stur. »Denken Sie nach!«

»Also wirklich, zum Teufel, ich denke nach!« protestierte O'Rourke kummervoll. »Beruhigen Sie sich. Die Leute reden viel daher, und wenn man sich hinterher genau erinnern soll und nicht mehr jedes einzelne Wort wiederholen kann, gilt man gleich als Lügner. Tut mir leid, Partner, aber besser kann ich Ihnen nicht dienen.«

»Was wissen Sie über diesen Bruder? Seit Sie Fley kennen – was hat er Ihnen von ihm erzählt?«

»Überhaupt nichts! Kein einziges Wort! Ich möchte nicht, daß Sie sich da falsche Vorstellungen machen. Wenn ich sage, ich kannte Loony besser als die meisten, dann heißt das nicht, daß ich viel über ihn wußte. Niemand tat das. Wenn er Ihnen je begegnet wäre, wüßten Sie, daß er der letzte Mensch war, mit dem man nach ein paar Glas Bier warm werden und über persönliche Dinge klönen konnte. Das wäre, als ob man für Graf Dracula eine Runde schmeißen wollte – ich meine natürlich, für jemanden, der so aussieht wie Dracula. Auf seine Art war Loony ein guter Kumpel.«

Hadley überlegte und schlug dann einen anderen Kurs ein.

»Das größte Problem, das wir jetzt haben – Sie werden es erraten haben –, ist, daß wir es mit einer unmöglichen Situation zu tun haben. Sie haben bestimmt die Zeitung gelesen?«

»Ja.« O'Rourkes Augen wurden schmal. »Warum fragen Sie?«

»Eine Art Illusion oder Bühnentrick wurde bei der Ermordung beider Opfer angewandt. Sie sagen, Sie kannten Zauberer und Entfesselungskünstler. Können Sie sich einen Trick vorstellen, der unser Problem löst?«

O'Rourke lachte, wobei seine Zähne unter seinem üppigen Schnurrbart aufblitzten. Die Lachfalten um seine Augen vertieften sich.

»Ach so! Das ist etwas anderes! Das ist natürlich was ganz anderes. Hören Sie, ich sag's Ihnen ganz offen: Als ich anbot, mich an diesem Seil zum Fenster hinauszuschwingen, habe ich Ihr Gesicht gesehen. Ich hatte Angst, Sie hätten das in den falschen Hals gekriegt, soweit es mich betrifft, verstehen Sie?« Er lachte wieder. »Vergessen Sie's! Um so ein Kunststück mit einem Seil durchzuführen, bräuchte man wirklich übernatürliche Kräfte, selbst wenn man ein Seil hätte und seine Füße benutzen könnte, ohne Spuren zu hinterlassen. Aber das andere . . .« Stirnrunzelnd kämmte O'Rourke mit seinem Pfeifenstiel den Schnurrbart. »Es› ist so. Ich bin kein Fachmann. Ich weiß nicht viel über diese Dinge, und über das, was ich weiß, halte ich normalerweise den Mund. Das ist so eine Art«, er gestikulierte, »Berufsethos, wenn Sie wissen, was ich meine. Und außerdem: Was das Befreien aus verriegelten Kisten und Verschwinden und solche Dinge angeht, darüber rede ich überhaupt nicht mehr.«

»Warum nicht?«

»Weil«, sagte O'Rourke mit Nachdruck, »die meisten Leute verdammt enttäuscht sind, wenn sie des Rätsels Lösung erfahren. Entweder ist die Sache so clever und simpel, manchmal unglaublich simpel, daß sie gar nicht glauben können, darauf hereingefallen zu sein. Sie sagen dann: ›Ach komm, erzähl mir nichts! Das hätte ich sofort gemerkt!‹ Oder es wird mit einem Assistenten gearbeitet. Dann sind sie noch viel enttäuschter. Dann heißt es: ›Ach so, wenn ihm jemand geholfen hat ...!‹ Als ob dann alles ein Kinderspiel wäre.«

Er paffte nachdenklich seine Pfeife.

»Es ist komisch mit den Leuten. Sie kommen, um eine Illusion zu sehen; man sagt ihnen, daß es eine Illusion ist, und sie geben ihr gutes Geld dafür aus. Aber trotzdem ärgern sie sich aus irgendeinem dummen Grund darüber, daß es sich nicht um wirkliche Magie handelt. Wenn sie die Erklärung hören, wie jemand aus einer verschlossenen Kiste oder einem verschnürten Sack, die sie vorher inspiziert haben, entwichen ist, ärgern sie sich, weil es nur ein Trick war. Sie sagen, es sei doch nur Bauernfängerei, wenn sie erkennen, wie sie hinters Licht geführt wurden.

Aber wissen Sie, man braucht nämlich Köpfchen, um sich einen von diesen einfachen Tricks auszudenken. Und wenn man ein guter Entfesselungskünstler sein will, muß man kaltblütig, stark, erfahren und schnell wie ein geölter Blitz sein. Doch die Leute überlegen sich nie, wieviel dazugehört, sie direkt vor ihren Augen an der Nase herumzuführen. Ich glaube, es wäre ihnen am liebsten, wenn das Geheimnis einer Entfesselung so etwas Gottloses wie wirkliche Magie wäre; etwas, das niemand auf Gottes Erdboden jemals tun könnte. Na ja, kein lebender Mensch kann sich eben so dünn wie eine Postkarte falten und durch einen Spalt schlüpfen. Niemand ist jemals durch ein Schlüsselloch gekrochen oder durch eine hölzerne Wand gegangen. Soll ich Ihnen ein Beispiel nennen?«

»Nur zu«, ermutigte ihn Hadley, der ihn gespannt ansah.

»Gut. Nehmen wir zuerst eins von der zweiten Sorte! Nehmen wir den Trick mit dem verschnürten und versiegelten Sack. Eine Art und Weise, wie man ihn durchführen kann.« O'Rourke genoß seinen Auftritt. »Auf die Bühne kommt der Zauberer, wenn Sie wollen, inmitten einer Gruppe von Leuten, mit einem leichten Sack aus schwarzem Musselin oder Satin, der gerade so groß ist, daß er aufrecht darin stehen kann. Er steigt hinein. Sein Assistent rafft den Sack um den Mann herum hoch und bindet ihn ungefähr 15 Zentimeter unterhalb der Öffnung mit einem langen Tuch zusammen. Dann dürfen die Zuschauer weitere Knoten anbringen, seine und ihre Knoten mit heißem Wachs übergießen, ihr eigenes Siegel in das Wachs stempeln . . . Zack! Ein Wandschirm wird um den Zauberer herum aufgestellt. 30 Sekunden später kommt er hervor, der Sack hängt über seinem Arm. Die Knoten sind immer noch fest geknüpft, gewachst und versiegelt. Tusch!«

»Nun?«

O'Rourke grinste, spielte wie stets mit seinem Schnurrbart – er schien es nicht lassen zu können, ihn zu zwirbeln – und ließ sich auf den Diwan fallen.

»Nun, Herrschaften, kommt das, was Sie so gern wissen möchten: Es gibt zwei identische, völlig gleiche Säcke. Den zweiten trägt der Zauberer ganz klein zusammengefaltet unter seiner Jacke. Wenn er in den ersten Sack steigt, sich darin bewegt und ihn zurechtrückt und der Assistent ihn über seinen Kopf zieht – hoppla, heraus kommt der zweite Sack. Die Öffnung des zweiten schwarzen Sacks wird durch die des ersten so etwa 15 Zentimeter weit herausgeschoben. Sie sieht wie die Öffnung des ersten aus. Der Assistent legt sie zusammen; und was er dann ganz ohne Trick zusammenbindet, ist die Öffnung des Duplikats. Nur eine schmale Kante des ersten Sacks wird so mitverschnürt, daß man den Übergang nicht erkennt. Zack! Die Knoten und Siegel werden angebracht. Wenn der Zauberer dann hinter der Wand ist, muß er nur noch die Kante des äußeren, ersten Sacks aus dem Knoten des zusammengebundenen zweiten ziehen, den ersten fallen lassen, in seiner Jacke verstauen und kann schließlich mit dem verschnürten und versiegelten zweiten Sack in der Hand hervorkommen. Verstehen Sie? Es ist simpel, es ist leicht zu bewerkstelligen, und trotzdem machen sich die Leute verrückt dabei herauszufinden, wie es gemacht wurde. Aber wenn sie es dann erfahren, sagen sie: ›Na ja, mit einem Assistenten!‹« Er machte eine abfällige Handbewegung.

Hadley war trotz seines professionellen Gehabes fasziniert, und Dr. Fell lauschte mit offenem Mund, gebannt wie ein Kind.

»Ja, ich weiß«, sagte der Superintendent, als wolle er in einem Streit recht behalten, »aber der Mann, hinter dem wir her sind und der diese Morde begangen hat, kann keinen Assistenten gehabt haben! Außerdem war das jetzt kein Verschwinde-Trick.«

»Schön«, sagte O'Rourke und schob den Hut auf ein Ohr. »Dann kriegen Sie jetzt ein wunderschönes Beispiel für einen Verschwinde-Trick. Eine Bühnenillusion, wohlgemerkt, und zwar von der feinsten Sorte. Man kann das auch in einem Freilichttheater vorführen, wo es keine Falltüren, Spezialrequisiten oder sonstige Schikanen gibt. Nur ein bißchen Platz.

Herausgeritten kommt der Illusionist, in einer prächtigen blauen Uniform, auf einem prächtigen weißen Pferd. Auftritt seiner Assistenten, in weißen Uniformen, mit dem üblichen Zirkus-Tamtam. Sie laufen einmal im Kreis herum, dann schlagen zwei der Assistenten einen großen Fächer auf, der – nur für einen kurzen Augenblick – den Mann auf dem Pferd verdeckt. Weg wird der Fächer genommen und ins Publikum geworfen, damit jeder sehen kann, daß er in Ordnung ist. Aber der Mann auf dem Pferd ist verschwunden. Er ist geradewegs von einem offenen fünf Hektar großen Feld v e r s c h w u n d e n. Hurra!«

»Und wie wollen Sie das erklären?« wollte Dr. Fell wissen.

»Nichts leichter als das. Der Reiter hat das Feld nie verlassen. Aber man sieht ihn nicht mehr. Man sieht ihn nicht mehr, weil die prächtige blaue Uniform aus Papier war – über einer echten weißen. Sobald der Fächer ihn verbirgt, reißt er sich die blaue Papieruniform vom Leib und stopft sie unter die weiße. Er springt vom Pferd und schließt sich seinen weißuniformierten Assistenten an. Es zählt eben niemals jemand, wie viele Assistenten es vorher waren. Alle laufen nun hinaus, ehe etwas auffällt. Darauf beruhen fast alle Tricks. Man sieht etwas, das man nicht wahrnimmt, oder man beschwört, etwas gesehen zu haben, was gar nicht existierte. Hokuspokus! Zack! Die größte Schau der Welt!«

Es war still in dem stickigen, farbenfrohen Zimmer. Der Wind rüttelte an den Fenstern. Von ferne waren Kirchenglocken zu hören, ein Taxi rauschte vorüber und ließ lange seine Hupe erklingen. Hadley schlug die Seiten seines Notizbuches auf.

»Wir schweifen ab«, sagte er. »Ganz schön clever, aber was hat das mit unserem Problem zu tun?«

»Nichts«, räumte O'Rourke ein, der von lautlosen Lachanfällen geschüttelt schien. »Ich hab' Ihnen das erzählt, na, weil Sie danach gefragt haben, und um Ihnen zu zeigen, womit Sie es zu tun haben. Ich sag's Ihnen ins Gesicht, Mr. Superintendent, ich will Ihnen nicht den Wind aus den Segeln nehmen, aber wenn Sie es mit einem gerissenen Illusionisten zu tun haben, haben Sie weniger Chancen als ein Schneeball in der Hölle; Sie haben nicht soviel Chancen.« Er schnippte mit den Fingern. »Sie sind dafür ausgebildet, es ist ihre Berufung. Und es gibt kein Gefängnis auf der Welt, das sie festhalten könnte.«

Hadleys Kiefermuskeln mahlten aufeinander. »Das werden wir sehen, wenn es soweit ist. Was mich im Augenblick beschäftigt, und was mich schon seit einiger Zeit beschäftigt, ist: Warum hat Fley seinen Bruder geschickt, um den Mord zu begehen? Fley war der Illusionist, Fley wäre der richtige Mann dafür gewesen, aber er tat es nicht. War sein Bruder von derselben Sorte?«

»Keine Ahnung. Ich habe seinen Namen nie irgendwo auf einem Plakat gelesen. Aber...«

Dr. Fell unterbrach ihn. Mit schwerem Keuchen rappelte er sich von dem Diwan auf und sagte scharf:

»Machen Sie klar Schiff, Hadley, wir kriegen Arbeit. In ungefähr zwei Minuten wird Besuch kommen. Schauen Sie mal hinaus – aber kommen Sie dem Fenster nicht zu nah!«

Er gestikulierte mit seinem Stock. Unter ihnen, wo sich die Gasse zwischen blinden Fenstern durchwand, stemmten sich zwei Gestalten gegen den Wind. Sie waren von der Guilford Street eingebogen und hielten zum Glück die Köpfe gesenkt.

Die eine erkannte Rampole als Rosette Grimaud; die andere war ein hochgewachsener Mann, der an einem Stock ging, wobei seine Schulter auf- und abschwankte, ein Mann, dessen Bein entstellt und dessen rechter Stiefel ungewöhnlich klobig schien.

»Löschen Sie das Licht in den übrigen Räumen«, befahl Hadley. Er wandte sich an O'Rourke: »Ich bitte Sie um einen großen Gefallen. Gehen Sie, so schnell Sie können, hinunter, halten Sie die Wirtin auf, sagen Sie ihr irgendwas, halten Sie sie bloß unten fest, bis Sie von mir hören. Und machen Sie die Tür hinter sich zu!«

O'Rourke war bereits draußen auf dem schmalen Korridor und knipste die Lichter aus.

Dr. Fell blickte bekümmert drein.

»Hören Sie, Sie meinen doch nicht etwa, daß wir uns verstecken, um gräßliche Geheimnisse zu belauschen, oder?« fragte er. »Ich verfüge nicht über das, was Mills die für derartige Narreteien notwendige anatomische Struktur nennen würde. Außerdem werden Sie uns in Sekundenfrist entdecken. Hier ist alles voll Rauch: O'Rourkes Kraut.«

Hadley murmelte Gotteslästerliches. Er ließ die Vorhänge zugleiten, so daß nur noch ein schmaler Lichtstreifen ins Zimmer fiel.

»Ich kann's nicht ändern. Wir müssen es riskieren. Wir werden hier ganz still sitzen bleiben. Vielleicht liegt ihnen irgend etwas so sehr auf der Seele, daß sie es ausplaudern, sobald sie diese Wohnung betreten und die Tür hinter sich geschlossen haben. Das machen die Leute so. Was halten Sie übrigens von O'Rourke?«

»Ich finde«, stellte Dr. Fell emphatisch fest, »daß O'Rourke der anregendste, erhellendste und phantasiebeflügelndste Zeuge ist, den wir in diesem Alptraum bisher gehört haben. Er hat meine intellektuelle Selbstachtung gerettet. Er ist sogar fast so erhellend wie die Kirchenglocken.«

Hadley, der durch den Spalt zwischen den Vorhängen die Gasse beobachtete, drehte sich zu Fell um. Der Lichtstreifen, der ihm quer über die Augen fuhr, verlieh ihm eine gewisse Verwegenheit. »Kirchenglocken? Was für Kirchenglocken?«

»Beliebige Kirchenglocken«, erwiderte Dr. Fells Stimme aus der Dunkelheit. »Ich bekenne, daß der Gedanke an jene Glocken mir in meiner heidnischen Blindheit Licht und Balsam gewesen ist. Er mag mich vor einem verhängnisvollen Fehler bewahren... Ja, mir ist ganz wohl.« Die Spitze seines Stockes pochte auf den Boden, und Dr. Fells Stimme klang angespannt. »Licht, Hadley! Endlich sehe ich das Licht und höre die glorreiche Botschaft aus dem Glockenturm.«

»Sind Sie ganz sicher, daß in Ihrem Oberstübchen noch alles im Lot ist, ja? Warum in Gottes Namen hören Sie dann nicht mit dieser Geheimniskrämerei auf und sagen mir, was Sie meinen? Ich nehme an, das Glockengeläut verrät Ihnen, wie der Verschwinde-Trick funktioniert hat.«

»Oh, nein«, sagte Dr. Fell. »Bedauerlicherweise nicht. Er verrät mir nur den Namen des Mörders.«

Die Stille im Zimmer wurde greifbar, eine körperliche Schwere, wie Atem, der bis zum Zerbersten angehalten wird.

Dr. Fell hatte mit ausdrucksloser, beinahe ungläubiger Stimme gesprochen, die gerade in ihrer schieren Ungläubigkeit überzeugend gewirkt hatte. Drunten fiel eine Hintertür ins Schloß. Durch das schweigende Haus hörten sie Schritte, die sich auf der Treppe näherten. Zum einen leichte, schnelle, ungeduldige Schritte, zum anderen ein abwechselndes Schlurfen und schweres Tapsen. Ein Stock klapperte gegen das Treppengeländer. Die Geräusche wurden stetig lauter, aber kein Wort ließ sich vernehmen. Ein Schlüssel klapperte im Schloß der Wohnungstür, die sich öffnete und wieder zuschnappte. Mit leisem Klicken wurde das Licht im Korridor eingeschaltet. Dann – offenbar, als sie einander sehen konnten – brach es aus den beiden hervor, als seien sie es gewesen, die mit angehaltenem Atem gewartet hätten.

»Du hast also den Schlüssel verloren, den ich dir gegeben habe«, hörte man eine dünne, rauhe und leise Stimme. Sie klang spöttisch und doch mühsam beherrscht. »Und du behauptest, gestern abend gar nicht hiergewesen zu sein.«

»Gestern abend nicht«, entgegnete Rosette Grimauds Stimme leise, aber erregt. »Gestern abend nicht und auch sonst niemals.« Sie lachte auf. »Ich hatte nie die Absicht, überhaupt je hierher zu kommen. Du hast mich ein bißchen erschreckt. Na und, was ist schon dabei? Und nun, da ich hier bin, beeindruckt mich dein Versteck gar nicht so sehr. Hattest du gestern eine angenehme Wartezeit?«

Ein Geräusch war zu hören, als habe sie einen plötzlichen Schritt nach vorne getan, wäre aber zurückgehalten worden.

»Jetzt, du kleine Teufelin«, flüsterte der Mann genauso leise, »werde ich dir etwas verraten, was du dir merken solltest. Ich bin nicht hier gewesen. Ich wollte nicht wirklich kommen. Wenn du glaubst, es genügt, daß du mit der Peitsche knallst, und schon springen alle durch den Reifen – nun, ich bin nicht hier gewesen, verstehst du? Ich kann allein durch Reifen springen. Ich war nicht hier.«

»Du lügst, Jerome«, sagte Rosette ruhig.

»Glaubst du? Warum sollte ich?«

Zwei Schemen erschienen im Lichtschein der halboffenen Tür. Hadley streckte die Hände aus und riß mit einem Ruck, der die Ringe laut klappern ließ, die Vorhänge auf.

»Auch wir würden gern die Antwort auf diese Frage hören, Mr. Burnaby«, sagte er.

Das diesige Tageslicht, das mit einem Mal auf ihre Gesichter fiel, überrumpelte sie. Ihre Mienen nahmen für einen Augenblick einen leeren, erstarrten Ausdruck an, wie auf einem photographischen Schnappschuß. Rosette Grimaud stieß einen Schrei aus und machte mit erhobenem Arm eine Bewegung, als wolle sie sich schützen. Aber für Sekundenbruchteile war ein bitterer, wachsamer und gefährlich triumphierender Ausdruck über ihr Gesicht geglitten. Jerome Burnaby stand reglos da. Seine Brust hob und senkte sich. Wie sich seine Silhouette da vor dem schwachen elektrischen Lichtschein aus dem Flur abzeichnete, mit seinem altmodischen, breitkrempigen schwarzen Hut, ähnelte er ein wenig der hageren Gestalt aus der Sandeman-Reklame. Aber er war mehr als nur eine Silhouette. Er hatte ein starkes, gefurchtes Gesicht, das normalerweise gutmütig und gewinnend wie seine Gesten sein mochte, ein markantes Kinn und Augen, aus denen der Zorn jede Farbe vertrieben zu haben schien. Er setzte seinen Hut ab und warf ihn mit einer ausladenden Geste, die Rampole ziemlich theatralisch vorkam, auf einen Diwan. Sein drahtiges braunes Haar, an den Schläfen bereits ergraut, richtete sich ruckartig auf wie ein Springteufel, der vom Druck des Schachteldeckels befreit wird.

»Nun«, begann er im verzweifelten Bemühen, die Sache ins Scherzhafte zu ziehen, und machte auf seinem Klumpfuß einen unsicheren Schritt in den Raum hinein. »Soll das ein Überfall sein? Drei gegen einen, wie ich sehe. Aber ich habe zufällig einen Stockdegen.«

»Den wirst du nicht brauchen, Jerome«, sagte das Mädchen. »Sie sind von der Polizei.«

Burnaby blieb stehen. Die Neuigkeit schien ihn zu beunruhigen, doch legte er seine scherzhafte Ironie keineswegs ab. »Ah, die Polizei, so so! Ich fühle mich geehrt. Man hat sich gewaltsam Zutritt verschafft, wie ich sehe.«

»Sie sind der Mieter dieser Wohnung«, sagte Hadley verbindlich, »nicht der Hausbesitzer oder Hauswirt. Wenn verdächtiges Benehmen beobachtet wird . . . Was verdächtiges Benehmen angeht, bin ich mir durchaus nicht sicher, Mr. Burnaby, aber ich denke, Ihre Freunde würden sich über diese . . . orientalische Ausstattung amüsieren. Meinen Sie nicht auch?«

Hadleys Lächeln und der Ton seiner Stimme hatten eine empfindliche Stelle getroffen. Burnabys Gesicht nahm plötzlich eine schmutziggraue Färbung an.

»Verdammt!« zischte er und hob seinen Stock ein wenig an. »Was wollen Sie?«

»Zuallererst, ehe wir es vergessen, wollen wir auf das zurückkommen, was Sie sagten, als Sie hereinkamen.«

»Sie haben mitgehört!«

»Ja. Leider haben wir nicht mehr mitgehört«, meinte Hadley seelenruhig. »Miss Grimaud sagte, daß Sie gestern abend hier waren! Stimmt das?«

»Nein.«

»Sie waren n i c h t hier. War er hier, Miss Grimaud?«

In ihr Gesicht war die Farbe zurückgekehrt, und zwar mit Heftigkeit, denn sie war wütend, bewahrte aber kaltlächelnd Selbstkontrolle. Sie sprach atemlos, und aus ihren großen Haselnußaugen strahlte die unbeirrbare Anspannung eines Menschen, der gewillt ist, keinerlei Emotionen zu zeigen. Ihre Finger kneteten ihre Handschuhe, und aus ihren kurzen Atemzügen sprach nun weniger Zorn denn Angst.

»Da Sie uns nun mal belauscht haben«, antwortete sie nach einer nachdenklichen Pause, in der sie alle reihum musterte, »kann ich es ja wohl kaum mehr leugnen. Aber ich begreife nicht, wieso Sie das überhaupt interessiert. Es kann doch mit ... dem Tod meines Vaters nichts zu tun haben. Soviel steht fest. Was auch immer Jerome ansonsten sein mag«, ein scheues Lächeln entblößte ihre Zähne, »ein Mörder ist er nicht. Aber da Sie sich nun mal aus irgendeinem Grund dafür interessieren, habe ich gute Lust, jetzt alles sofort zu beichten. Irgendeine Version, das ist mir klar, wird Boyd zu Ohren kommen. Dann lieber gleich die Wahrheit. Ich fange mal damit an, daß ich sage: Ja, Jerome ist gestern abend in dieser Wohnung gewesen.«

»Woher wissen Sie das, Miss Grimaud? Waren Sie auch hier?«

»Nein, aber ich habe um halb elf Licht in diesem Zimmer gesehen.«

Kapitel 15

Das Licht im Fenster

B urnaby rieb immer noch sein Kinn und sah die anderen vollkommen leer und ausdruckslos an. Rampole hätte schwören mögen, daß der Mann ehrlich verblüfft war, so verblüfft, daß er ihre Worte gar nicht recht verstand und sie anstarrte, als habe er sie nie zuvor gesehen. Dann ergriff er in einem ruhigen, vernünftigen Ton, der sich stark von seinem früheren Auftreten abhob, das Wort:

»Rosette«, versetzte er, »reiß dich zusammen! Du weißt nicht, was du da redest.«

»Doch. Und ob ich das weiß.«

Hadley ging brüsk dazwischen. »Um halb elf? Wie konnten Sie dieses Licht sehen, Miss Grimaud, wenn Sie zu dieser Zeit zu Hause und mit uns zusammen waren?«

»Oh, das w a r ich nicht, erinnern Sie sich. Nicht um diese Zeit. Ich war in der Klinik, mit dem Arzt in dem Zimmer, in dem Vater starb. Ich weiß nicht, ob Sie es bemerkt haben, von der Rückseite der Klinik sieht man auf dieses Haus. Ich befand mich nicht weit von einem Fenster, und da fiel es mir auf: In diesem Zimmer brannte Licht. Ich glaube, auch im Bad, doch ich bin nicht sicher . . .«

»Woher kennen Sie die Zimmer«, fragte Hadley spitz, »wenn Sie noch nie hier gewesen sind?«

»Ich habe es mir sehr genau angesehen, als wir eben hereinkamen«, antwortete sie mit ihrem heiteren, unerschütterlichen Lächeln, das Rampole an Mills erinnerte. »Gestern abend kannte ich die Zimmer noch nicht; ich wußte lediglich, daß dies seine Wohnung war, und wo die Fenster sind. Die Vorhänge waren nicht ganz zugezogen. Deshalb konnte ich das Licht sehen.«

Burnaby betrachtete sie immer noch mit derselben intensiven Aufmerksamkeit.

»Moment mal, Inspektor.« Er zog seine Schultern hoch. »Bist du sicher, daß du die Zimmer nicht verwechselt hast, Rosette?«

»Ganz sicher, mein Lieber. Dies ist das Haus links an der Ecke vor der Gasse, und du hast das oberste Stockwerk.«

»Und du behauptest, mich gesehen zu haben?«

»Nein, ich behaupte, Licht gesehen zu haben. Aber außer uns weiß niemand von dieser Wohnung. Und da du mich herbestellt und gesagt hattest, du würdest hier sein . . .«

»Herr im Himmel!« sagte Burnaby, »ich bin neugierig, wie weit du gehen wirst.« Er humpelte zu einem Stuhl, wobei er jedesmal den Mundwinkel verzog, wenn er sich auf seinen Stock stützte; er ließ sich schwer fallen und beobachtete das Mädchen weiter aus seinen wäßrigen Augen. Sein widerspenstiges Haar ließ ihn merkwürdig wachsam aussehen. »Bitte rede weiter! Es interessiert mich! Ja, ich bin richtig gespannt, wie weit du zu gehen wagst.«

»Was du nicht sagst«, entgegnete Rosette tonlos. Sie wirbelte herum, aber ihre Entschlossenheit schien Risse zu bekommen, und endlich war sie den Tränen kläglich nahe. »Ich wüßte es selbst gern. Ich . . . ich wüßte gern, was mit mir los ist . . . Ich sagte vorhin, ich wollte jetzt alles beichten«, wandte sie sich an Hadley, »doch jetzt weiß ich nicht mehr, ob ich das wirklich will. Wenn ich mir nur über ihn klar wäre, ob er wirklich etwas empfindet und einfach ein liebenswerter, freundlicher alter . . . alter . . .«

»Sag bloß nicht Freund der Familie«, fuhr Burnaby auf. »Sag um Himmels willen nicht Freund der Familie. Ich wüßte selbst gerne, was ich von dir halten soll. Ich wüßte gerne, ob du glaubst, die Wahrheit zu sagen, oder ob du, verzeih mir, wenn ich meine Ritterlichkeit für einen Augenblick vergesse, eine verlockende kleine Hexe bist.«

Sie brachte nun gelassen ihren Satz zum Ende: ». . . oder ein höflicher Erpresser bist. Oh, es geht ihm nicht um Geld!« Ihr Zorn flammte wieder auf. »Hexe? Ja. Miststück, wenn du willst. Ich geb's zu, ich war beides – aber warum? Weil du mit all deinen Andeutungen alles vergiftet hast. Wenn ich nur wüßte, ob es Andeutungen waren oder bloß Einbildung; wenn ich wenigstens sicher wäre, daß du ein ehrlicher Erpresser bist!«

Hadley mischte sich ein: »Andeutungen welcher Art?«

»Ach, die Vergangenheit meines Vaters betreffend, wenn Sie es genau wissen wollen.« Sie rang ihre Hände. »Über meine Geburt, zum Beispiel, und ob sich nicht außer Miststück andere liebenswürdige Bezeichnungen für mich finden ließen. Aber das spielt keine Rolle. Es kümmert mich überhaupt nicht. Es ist diese schreckliche Geschichte über meinen Vater – was ich weiß? Vielleicht sind es nicht einmal Andeutungen; aber irgendwie spukt mir die Idee im Kopf herum, daß der alte Drayman ein Erpresser ist . . . Und dann bat mich Jerome gestern abend, hierherzukommen – warum? Ich dachte: Na ja, es war der Abend, den ich mit Mangan verbringe, und es reizt Jeromes Narzißmus, ausgerechnet diesen Abend zu wählen. Aber ich wollte und will nicht denken – bitte verstehen Sie mich! –, daß Jerome selbst sich ein bißchen als Erpresser versucht hat. Ich habe ihn gern, ich kann nicht anders – und das macht es so schrecklich.«

»Dann lassen Sie uns die Angelegenheit klären«, sagte Hadley. »Haben Sie ›Andeutungen‹ gemacht, Mr. Burnaby?«

Es folgte eine lange Stille, während Burnaby seine Hände betrachtete. Mit seinem gesenkten Kopf und den bedächtigen schweren Atemzügen erweckte er den Eindruck, als versuche er mühsam, sich zu einer Antwort durchzuringen. Hadley ließ ihm Zeit, bis er schließlich den Kopf hob.

»Ich hätte nie gedacht . . .«, begann er. »Andeutungen? Ja. Ja, streng genommen habe ich wohl so etwas wie Andeutungen gemacht. Aber nie absichtlich. Ich schwöre, ich hätte nie gedacht . . .« Er sah Rosette an. »So etwas rutscht einem eben so raus. Vielleicht hält man es selbst für eine subtile Frage.« Er stieß mit einem fast verzweifelten Zischen seinen Atem aus und zuckte die Achseln. »Für mich war es ein reizvolles Gedankenspiel, weiter nichts. Ich habe es nicht einmal als Spionieren aufgefaßt. Ich versichere, ich hätte niemals vermutet, daß es jemand bemerken, geschweige denn sich zu Herzen nehmen würde. Rosette, wenn das der einzige Beweggrund für dein Interesse an mir ist; wenn du dachtest, ich sei ein Erpresser, und wenn du Angst vor mir hattest, dann schmerzt es mich, das zu erfahren. Oder?« Er schaute wieder auf seine Hände hinunter, drehte die Flächen nach außen, legte die Fingerspitzen erneut zusammen und ließ seinen Blick durch das Zimmer schweifen. »Schauen Sie sich nur einmal hier um, meine Herren. Insbesondere das vordere Zimmer. Sie werden es bestimmt bemerkt haben. Dann kennen Sie die Antwort. Der Große Detektiv. Der arme Esel mit dem deformierten Fuß, ein Träumer.«

Hadley zögerte einen Augenblick.

»Und hat der Große Detektiv etwas über Professor Grimauds Vergangenheit herausgefunden?«

»Nein... und falls doch, glauben Sie, ich würde es Ihnen sagen?«

»Wir werden sehen, ob wir Sie nicht überreden können. Wissen Sie, daß sich in Ihrem Badezimmer Blutflecken befinden, dort, wo Miss Grimaud gestern abend Licht bemerkt haben will? Wissen Sie außerdem, daß Pierre Fley nicht lange vor halb elf unmittelbar vor Ihrer Haustür ermordet wurde?«

Rosette Grimaud stieß einen spitzen Schrei aus; Burnabys Kopf fuhr in die Höhe.

»Fley ermor... Blutflecken! Nein! Wo denn? Mann, was wollen Sie damit sagen?«

»Fley hatte in dieser Straße ein Zimmer gemietet. Wir glauben, daß er auf dem Weg hierher war, als er starb. Jedenfalls wurde er auf der Straße vor diesem Haus von demselben Mann erschossen, der auch Grimaud auf dem Gewissen hat. Können Sie beweisen, wer Sie sind, Mr. Burnaby? Können Sie beweisen, daß Sie in Wahrheit nicht Dr. Grimauds und Fleys leiblicher Bruder sind?«

Der andere starrte ihn an. Zitternd hievte er sich mühsam aus seinem Stuhl hoch.

»Gütiger Himmel! Mann, sind Sie nicht bei Trost?« fragte er mit leiser Stimme. »Bruder! Ich verstehe!... Nein, ich bin nicht sein Bruder. Glauben Sie, wenn ich sein Bruder wäre, würde ich mich für seine...«, er gewann die Beherrschung zurück, warf Rosette einen Blick zu und sprach mit grimmigem Gesichtsausdruck weiter. »Und selbstredend kann ich das auch beweisen. Ich müßte irgendwo eine Geburtsurkunde haben... Ich kann Leute benennen, die mich mein ganzes Leben gekannt haben. Brüder!«

Hadley beugte sich hinunter zum Diwan und zog die Seilrolle hervor.

»Was ist mit diesem Seil? Gehört das auch zu Ihrem Großen-Detektiv-Spiel?«

»Das? Nein. Was ist das? Habe ich noch nie gesehen.«

Rampoles Blick fiel auf Rosette Grimaud, er bemerkte, daß sie weinte. Sie stand regungslos da, ihre Arme hingen schlaff an den Seiten hinab, ihr Gesicht war gefaßt, aber sie vermochte die Tränen nicht zurückzuhalten.

»Und können Sie auch beweisen«, fuhr Hadley fort, »daß Sie gestern abend nicht in dieser Wohnung waren?«

Burnaby atmete tief durch. Erleichterung ließ sein ernstes Gesicht aufleuchten.

»Ja, zu meinem Glück kann ich das. Gestern abend war ich von ungefähr acht Uhr an, vielleicht auch bereits ein bißchen früher, bis nach elf in meinem Klub. Das können Ihnen Dutzende von Leuten bestätigen. Um genau zu sein: Fragen Sie die drei Spieler, mit denen ich die ganze Zeit gepokert habe. Sie wollen ein Alibi? Schön. Ein derart hieb- und stichfestes Alibi haben Sie noch nie bekommen. Ich war nicht hier. Ich habe keine Blutflecken hinterlassen, ganz gleich, wo zum Teufel Sie welche gefunden haben wollen. Ich habe weder Fley noch Grimaud noch sonstwen umgebracht!« Sein massiver Kiefer schob sich nach vorn. »Was sagen Sie jetzt?«

Kaum daß Burnaby zu Ende gesprochen hatte, ging der Superintendent zum Gegenangriff über und wandte sich an Rosette:

»Sie bleiben trotzdem dabei, daß hier um halb elf Licht brannte?«

»Ja! Aber Jerome, ich wollte wirklich nicht...«

»Wie dem auch sein mag, als mein Mitarbeiter heute früh hier ankam, war der elektrische Zähler abgeschaltet, und das Licht ging nicht an.«

»Ich... doch, es stimmt trotzdem. Aber was ich sagen wollte...«

»Nehmen wir mal an, Mr. Burnaby sagt über gestern abend die Wahrheit. Sie behaupten dagegen, er hat Sie hierher bestellt. Ist es denn wahrscheinlich, daß er das tat, wenn er vorhatte, in seinen Klub zu gehen?«

Burnaby lehnte sich ruckartig nach vorn und legte eine Hand auf Hadleys Arm. »Sachte: Wir wollen jetzt alle Karten auf den Tisch legen, Inspektor. Genau das habe ich getan. Es war ein gemeiner Trick, aber ich hab's getan. Schauen Sie, muß ich das erklären?«

»Aber, aber aber!« ließ sich die ruhige, dröhnende Stimme Dr. Fells in mißbilligendem Ton vernehmen. Er zog ein rotes Tuch hervor und schneuzte sich mit einem unüberhörbaren Hupgeräusch die Nase, um sich Aufmerksamkeit zu verschaffen. Dann blinzelte er die anderen leicht verwirrt an.

»Hadley, das Durcheinander ist auch so schon groß genug. Lassen Sie mich ein besänftigendes Wort sprechen. Mr. Burnaby hat so gehandelt, um sie, wie er sich ausdrücken würde, durch den

Reifen springen zu lassen. Ähem! Entschuldigen Sie meine Direktheit, Ma'am, aber ich erlaube mir das zu sagen, weil dieser bestimmte Leopard ohnehin nicht springen würde, habe ich recht? Was die Frage des Lichts angeht, das nicht funktionierte: Das ist nicht annähernd so mysteriös, wie es klingt. Es handelt sich, wie Sie sehen können, um ein Münzgerät. Jemand war hier. Dieser Jemand hat das Licht brennen lassen, wahrscheinlich die ganze Nacht lang. Na, der Zähler hat Strom für einen Shilling verbraucht, danach ging das Licht einfach aus. Wir wissen nicht, in welcher Stellung die Schalter standen, weil Somers zuerst hiergewesen ist. Verdammt, Hadley, wir haben genügend Beweise, daß gestern abend jemand in dieser Wohnung war. Die Frage ist bloß: wer?« Er blickte in die Runde. »Hm, Sie beide geben an, daß außer Ihnen niemand etwas von dieser Wohnung wußte. Aber einmal angenommen, Ihre Geschichte stimmt, Mr. Burnaby, und Sie müßten schon ein außergewöhnlicher Narr sein, wenn Sie uns in so einer Sache, die leicht überprüfbar ist, belügen würden. Wenn Sie also die Wahrheit sagen, dann muß noch jemand über die Wohnung Bescheid gewußt haben.«

»Seien Sie versichert, daß ich mit niemandem darüber gesprochen habe«, beharrte Burnaby und rieb sich wieder sein Kinn. »Vielleicht . . . vielleicht hat mich jemand beobachtet, als ich hierher ging . . .«

»Vielleicht – in anderen Worten, habe ich jemandem davon erzählt«, brauste Rosette wieder auf. Ihre scharfen Zähne bissen in ihre Unterlippe. »Was ich aber nicht getan habe. Ich . . . ich weiß allmählich gar nicht mehr, warum eigentlich nicht.« Sie schien sich in ihrem Zorn ehrlich über sich selbst zu wundern. »Doch ich habe nie mit jemandem darüber gesprochen.«

»Aber Sie haben einen Schlüssel?« fragte Dr. Fell.

»Ich hatte einen Schlüssel. Ich habe ihn verloren.«

»Wann?«

»Woher soll ich das wissen? Ich habe es zunächst nicht bemerkt.« Sie hatte ihre Arme vor der Brust verschränkt und lief mit kleinen, aufgeregten Kopfbewegungen im Zimmer auf und ab. »Ich trug ihn in meiner Tasche, und ich stellte erst heute morgen, als wir bereits auf dem Weg hierher waren, fest, daß er fehlte. Aber eines möchte ich doch erfahren.« Sie machte eine Pause und sah Burnaby an. »Ich weiß nicht mehr, ob ich dich nun mag oder ob ich dich hasse. Wenn alles nur eine dumme, kleine

Neigung zum Detektivspielen gewesen ist, wenn das wirklich alles war und du nichts weiter wolltest, dann sag es! Was hast du über meinen Vater in Erfahrung gebracht? Sag es mir! Es macht mir nichts aus. Hier ist die Polizei, und die wird es herausfinden, so oder so. Also spiel mir nichts vor! Ich verabscheue deine Schauspielerei. Raus damit! Was hat das mit diesen Brüdern zu bedeuten?«

»Ein guter Rat, Mr. Burnaby. Sie haben ein Bild gemalt«, sagte Hadley, »über das ich Sie als nächstes fragen wollte. Was wußten Sie von Grimaud?«

Burnaby lehnte sich mit einer unbewußt großspurigen Geste mit dem Rücken gegen das Fenster und hob die Schultern. Seine blaßblauen Augen mit den großen schwarzen Pupillen glänzten ironisch.

Er sagte: »Rosette, wenn ich je vermutet hätte, daß mein detektivischer Dilettantismus mißverstanden werden könnte... Nun gut. Ich werde dir mit wenigen Worten sagen, was ich dir schon längst gesagt haben würde, wenn ich geahnt hätte, wie besorgt du warst. Dein Vater war im Gefängnis in den Salinen in Ungarn; er ist entkommen. Das klingt nicht sehr beunruhigend, was?«

»Im Gefängnis? Weswegen?«

»Weil er eine Revolution anzetteln wollte, soweit ich gehört habe. Ich vermute allerdings eher wegen Diebstahls. Wie du siehst, bin ich offen zu dir.«

Hadley unterbrach ihn hastig. »Wie haben Sie das erfahren? Von Drayman?«

»Drayman weiß also auch Bescheid?« Burnaby richtete sich auf, und seine Augen wurden schmal. »Ja, das vermutete ich schon. Ah ja, das war auch etwas, was ich herausfinden wollte, und es schien zu passen. Und da wir gerade dabei sind, was wissen Sie eigentlich darüber?« Auf einmal brach es aus ihm hervor: »Wissen Sie, ich bin durchaus kein Wichtigtuer! Ich sage Ihnen lieber alles, damit Sie mir glauben. Ich wurde in die Affäre hineingezogen; Grimaud wollte keine Ruhe geben. Sie sprachen über dieses Bild. Das Gemälde war eher die Ursache als die Wirkung. Es war alles bloß ein Zufall, doch hatte ich die größte Mühe, Grimaud davon zu überzeugen. Alles ging auf das Konto einer verflixten Laterna-magica-Vorführung.«

»Einer was?«

»Was ich sagte: ein Lichtbildvortrag. Ich fand mich dort, weil ich mich eines Abends vor einem Regenschauer unterstellen wollte – irgendwo im Norden von London in einem Gemeindesaal, vor ungefähr anderthalb Jahren.« Burnaby drehte launig seine Daumen; zum ersten Mal zeigte sich ein aufrichtiger und freundlicher Ausdruck auf seinem Gesicht. »Ich hätte gern eine romantische Geschichte daraus gemacht, aber Sie haben nach der Wahrheit gefragt. Schön. Der Kerl redete über Ungarn, es gab Lichtbilder und jede Menge gespenstische Atmosphäre, damit sich die frommen Leutchen auch recht behaglich gruselten. Aber meine Phantasie wurde angeregt, bei Gott!« Seine Augen glänzten. »Ein Bild war darunter, so ähnlich wie das, welches ich dann schließlich malte. Es war nicht besonders eindrucksvoll, aber die Geschichte, die dazugehörte, über die drei einsamen Gräber in ungeweihtem Boden, hat mir Alpträume bereitet. Der Redner behauptete, es seien die Gräber von Vampiren. Ich ging heim und arbeitete wie besessen an dem Sujet. Nun, ich habe allen versichert, daß es sich nur um eine Phantasievorstellung von etwas handle, was ich in Wahrheit nie gesehen hatte. Aber niemand wollte mir glauben. Dann sah Grimaud das Bild!«

»Mr. Pettis hat uns das schon berichtet«, bemerkte Hadley steif, »daß es ihn stark bewegte oder daß Sie das zumindest behauptet hätten.«

»Stark bewegte? Das will ich meinen! Er zog den Kopf zwischen die Schultern ein, versteinert, reglos wie eine Mumie, und gaffte das Bild an. Ich faßte das als Kompliment auf, und dann«, fügte Burnaby mit boshaftem Grinsen hinzu, »ließ ich in aller Unschuld die Bemerkung fallen: ›Sie sehen, wie die Erde des einen Grabes aufbricht, gleich wird er ihm entsteigen.‹ Ich war in Gedanken immer noch bei den Vampiren. Aber das konnte er nicht wissen. Eine Sekunde lang dachte ich, er würde mit dem Spachtel auf mich losgehen.«

Freimütig erzählte Burnaby seine Geschichte. Grimaud, so berichtete er, habe ihn über das Bild regelrecht ins Verhör genommen, scharf beobachtet und immer wieder dieselben Fragen gestellt, bis auch jemand ohne viel Phantasie Verdacht geschöpft haben würde. Das Gefühl, beobachtet zu werden, hatte Burnaby schließlich aus Selbstschutz den Entschluß treffen lassen, das Rätsel zu lösen. Ein paar handgeschriebene Zeilen in den Büchern in Grimauds Bibliothek, das Wappenschild über dem Kamin, eine unachtsame Bemerkung... An diesem Punkt seines Berichts lächelte Burnaby Rosette grimmig an. Dann, so erzählte er weiter, ungefähr drei Monate vor dem Mord, habe Grimaud ihn beiseite genommen und ihm unter dem Siegel der Verschwiegenheit die Wahrheit gestanden. Diese »Wahrheit« entsprach genau der Geschichte, die Drayman Hadley und Dr. Fell in der vergangenen Nacht erzählt hatte: die Pest, die zwei toten Brüder, die Flucht.

Während Burnabys Bericht hatte Rosette mit ungläubigem, fassungslosem Blick aus dem Fenster gestarrt. Jetzt löste sich ihre Anspannung unter Tränen.

»Das ist alles?« rief sie aufgeregt. »Mehr ist nicht dran an der Geschichte? Und da habe ich mir die ganze Zeit solche Sorgen gemacht.«

»Das ist alles, meine Liebe«, antwortete Burnaby und verschränkte die Arme. »Ich habe dir doch gesagt, es liege kein Anlaß zur Beunruhigung vor. Ich wollte der Polizei davon nichts erzählen. Doch da man nun einmal darauf bestanden hat...«

»Aufgepaßt, Hadley«, mahnte Dr. Fell ruhig und tippte gegen den Arm des Superintendent. Er räusperte sich. »Ja, auch wir haben einigen Grund, diese Geschichte zu glauben, Miss Grimaud.«

Hadley besann sich. »Das alles mal für bare Münze genommen, Mr. Burnaby: Sie waren doch an jenem Abend auch in der Warwick Tavern, als Fley zum ersten Mal auftauchte?«

»Ja.«

»Nun, also? Da Sie die Geschichte kannten, wieso haben Sie ihn da nicht mit dieser Affäre aus der Vergangenheit in Verbindung gebracht? Besonders nach seiner Bemerkung über die drei Särge?«

Burnaby zögerte einen Moment, dann machte er eine Handbewegung. »Ehrlich gesagt, habe ich das sogar. Ich ging mit Grimaud heim – am Mittwoch abend. Ich sagte nichts, ich erwartete vielmehr, er würde davon anfangen. Wir setzten uns in seinem Arbeitszimmer ans Feuer, und er nahm sich einen extra großen Whisky, was er selten tat. Mir fiel auf, daß er den Kamin sehr sorgfältig zu betrachten schien.«

»Übrigens«, warf Dr. Fell so beiläufig ein, daß Rampole zusammenfuhr, »wo bewahrte er eigentlich seine privaten und persönlichen Unterlagen auf? Wissen Sie das?«

Sein Gegenüber warf ihm einen scharfen Blick zu.

»Darüber wird Ihnen Mills eher Auskunft geben können als ich«, gab Burnaby zurück. Fast schien es Rampole, als ob der Mann etwas zu verschleiern versuchte, als zöge er sich wachsam hinter eine Nebelwand zurück. »Vielleicht hat er einen Safe besessen. Soviel ich weiß, bewahrte er sie in einer verschlossenen Schublade seines großen Schreibtisches auf.«

»Weiter!«

»Lange Zeit sprach keiner von uns beiden ein Wort. Es lag diese unbehagliche Spannung in der Luft, wenn jeder ein Thema anschneiden will, sich jedoch fragt, ob der andere auch daran denkt. Na, ich fragte endlich: ›Wer war das?‹ Er gab eins seiner charakteristischen Geräusche von sich, wie ein Hund, kurz bevor er bellt. Er konnte nicht stillsitzen in seinem Sessel. Schließlich sagte er: ›Ich weiß es nicht. Es ist so lange her. Vielleicht war es der Arzt, er sah wie der Arzt aus.‹«

»Arzt? Meinen Sie den, der ihm im Gefängnis den Totenschein ausstellte: Gestorben an der Pest?« fragte Hadley. Rosette Grimaud schüttelte sich, setzte sich und verbarg ihr Gesicht in den Händen. Burnaby schien nicht länger wohl in seiner Haut.

»Ja. Schauen Sie, muß das alles sein? Schon gut, schon gut! ›Mal wieder ein bißchen Erpressung‹, sagte er. Wissen Sie, wie die feisten Opernsänger aussehen, die den Mephisto im Faust singen? Genau so sah er aus, als er sich mir zuwandte, die Hände auf den Armlehnen, die Ellbogen nach außen gewendet, als wolle er aufstehen; das Gesicht rötlich im Feuerschein glänzend; der Bart sauber gestutzt; die Augenbrauen hochgezogen. Ich sagte: ›Ja, aber was kann er denn schon ausrichten?‹ Sehen Sie, ich wollte ihn aus der Reserve locken. Ich dachte mir, daß hier etwas Ernsteres vorliegen müsse als ein politisches Vergehen – sonst würde nach so langer Zeit niemand mehr etwas darum geben. Er sagte: ›Oh, e r wird nichts unternehmen. Er hat sich noch nie getraut. E r wird mir nichts tun!‹ Also gut«, sagte Burnaby grimmig und sah sich um, »Sie wollten a l l e s wissen, und nun sollen Sie es hören. Von mir aus. Es weiß sowieso jeder Bescheid. Grimaud sagte mir in seiner barschen, direkten Art auf den Kopf zu: ›Sie wollen Rosette heiraten, so ist es doch?‹ Ich bejahte das. Er meinte: ›Nun gut, Sie sollen sie haben!‹ Er nickte dazu mit dem Kopf und trommelte mit den Fingern auf der Armlehne. Ich lachte und entgegnete, Rosette habe da wohl schon Pläne in anderer Richtung. Er erwiderte: ›Ach, der Junge ... das regle ich schon.‹«

Rosette blickte ihn aus fast geschlossenen, gleichwohl harten, funkelnden, unergründlichen Augen an.

»Du hattest also alles schon arrangiert«, sagte sie mit einem nichts Gutes verheißenden Unterton in der Stimme.

»Mein Gott, bleib doch auf dem Teppich! Du weißt sehr gut, daß es nicht so war. Ich werde gefragt, was passiert ist, und ich stehe Rede und Antwort. Schließlich sagte er, daß ich, was auch immer ihm zustoßen mochte, über alles, was ich wisse, Stillschweigen bewahren sollte.«

»Was du nicht getan hast.«

»Auf Ihren ausdrücklichen Befehl – jawohl«, erwiderte er zu den anderen gewandt. »Nun, meine Herren, das war alles, was ich vorbringen kann. Als er Freitag früh in mein Atelier kam und das Bild haben wollte, war ich einigermaßen verblüfft. Aber er hatte mich angewiesen, mich aus allem herauszuhalten. Und nichts anderes habe ich getan.«

Hadley fuhr wortlos damit fort, in sein Notizbuch zu schreiben, bis er den unteren Rand der Seite erreicht hatte. Dann sah er Rosette an, die sich mit einem Kissen unter dem Ellbogen auf dem Diwan zurückgelehnt hatte. Unter ihrem Pelz hatte sie ein dunkles Kleid an, und wie gewöhnlich trug sie keinen Hut; das dichte blonde Haar und das kantige Gesicht paßten gut zu dem grellen Gelb und leuchtenden Rot des Diwans. Als sie sprach, zitterten ihre Hände ein wenig.

»Ich weiß, Sie werden mich jetzt fragen, was ich von alldem halte; von meinem Vater und so weiter.« Sie blickte zur Decke. »Ich weiß es nicht. Mir fällt ein Stein vom Herzen, es ist zu schön, um wahr zu sein – und deshalb fürchte ich, daß es noch nicht die ganze Wahrheit ist. Schließlich hätte ich den alten Herrn für so etwas sogar bewundert! Es – es ist schrecklich und gräßlich, und ich bin froh, daß er so viel Mumm in den Knochen hatte. Wenn er natürlich ein Dieb war«, sie lächelte vor Vergnügen bei dem Gedanken, »können Sie ihm ja wohl kaum übelnehmen, daß er nicht darüber reden wollte.«

»Danach wollte ich Sie eigentlich nicht fragen«, sagte Hadley, den diese freimütig geäußerte Toleranz vor den Kopf zu stoßen schien.

»Ich wollte wissen, warum Sie, nachdem Sie sich stets geweigert haben, mit Mr. Burnaby hierher zu kommen, heute morgen plötzlich doch erschienen sind?«

»Um ihn zur Rede zu stellen, selbstverständlich. Und ich hatte die Absicht, mich zu betrinken. Dann war alles so unerfreulich, wissen Sie, als wir diesen blutverschmierten Mantel im Wandschrank fanden.«

Als sie die Veränderung in den Gesichtern bemerkte, unterbrach sie sich und erschrak ein wenig.

»Als Sie was fanden?« fragte Hadley nach einem Augenblick Stille.

»Den Mantel mit dem Blut; die ganze Innenseite vorn war voll Blut«, antwortete sie und schluckte. »Habe ich, äh, das nicht schon gesagt? Na ja, Sie haben mir auch keine Gelegenheit dazu gegeben! Kaum waren wir hier, sind Sie ja regelrecht über uns hergefallen. Ja! Der Mantel hing im Wandschrank in der Eingangshalle. Jerome fand ihn, als er seinen eigenen dort hinhängen wollte.«

»Wem gehört der Mantel?«

»Niemand! Das ist ja das Seltsame daran. Ich habe ihn noch nie gesehen. In unserem Haus würde er auch niemandem passen. Für Vater wäre er zu groß gewesen; ein protziger Tweedmantel, vor dem ihm ohnehin gegraut hätte. Stuart Mills wäre darin buchstäblich ertrunken, aber für den alten Drayman wäre er wiederum nicht groß genug. Es ist ein nagelneuer Mantel, der aussieht, als sei er noch nie getragen worden.«

»Verstehe«, sagte Dr. Fell, blies die Backen auf und stieß die Luft aus.

»Was verstehen Sie?« brüllte Hadley. »Das wird ja immer schöner. Zu Pettis sagten Sie, Sie wollten Blut. Nun, jetzt haben Sie Ihr Blut, zuviel verdammtes Blut, und überall dort, wo es nicht hingehört! Woran denken Sie jetzt?«

»Ich verstehe jetzt«, antwortete Dr. Fell und hob belehrend seinen Stock, »wo sich Drayman gestern abend mit Blut beschmiert hat.«

»Sie meinen, er trug den Mantel?«

»Nein, nein! Erinnern Sie sich. Erinnern Sie sich daran, was Ihr Sergeant sagte, daß Drayman halb blind die Treppe heruntergestolpert sei und im Wandschrank nach Mantel und Hut gesucht habe. Hadley, er muß dabei an den Mantel gekommen sein, als das Blut noch frisch war. Und natürlich konnte er anschließend nicht verstehen, wie es dorthin gekommen war. Klärt das nicht einiges?«

»Nein, der Teufel soll mich holen, wenn das irgend etwas klärt! Es mag einen Punkt klären, nur um ihn uns durch ein doppelt kniffliges Rätsel zu ersetzen. Ein zusätzlicher Mantel! Kommen Sie mit. Wir gehen auf der Stelle hinüber. Wenn Sie uns begleiten wollen, Miss Grimaud, und Sie, Mr. . . .«

Dr. Fell schüttelte den Kopf. »Gehen Sie nur, Hadley. Ich muß mich um etwas anderes kümmern. Etwas, das den Charakter des Falles völlig verändert; etwas, das zu unserem allerwichtigsten Punkt geworden ist.«

»Und das wäre?«

»Pierre Fleys Zimmer«, sagte Dr. Fell und rauschte mit wehendem Umhang zur Tür hinaus.

Dritter Sarg
Das Geheimnis der Sieben Türme

Kapitel 16

Der Chamäleonmantel

Zwischen dieser Entdeckung und dem Zeitpunkt, zu dem sie mit Pettis zum Lunch verabredet waren, versank Dr. Fell in eine Schwermut von derartiger Tiefe, wie sie Rampole nicht für möglich gehalten hätte und keinesfalls nachempfinden konnte.

Zuerst weigerte sich der Doktor, mit Hadley gemeinsam zum Russell Square zurückzukehren, bestand aber darauf, daß Hadley gehen solle. Er sagte, der entscheidende Hinweis müsse in Fleys Zimmer zu finden sein. Er sagte, er würde Rampole »für eine schmutzige und kräfteraubende Aufgabe« bei sich haben wollen. Schließlich fluchte er mit einer aus tiefstem Herzen kommenden Heftigkeit vor sich hin, daß sogar Hadley, der Dr. Fells Ansichten zu diesem Fall durchaus teilte, sich bemüßigt fühlte, ihm Vorhaltungen zu machen.

»Aber was erwarten Sie denn dort zu finden?« bohrte der Superintendent. »Somers hat doch schon alles auf den Kopf gestellt.«

»Ich erwarte gar nichts. Ich kann nur sagen«, brummte der Doktor, »ich hoffe, gewisse Spuren von Bruder Henri zu finden. Sein Markenzeichen sozusagen. Seine Schnurrbarthaare, seine ... Ach, sei verflucht, Bruder Henri!«

Hadley sagte, auf solche Monologe aus dem spanischen Kloster könnten sie gut verzichten, und verstand nicht, warum der Zorn seines Freundes auf den im wahrsten Sinne des Wortes unfaßbaren Henri sich bis zur Manie gesteigert zu haben schien. Es schien doch gar kein neuer Anlaß dafür zu existieren.

Ehe sie Burnabys Domizil verlassen konnten, hielt der Doktor sie noch eine Zeitlang auf, indem er Miss Hake, die Wirtin, einer gründlichen Befragung unterzog. O'Rourke hatte sie mit Anekdoten aus seiner fahrenden Zeit unten festgehalten. Doch waren beide jederzeit zu einem Schwätzchen bereit, und es muß bezweifelt werden, daß sie weniger Geschichten erzählte als er.

Die Befragung von Miss Hake, so mußte Dr. Fell einräumen, blieb unergiebig. Sie war eine verblühte, liebenswürdige alte Jungfer, gutwillig, aber gelegentlich leicht zerstreut, mit der Tendenz, Mieter von unregelmäßigem Lebenswandel mit Einbrechern und Mördern zu verwechseln.

Nachdem sie schließlich davon überzeugt worden war, daß Burnaby kein Einbrecher war, konnte sie wenig Informationen beisteuern. Gestern abend war sie nicht zu Hause gewesen, sondern von acht bis elf im Lichtspieltheater, dann bis fast gegen Mitternacht bei einer Freundin in der Gray's Inn Road. Sie war außerstande zu sagen, wer in Burnabys Zimmer gewesen sein mochte. Sie hatte überhaupt erst diesen Morgen von dem Mord erfahren. Was ihre übrigen Mieter anbetraf, so gab es deren drei: einen amerikanischen Studenten samt Gattin im Erdgeschoß sowie einen Tierarzt einen Stock höher. Alle drei waren den vorigen Abend außer Haus gewesen.

Somers, der von seinem vergeblichen Gang zum Bloomsbury Square zurück war, sollte sich um diese Leute kümmern. Hadley machte sich mit Rosette und Burnaby im Gefolge zu Grimauds Haus auf, und Dr. Fell, der darauf aus war, sich mit einer weiteren geschwätzigen Wirtin abzumühen, sah sich statt dessen einem verschlossenen Wirt gegenüber.

Die Räumlichkeiten über und unter dem Tabakwarenladen in Haus Nr. 2 waren so stabil wie die Haushälften, die seitlich ins Bühnenbild von Operetten hineinragen. Sie wirkten freudlos, dunkel und rochen muffig wie der Laden selbst. Eifriges Betätigen einer rasselnden Klingel brachte schließlich James Dolberman, seines Zeichens Tabak- und Zeitschriftenhändler, aus den schattigen Tiefen seines Geschäftes zum Vorschein. Er war ein kleiner, zugeknöpfter alter Mann mit geschwollenen Fingerknöcheln, angetan mit einer schwarzen Musselinjacke, die in der finsteren Höhle aus Groschenromanen und vertrockneten Pfefferminzbonbons wie eine Rüstung schimmerte. Seine Auffassung von der ganzen Sache war, daß sie ihn nichts angehe.

Er starrte an Dr. Fell und Rampole vorbei ins Schaufenster, als warte er sehnlichst auf einen Kunden, der ihm einen Vorwand liefern könnte, das Gespräch abzubrechen, und ließ sich widerwillig ein paar Antworten aus der Nase ziehen: Ja, er habe einen Mieter. Ja, einen Mann namens Fley, Ausländer. Fley bewohne ein möbliertes Zimmer im obersten Stockwerk, sei vor zwei Wochen eingezogen und habe im voraus bezahlt. Nein, er wisse nichts über ihn und wolle auch gar nichts über ihn wissen, solange der Mann keinen Ärger mache. Er habe die Angewohnheit, in einer fremden Sprache Selbstgespräche zu führen, das sei alles.

Der Hauswirt konnte nichts weiter über ihn sagen, weil er ihn praktisch nie zu Gesicht bekam. Andere Mieter gab es nicht. Er (James Dolberman) trug für niemanden heißes Wasser nach oben. Warum sich Fley den obersten Stock ausgesucht habe? Woher sollte er das wissen? Da sollten sie lieber Fley selber fragen.

Ja, ob er denn nicht wisse, daß Fley tot sei? Doch, das wisse er, es sei schon ein Polizist dagewesen und habe dumme Fragen gestellt und ihn zur Identifizierung der Leiche mitgenommen. Aber das ginge ihn nichts an. Der Schuß um fünf vor halb elf gestern abend? James Dolberman machte eine Miene, als wolle er etwas sagen, doch dann ließ er seine Kiefer zuschnappen und starrte noch finsterer als zuvor in sein Schaufenster. Er sei unten in der Küche gewesen und habe das Radio angehabt. Er wisse nichts, und wenn er etwas gehört hätte, wäre er auch nicht herausgekommen, um nachzuschauen.

Ob Fley gelegentlich Besuch gehabt habe? Nein! Gab es verdächtig scheinende Fremde in der Nähe, irgend jemand mit einer Verbindung zu Fley?

Diese Frage hatte eine unerwartete Wirkung: Zwar bewegten sich die Kiefer des Hauswirtes immer noch mit schlafwandlerischer Langsamkeit, aber für seine Verhältnisse wurde er geradezu redselig: Ja, da gebe es etwas, um das sich die Polizei gefälligst kümmern solle, statt das Geld der Steuerzahler zu verschwenden. Er habe jemanden sich hier herumdrücken sehen, der das Haus beobachtete und einmal sogar mit Fley gesprochen habe, um dann die Straße hinauf davonzulaufen. Übel aussehender Bursche, höchstwahrscheinlich ein Krimineller; Herumtreiber möge er nicht. Nein, eine Beschreibung von ihm könne er nicht geben – das sei ja schließlich Sache der Polizei. Außerdem sei es immer zur Nachtzeit gewesen.

»Aber gibt es denn gar nichts«, fragte Dr. Fell, der sich der Grenze seiner Liebenswürdigkeit zu nähern schien und sich das Gesicht mit seinem Halstuch wischte, »woran Sie sich erinnern können? Kleidung, irgend etwas? Na?«

»Es könnte sein«, ließ sich Dolberman nach einem stummen inneren Kampf mit dem Ladenfenster herab zu sagen, »es k ö n n t e

185

sein, daß er einen irgendwie auffälligen Mantel getragen hat. Aus hellem Tweed, vielleicht mit roten Punkten. Das ist Ihre Sache. Sie wollen hinaufgehen? Hier ist der Schlüssel. Der Eingang befindet sich draußen neben dem Laden.«

Als sie die dunkle, enge Treppe des trotz seines heruntergekommenen Äußeren soliden Hauses hinaufstiegen, kochte Rampole vor Zorn.

»Sie hatten recht, Sir«, sagte er, »als Sie meinten, daß der ganze Fall auf dem Kopf stehe. Was Mäntel angeht, steht er jedenfalls völlig auf dem Kopf und ergibt keinerlei Sinn. Wir haben nach einer finsteren Gestalt im langen schwarzen Mantel gesucht; und jetzt kommt eine weitere Gestalt in einem blutbefleckten Tweedmantel daher, den man, zumindest was seine Farbe angeht, heiter nennen muß. Wem gehört welcher, und wird das Ganze jetzt zu einer einzigen Affäre um Mäntel?«

Japsend schleppte sich Dr. Fell die Stufen hinauf. »Hm, daran dachte ich eigentlich nicht«, versetzte er zweifelnd, »als ich davon sprach, daß der Fall auf dem Kopf steht. Vielleicht sollte ich besser sagen, alles daran ist verkehrtherum, und nichts stimmt. Aber vielleicht hängt von den Mänteln am Ende doch einiges ab: ›Der Mann mit den zwei Mänteln.‹ Ja, ich glaube, der Mörder ist derselbe, auch wenn es ihm an modischer Konsequenz mangelt.«

»Sie sagten, Sie hätten eine Idee, wer der Mörder sein könnte?«

»Ich weiß, w e r es ist!« rief Dr. Fell dröhnend aus. »Und wissen Sie, warum ich gute Lust habe, mir selbst einen Fußtritt zu verpassen? Nicht allein, weil er dauernd vor meinen Augen herumlief, sondern weil er praktisch die ganze Zeit die Wahrheit gesagt hat und ich sie dennoch nicht zu sehen vermochte. Er war so aufrichtig, daß es mich schmerzt, wenn ich daran denke, daß ich ihm nicht glaubte und ihn für unschuldig hielt!«

»Aber der Verschwinde-Trick?«

»Wie d e r gemacht wurde, weiß ich nicht. Wir sind da.«

Im obersten Stockwerk gab es nur ein Zimmer. Aus einem verrußten Oberlicht fiel nur schwaches Licht auf den Treppenabsatz vor der Tür, die aus schlichten grüngestrichenen Brettern bestand. Sie stand offen und führte in eine niedrige Zimmerhöhle, deren einziges Fenster offenbar seit langer Zeit nicht mehr geöffnet worden war. Nachdem Dr. Fell im Zwielicht herumgetastet hatte, fand er in einem wackeligen Glaskolben einen Glühstrumpf. Das zuckende Licht erhellte ein ordentlich aufgeräumtes, aber sehr schmutziges Zimmer mit blauen Kohlköpfen auf den Tapeten und einem weißgestrichenen eisernen Bett. Auf dem Schreibtisch unter einem Tintenfaß klemmte ein zusammengefaltetes Stück Papier. Pierre Fleys verrücktes und verdrehtes Hirn schien die Atmosphäre des Raumes entscheidend beeinflußt zu haben: Es war ihnen, als stünde er selbst in seinem schäbigen Abendanzug samt Zylinder neben dem Schreibtisch und erwarte seinen Auftritt. Über dem Spiegel hing gerahmt in verschnörkelten goldenen, schwarzen und roten Lettern ein altmodischer Wahlspruch. Unter Spinnweben verkündete das Blatt: »Die Rache ist mein. Ich will vergelten, spricht der Herr!« Aber die Schrift stand auf dem Kopf.

Dr. Fell atmete schwer in der Stille, stapfte zum Schreibtisch und nahm den gefalteten Zettel an sich. Die Handschrift war blumig, wie Rampole sah, und die kurze Mitteilung hatte beinahe etwas Proklamatorisches:

»An James Dolberman, Esq.

Ich hinterlasse Ihnen meine wenigen Habseligkeiten, so wie sie sind, als Ausgleich für die nichteingehaltene Kündigungsfrist von einer Woche. Ich werde sie nicht mehr brauchen. Ich kehre in mein Grab zurück.

Pierre Fley«

»Warum«, fragte Rampole, »reitet dieser Mensch dauernd darauf herum, daß er in sein Grab zurückkehre? Es klingt, als bedeute es etwas, auch wenn es das gar nicht tut. Wir täuschen uns doch nicht darin, daß es diesen Fley wirklich gegeben hat? Er existierte; er war doch kein anderer, der vorgab, Fley zu sein?«

Darauf antwortete Dr. Fell nicht. Er war dabei, in tiefe Schwermut zu versinken, eine Stimmung, die sich angesichts des zerlumpten, grauen Teppichs auf dem Boden zusehends verstärkte.

»Keine Spur«, seufzte er. »Keine Spur, nicht mal eine Busfahrkarte, nichts, alles friedlich, ungekehrt und ohne Spur. Seine Besitztümer? Nein, ich will seine Besitztümer nicht sehen. Ich nehme an, die hat sich Somers längst vorgenommen. Kommen Sie, wir stoßen wieder zu Hadley.«

Auf dem Rückweg zum Russell Square war sowohl ihre Stimmung als auch der Himmel wolkenverhangen. Als sie die äußeren Stufen hinaufstiegen, entdeckte Hadley sie durchs Fenster des Salons und kam an die Haustür geeilt. Er versicherte sich, daß die

Tür hinter ihm geschlossen war – man konnte Stimmengemurmel dahinter hören –, und sah ihnen im Halbdunkel der prächtigen Eingangshalle entgegen. Sein Gesichtsausdruck brachte Rampole auf den Gedanken, daß die Teufelsmaske der japanischen Rüstung hinter ihm eine recht gelungene Karikatur davon darstellte.

»Noch mehr Ärger, wie ich merke«, sagte Dr. Fell beinah leutselig. »Also, raus damit. Ich fürchtete ohnehin schon, meine Expedition könne ein Fehlschlag werden, doch tröstet es mich wenig, mich als guter Prophet erwiesen zu haben. Was gibt's?«

»Dieser Mantel...« Hadley unterbrach sich. Sein Zorn schien einen nicht mehr steigerungsfähigen Höhepunkt erreicht zu haben, nun ebbte er wieder ab, und schließlich grinste der Superintendent säuerlich. »Kommen Sie rein, Fell. Vielleicht werden Sie schlau daraus. Wenn Mangan lügt, verstehe ich den Grund dafür nicht. Aber dieser Mantel... Wir haben ihn, oh ja. Ein neuer Mantel, nagelneu. Nichts in den Taschen, nicht mal der übliche Staub aus Fusseln, Schmutz und Tabakkrümeln, den man in Mänteln findet, die eine Weile getragen wurden. Zuerst standen wir vor dem Problem von zwei Mänteln, jetzt haben wir etwas, das man das Geheimnis des Chamäleonmantels nennen könnte.«

»Was ist denn mit dem Mantel?«

»Er hat die Farbe gewechselt«, entgegnete Hadley.

Dr. Fell zwinkerte und musterte den Superintendent mit neu entfachtem Interesse. »Ich muß doch wohl nicht annehmen«, sagte er, »daß dieser Fall anfängt, Ihr Gehirn in Mitleidenschaft zu ziehen? Farbe gewechselt, sieh an. Wollen Sie mir weismachen, der Mantel leuchte jetzt in einem hellen Smaragdgrün?«

»Er hat die Farbe gewechselt seit... ach, kommen Sie!«

Spannung lag fühlbar in der Luft, als Hadley die Tür zum Salon öffnete, der mit schweren, altmodischen Luxusgegenständen möbliert war, Bronzefiguren, die als Kerzenhalter fungierten, vergoldeten Simsen und Vorhängen, die mit Spitze so überladen waren, daß sie wie gefrorene Wasserfälle aussahen. Alle Lampen brannten.

Burnaby hatte es sich auf dem Sofa bequem gemacht. Rosette ging mit kleinen, wütenden Schritten auf und ab. In einer Ecke beim Radio stand Ernestine Dumont, hatte die Fäuste in die Hüften gestemmt und die Oberlippe über die Unterlippe herabgezogen, was ihr einen belustigten und gleichzeitig satyrhaften Ausdruck verlieh. Boyd Mangan schließlich stand mit dem Rücken

188

zum Kamin und zappelte unruhig herum, als fürchte er, sich zu verbrennen. Doch nicht das Feuer verbrannte ihn, sondern seine innere Erregung.

»Ich weiß, daß das verdammte Ding mir paßt!« wiederholte er gerade aufgebracht.»Ich weiß es. Ich gebe es zu. Der Mantel paßt mir, aber es ist nicht meiner. Erstens trage ich immer einen Regenmantel, er hängt in der Halle draußen; zweitens könnte ich mir so einen Mantel nie leisten. Das Ding muß 20 Guineen gekostet haben und keinen Penny weniger. Drittens . . .«

Hadley schlug, bildlich gesprochen, mit einem Löffel an ein Glas. Der Auftritt Dr. Fells und Rampoles schien Mangan zu besänftigen.

»Könnten Sie bitte noch einmal wiederholen«, forderte Hadley ihn auf, »was Sie uns eben erzählt haben?«

Mangan zündete sich eine Zigarette an. Die Flamme des Streichholzes spiegelte sich in den dunklen, ein wenig blutunterlaufenen Augen. Er wedelte mit dem Streichholz, bis es erloschen war, inhalierte und blies den Rauch aus wie jemand, der fest entschlossen ist, für eine gerechte Sache hinter Gitter zu gehen.

»Ich weiß gar nicht, warum sich plötzlich alle auf mich stürzen«, sagte er. »Vielleicht war es ein anderer Mantel, obwohl mir nicht klar ist, warum jemand seine ganze Garderobe hier verteilen sollte. Paß auf, Ted, dir werde ich es erklären.« Er ergriff Rampole beim Arm und zog ihn zum Feuer hinüber, als wolle er eine Beweisaufnahme beginnen. »Als ich gestern abend zum Essen herkam, wollte ich meinen Mantel – den Regenmantel, wohlgemerkt – in den Wandschrank draußen in der Eingangshalle hängen. Normalerweise schaltet man das Licht im Wandschrank nicht an. Man tastet einfach darin herum und hängt seinen Mantel an den erstbesten Haken. So hätte ich es wohl auch gestern gemacht, wenn ich nicht einen Stoß Bücher dabeigehabt hätte, den ich auf der Hutablage deponieren wollte. Also knipste ich das Licht an. Und da sah ich einen Mantel, einen zusätzlichen Mantel, der für sich in der Ecke hing. Er hatte etwa dieselbe Größe wie der helle Tweedmantel, den Burnaby fand; dieselbe Größe, würde ich sagen, nur daß dieser schwarz war.«

»Ein zusätzlicher Mantel«, nahm Dr. Fell den Faden auf. Er zog seine Kinnrollen ein und sah Mangan gespannt an. »Warum sagen Sie, ein zusätzlicher Mantel, mein Junge? Wenn Sie eine Reihe Mäntel in einem fremden Haus sehen, wie kommen Sie da auf den Gedanken, einer davon könne ein zusätzlicher sein? Nach meiner Erfahrung fällt in einem Haus kaum etwas weniger auf als Mäntel an der Garderobe. Man weiß, daß einem einer davon gehört, aber man weiß nicht mal genau, welcher. Na?«

»Ich kenne die Mäntel der Leute hier im Haus«, antwortete Mangan. »Und dieser eine fiel mir besonders auf, weil ich dachte, er gehöre Burnaby. Niemand hatte mir gesagt, daß er hier sei, und ich überlegte, ob...«

Burnaby hatte eine auffallend burschikose und gönnerhafte Haltung Mangan gegenüber angenommen. Er war nicht länger der verunsicherte Mann, der in der Cagliostro Street auf dem Diwan gekauert hatte, nun war er ganz der Senior, der die Jugend mit einer theatralischen Geste in die Schranken weist.

»Mangan«, sagte er, »ist sehr aufmerksam, Dr. Fell. Ein sehr aufmerksamer junger Mann. Haha! Besonders was mich betrifft.«

»Paßt Ihnen etwas nicht?« fragte Mangan mit betont ruhiger Stimme.

»Aber lassen Sie ihn seine Geschichte doch ruhig erzählen. Rosette, meine Liebe, darf ich Ihnen eine Zigarette anbieten? Übrigens kann ich sagen, daß es nicht mein Mantel ist.«

Mangans Zorn wuchs, ohne daß er zu wissen schien, warum. Aber er wandte sich wieder an Dr. Fell: »Jedenfalls fiel er mir auf. Als dann Burnaby heute morgen herkam und den blutverschmierten hellen Mantel fand, tja, hing er an derselben Stelle. Die einzig mögliche Erklärung ist, daß es sich um zwei verschiedene Mäntel handelt. Aber was ist das für eine verrückte Geschichte? Ich kann beschwören, daß der Mantel von gestern abend niemand hier im Haus gehörte und daß das auch auf den Tweedmantel zutrifft, überzeugen Sie sich selbst! Trug der Mörder einen Mantel oder beide oder keinen von beiden? Und mit dem schwarzen war sowieso etwas faul.«

»Faul?« unterbrach ihn Dr. Fell so abrupt, daß sich Mangan zu ihm umdrehte. »Was meinen Sie mit faul?«

Ernestine Dumont kam von ihrem Platz beim Radio nach vorn, ihre flachen Schuhe knarrten ein wenig. Heute morgen sah sie verwelkter aus, ihre hohen Wangenknochen traten stärker vor, ihre Nase schien flacher und ihre Augenlider so geschwollen, daß ihr Blick etwas Verhülltes, Verstohlenes angenommen hatte. Doch trotz dieses mitgenommenen Aussehens hatten ihre schwarzen Augen ihren Glanz nicht verloren.

»Pah!« rief sie und vollführte mit ihrer Hand eine rasche, abgehackte Bewegung. »Warum treiben Sie diese Narrheiten? Warum fragen Sie nicht mich? Ich weiß über diese Dinge mehr als er. Oder etwa nicht?« Sie sah Mangan an und legte die Stirn in tiefe Falten. »Nein, nein, ich denke, daß Sie die Wahrheit sagen, wie Sie sie sehen. Aber Sie haben alles ein wenig durcheinandergebracht. Das kommt vor, wie Dr. Fell sagt... Der helle Mantel war gestern abend hier, ja. Früher am Abend, vor dem Essen. Er hing an dem Haken, an dem e r den schwarzen bemerkt haben will. Ich habe ihn selbst gesehen.«

»Das ist...«, rief Mangan.

»Aber, aber«, brummte Dr. Fell beruhigend. »Wir wollen doch mal sehen, ob wir das nicht alles schön auf die Reihe bekommen können. Als Sie den Mantel dort sahen, Ma'am, kam er Ihnen da nicht ungewöhnlich vor? Dachten Sie nicht, daß etwas nicht mit ihm stimme, na, wenn Sie wußten, daß er niemand aus dem Haus gehörte?«

»Nein, ganz und gar nicht.« Sie nickte in Mangans Richtung. »Ich hatte ihn nicht kommen sehen. Ich dachte, er gehöre ihm.«

»Wer hat Sie denn übrigens eingelassen«, fragte Dr. Fell Mangan mit schläfriger Stimme.

»Annie. Aber ich hab' meine Sachen selbst weggehängt. Ich schwöre...«

»Läuten wir und lassen Annie kommen, falls sie im Hause ist, Hadley«, sagte Dr. Fell. »Diese Sache mit dem Chamäleonmantel beschäftigt mich. Oh, Bacchus, und wie sie mich beschäftigt! Also, Ma'am, ich behaupte nicht, daß Sie die Unwahrheit sagen, so wenig wie Sie es von unserem Freund Mangan behaupten. Vor einem Weilchen erst sagte ich zu Ted Rampole, wie unglückselig wahrheitsliebend eine gewisse Person gewesen sei. Ha! Haben Sie übrigens schon mit Annie gesprochen?«

»Oh, ja«, entgegnete Hadley, während Rosette Grimaud an ihm vorbeiging und an einer Klingelschnur zog. »Sie machte eine ganz klare Aussage. Sie hatte ihren freien Abend und kam erst nach Mitternacht nach Hause. Über diese Geschichte hier habe ich sie nicht befragt.«

»Ich sehe nicht, was dieses ganze Theater bezwecken soll!« rief Rosette. »Was hängt denn davon ab? Habt ihr nichts Besseres zu tun, als wie Narren darüber zu streiten, ob ein Mantel hell oder schwarz war?«

Mangan übernahm die Antwort: »Davon hängt eine Menge ab, und das weißt du auch. Ich habe mir nichts eingebildet. Nein, und ich nehme an, Sie auch nicht! Aber einer kann ja nur recht haben. Und ich vermute, Annie wird wahrscheinlich auch nichts wissen. Mein Gott! Ich kenne mich allmählich gar nicht mehr aus!«

»Wie wahr«, kommentierte Burnaby.

»Gehen Sie doch zum Teufel«, versetzte Mangan.

Hadley trat zwischen die beiden und redete ihnen begütigend zu. Burnaby, der bleich geworden war, ließ sich wieder in das Sofa sinken. Die allgemeine Gereiztheit und Nervenanspannung war deutlich zu spüren; alle waren auffällig still, als Annie ins Zimmer trat.

Sie war ein ruhiges, ernsthaftes Mädchen mit einer ausgeprägten Nase, das auch nicht die geringste Spur von Leichtsinn erkennen ließ. Sie machte einen tüchtigen Eindruck und sah aus, als könne sie hart arbeiten. Mit ihrem Häubchen, das so akkurat auf ihrem Kopf saß, daß es wie angenäht wirkte, verharrte sie in einem Knicks in der Tür und sah Hadley aus ihren braunen Augen direkt an. Sie schien ein bißchen nervös, aber nicht im geringsten beunruhigt.

»Eines habe ich Sie wegen gestern abend noch zu fragen versäumt«, sagte der Superintendent. »Sie haben Mr. Mangan eingelassen?«

»Ja, Sir.«

»Wann war das ungefähr?«

»Kann ich nicht sagen, Sir.« Sie schien verwirrt. »Könnte 'ne halbe Stunde vor'm Essen gewesen sein. Genau weiß ich's nicht.«

»Haben Sie gesehen, wie er Hut und Mantel aufgehängt hat?«

»Ja, Sir! Das läßt er mich nie machen, sonst hätte ich natürlich . . .«

»Aber Sie haben in den Wandschrank geschaut?«

»Ach so! . . . Ja, Sir, hab' ich! Wissen Sie, als ich ihn reingelassen hatte, ging ich gleich wieder ins Eßzimmer, aber dann fiel mir ein, daß ich in die Küche hinunter mußte. Also kam ich wieder durch die Halle. Da sah ich, daß er weg war und das Licht im Wandschrank angelassen hatte, also ging ich hin und machte es aus.«

Hadley beugte sich gespannt vor. »Jetzt aufgepaßt! Sie kennen den hellen Tweedmantel, der heute morgen in dem Wandschrank gefunden wurde? Sie haben davon gehört, ja? Gut. Erinnern Sie sich, an welchem Haken er hing?«

»Jawohl, Sir.« Ihre Lippen wurden schmal. »Ich war heute morgen in der Halle, als Mr. Burnaby ihn fand und die anderen dazukamen. Mr. Mills sagte, wir sollten ihn lassen, wo er war, mit dem ganzen Blut dran und so, wegen der Polizei . . .«

»Richtig. Die Frage, Annie, betrifft die Farbe dieses Mantels. Als Sie gestern abend in den Wandschrank schauten, war der Mantel da hell oder schwarz? Erinnern Sie sich?«

Sie starrte ihn an. »Ja, Sir, ich erinnere mich . . . hell oder schwarz, Sir? Wie meinen Sie das? Also, Sir, ehrlich gesagt, keins von beidem. Da hing nämlich gar kein Mantel an dem Haken!«

Ein Stimmengewirr brach los: Mangan bekam fast einen Tobsuchtsanfall; Rosette wurde nahezu hysterisch; Burnaby war amüsiert. Nur Ernestine Dumont schwieg – müde und verächtlich.

Eine volle Minute studierte Hadley das entschlossene, jetzt kämpferisch-ernste Gesicht seiner Zeugin: Annie hatte die Fäuste geballt und schob das Kinn energisch vor. Hadley trat ans Fenster und verharrte dort in ostentativem Schweigen.

Dann war Dr. Fells leises Lachen zu hören.

»Na, nicht traurig sein«, sagte er. »Wenigstens hat er nicht noch eine dritte Farbe angenommen. Und ich muß betonen, das ist eine sehr aufschlußreiche Tatsache, wenn mir für diese Einschätzung auch jemand einen Stuhl an den Kopf werfen will. Ähem, ja, kommen Sie, Hadley! Wir wollen zu Mittag essen. Essen!«

Kapitel 17

Der Vortrag über den verschlossenen Raum

D er Kaffee stand auf dem Tisch, die Weinflaschen waren geleert, die Zigarren angezündet. Hadley, Pettis, Rampole und Dr. Fell hockten im riesigen, schummrigen Speisesaal von Pettis' Hotel um den Schein einer rotbeschirmten Tischlampe. Sie waren länger als die meisten anderen geblieben; nur noch wenige Gäste saßen zu dieser trägen, überreifen, winternachmittäglichen Stunde, wenn das Kaminfeuer am wohltuendsten ist und Schneeflocken gemächlich an den Fenstern vorbeitrudeln, um ihre Tische. Unter dem düsteren Schimmer von Rüstungen und Wappenschildern sah Dr. Fell mehr denn je wie ein Baron aus der Feudalzeit aus. Verächtlich hing sein Blick an dem Mokkatäßchen, das er allem Anschein nach samt Untertasse verschlucken würde. Er vollführte eine ausholende, endgültige Geste mit seiner Zigarre und räusperte sich.

»Ich werde nunmehr einen Vortrag halten«, verkündete der Doktor mit liebenswürdiger Bestimmtheit, »über die allgemeinen Hintergründe und die Entwicklung jener Situation, die in der Kriminalromanliteratur als der ›hermetisch versiegelte oder verschlossene Raum‹ bekannt ist.«

Hadley stöhnte auf. »Ein andermal«, schlug er vor. »Nach diesem ausgezeichneten Essen wollen wir keinen Vortrag hören, besonders nicht, wenn Arbeit auf uns wartet. Also, wie ich gerade sagte . . .«

»Ich werde nunmehr einen Vortrag halten«, sagte Dr. Fell unerbittlich, »über die allgemeinen Hintergründe und die Entwicklung jener Situation, die in der Kriminalromanliteratur als der ›hermetisch versiegelte‹ Raum bekannt ist. Ähem. Wer etwas dagegen hat, kann dieses Kapitel überschlagen. Fangen wir an, meine Herren! Nachdem ich mich 40 Jahre lang durch die Lektüre von Sensationsliteratur gebildet habe, kann ich behaupten . . .«

»Aber wenn Sie scheinbar Unmögliches analysieren wollen«, unterbrach ihn Pettis, »warum sprechen Sie dann über Kriminalromane?«

»Weil«, sagte der Doktor freimütig, »wir uns in einer Kriminalgeschichte befinden; und wir können keinen Leser damit täuschen, indem wir so tun, als wäre das nicht so. Wir wollen uns keine weitschweifigen Entschuldigungen dafür ausdenken, daß wir uns einer Erörterung von Kriminalgeschichten unterziehen. Wir wollen uns lieber aufrichtig der edelsten Tätigkeit rühmen, die den Figuren eines Romans möglich ist.

Aber, um fortzufahren: Bei meinen Ausführungen zum Kriminalroman, meine Herren, werde ich keinen Streit dadurch vom Zaun brechen, daß ich etwa Regeln aufstelle. Ich beabsichtige, mich ausschließlich auf dem Felde des persönlichen Geschmacks und der individuellen Vorlieben zu bewegen. Kipling könnten wir vielleicht folgendermaßen verfälschen: ›Es gibt 69 Arten, ein Mordrätsel zu konstruieren, und jede einzelne davon hat ihr Recht.‹ Wenn ich nun behauptete, daß für mich jede einzelne von gleichem Interesse sei, dann wäre ich, um es so gemäßigt wie möglich auszudrücken, ein verdammter Lügner. Aber darum geht es nicht. Wenn ich sage, daß eine Geschichte um einen hermetisch verschlossenen Raum mehr hergibt als jedes andere Thema in der Kriminalliteratur, dann handelt es sich dabei lediglich um ein Vorurteil. Ich liebe es, wenn meine Morde zahlreich, blutrünstig und grotesk sind. Ich liebe es, wenn ein gerüttelt Maß an Farbkraft und Phantasie aus meiner Fabel leuchtet, denn ich kann einer Geschichte nicht allein deshalb etwas abgewinnen, weil sie den Anschein erweckt, sie hätte sich wirklich so zutragen können. Ich mache mir nichts aus dem Geräusch des täglichen Lebens; viel lieber lausche ich dem Lachen des großen Hanaud oder dem tödlichen Läuten der Glocken von Fenchurch St. Paul. Alle diese Dinge, das gebe ich zu, sind satte und frohgemute, ganz bewußte Vorurteile und mit keiner Kritik an gemäßigteren – oder qualifizierteren – Arbeiten verbunden.

Aber dieser Punkt ist wichtig, denn einige, die das leicht Schaurige nicht schätzen, geben ihre Vorlieben am liebsten als Regeln aus.

Zur Brandmarkung benutzen sie das Wort ›unwahrscheinlich‹! Die Unaufmerksamen sollen damit verleitet werden, ›unwahrscheinlich‹ mit ›schlecht‹ gleichzusetzen.

An dieser Stelle scheint nun der Hinweis angebracht, daß das Wort ›unwahrscheinlich‹ das alleruntauglichste ist, wenn es darum geht, Detektivromane zu kritisieren. Ein Großteil unseres Vergnügens an Detektivromanen basiert doch geradezu auf dem Vergnügen am Unwahrscheinlichen. Wenn A ermordet wird und B und C unter starkem Verdacht stehen, dann ist es unwahrscheinlich, daß der unschuldig aussehende D schuldig sein soll. Aber er ist es. Wenn G ein perfektes Alibi vorweisen kann, das in jeder Einzelheit unerschütterlich zu sein scheint, dann ist es unwahrscheinlich, daß G das Verbrechen begangen haben soll. Aber er hat es begangen. Wenn der Detektiv eine Spur Kohlenstaub am Strand findet, dann ist es unwahrscheinlich, daß eine solche Nebensächlichkeit entscheidend sein soll. Aber sie ist es. Kurz, man erreicht einen Punkt, wo das Wort ›unwahrscheinlich‹ jeder Bedeutung verlustig geht. Etwas wie Wahrscheinlichkeit kann es erst ganz am Ende einer Geschichte geben. Und dann, wenn man den Mord einem unwahrscheinlichen Täter anhängt – was ein paar von uns alten Käuzen tun –, dann darf man sich nicht beschweren, wenn er aus Motiven gehandelt hat, die weniger wahrscheinlich und notwendigerweise weniger einsichtig sind als diejenigen des erstbesten Verdächtigen.

Wenn der Aufschrei: ›So etwas gibt es doch gar nicht!‹ erklingt – wenn man sich zum Beispiel über verrückte Massenmörder und Verbrecher erregt, die Visitenkarten am Tatort hinterlassen –, dann heißt das doch nichts anderes als: ›Solche Geschichten mag ich nicht.‹ Dagegen ist nichts einzuwenden. Wer so etwas nicht mag, hat alles Recht der Welt, das auch zu äußern. Aber wer aus diesem Geschmacksurteil eine Regel konstruiert, an der er die Qualität oder gar Glaubwürdigkeit einer Geschichte mißt, der hat kein anderes Argument vorzuweisen als: ›Diese Folge von Ereignissen könnte niemals geschehen, denn mir würde es nicht gefallen, wenn sie geschähe.‹

Was aber will uns das sagen? Wir werden es prüfen, indem wir den hermetisch versiegelten Raum als Beispiel nehmen; denn diese Situation ist stärker als jede andere wegen ihrer angeblichen mangelnden Überzeugungskraft unter Beschuß geraten.

Die meisten Leser, so stelle ich mit Genugtuung fest, finden Gefallen an der Konstruktion des verschlossenen Raumes. Aber – und da liegt der Hund begraben – sogar seine Anhänger packt oft der Zweifel. Mich selbst, wie ich unumwunden zugebe.

Für den Augenblick befinden wir uns also alle in der gleichen Ausgangslage und wollen sehen, was wir herausfinden können. Warum packt uns der Zweifel, sobald wir die Lösung des Rätsels, die Erklärung des verschlossenen Raums erfahren? Nicht im mindesten, weil wir sie nicht glauben wollen, sondern einfach deswegen, weil wir auf eine unbestimmte Art und Weise enttäuscht sind. Und aus diesem Gefühl heraus ist es nur natürlich, noch einen weiteren ungerechten Schritt zu tun und die ganze Angelegenheit als unglaubwürdig oder unmöglich oder einfach lächerlich abzutun.

Mit anderen Worten«, rief Dr. Fell und schwenkte seine Zigarre, »genau dasselbe, was uns heute schon O'Rourke über Illusionen berichtet hat, die im richtigen Leben aufgeführt werden. Mein Gott! Meine Herren, welche Chance kann eine Geschichte haben, wenn wir über wirkliche Ereignisse die Nase rümpfen? Allein die Tatsache, daß sie geschehen und der Illusionist damit durchkommt, scheint die Täuschung unerträglich zu machen. Wenn sie in einem Detektivroman auftaucht, finden wir sie unglaubwürdig. Geschieht sie aber im richtigen Leben, und sind wir gezwungen, uns von ihr an der Nase herumführen zu lassen, so finden wir nur ihre Erklärung enttäuschend – falls wir sie je erfahren. Und das Geheimnis beider Enttäuschungen ist dasselbe: Wir erwarten zu viel!

Sehen Sie, die Wirkung ist so magisch, daß wir irgendwie erwarten, daß auch die Ursache magisch sei. Wenn wir entdecken, daß es keine Zauberei war, schimpfen wir es Albernheit – und das ist wohl kaum gerecht. Das letzte, worüber wir uns beim Mörder beschweren sollten, ist sein unberechenbares Benehmen. Der einzig gültige Maßstab lautet: Kann es so gemacht worden sein? Falls ja, erhebt sich die Frage, ob es je so gemacht werden würde, gar nicht mehr. Ein Mann entkommt aus einem verschlossenen Raum; nun, da er offenbar zu unserer Unterhaltung die Gesetze der Natur gebrochen hat, ist er weiß Gott auch dazu berechtigt, die Gesetze des unwahrscheinlichen Verhaltens zu brechen! Wenn ein Mann anbietet, einen Kopfstand zu machen, können wir ihm wohl kaum die Bedingung stellen, dabei die Füße auf dem Boden zu behalten. Vergessen Sie das nie, meine Herren, wenn Sie ein Urteil fällen. Nennen Sie das Ergebnis uninteressant, wenn Sie wollen, oder sonstwie, sofern es sich um Ihren persönlichen Geschmack handelt. Aber nehmen Sie sich in acht vor der unsinnigen Feststellung, etwas sei unwahrscheinlich oder weit hergeholt.«

»Schön und gut, schön und gut«, sagte Hadley. Er konnte nicht mehr stillsitzen. »Ich verfechte in dieser Sache keine Seite mit besonderem Nachdruck. Aber wenn Sie schon einen Vortrag halten müssen – mit einem gewissen Bezug auf unseren Fall...?«

»Ja.«

»...warum wählen Sie dann den hermetisch verschlossenen Raum? Sie sagten doch selbst, daß der Mord an Grimaud nicht unser größtes Problem sei. Das Haupträtsel ist ein Mann, der mitten auf einer offenen Straße erschossen wurde...«

»Ach, die Geschichte?« sagte Dr. Fell mit einer so verächtlichen Handbewegung, daß Hadley die Augen aufriß. »Dieser Teil – ich kannte die Lösung in dem Augenblick, als ich die Glocken läuten hörte. Tz, tz, was für eine Ausdrucksweise. Aber ich meine es ganz ernst. Die Flucht aus dem Zimmer – die beschäftigt mich. Und damit wir vielleicht auf neue Gedanken kommen, werde ich Ihnen nun einen groben Umriß von den verschiedenen Möglichkeiten geben, in einem verschlossenen Raum einen Mord zu begehen. Es existieren dabei verschiedene Kategorien, und unser Verbrechen fällt in eine davon – es muß in eine davon fallen! Wie groß die Variante auch sein mag – es ist nur die Variante einer der wenigen grundsätzlichen Methoden.

Ähem! Ha! Also, hier haben wir unsere Schachtel mit einer Tür, einem Fenster und festen Wänden. Bei meiner Erörterung der verschiedenen Fluchtmöglichkeiten, wenn Tür und Fenster verschlossen bleiben, werde ich den abgeschmackten und heutzutage äußerst selten eingesetzten Trick außer acht lassen, daß der verschlossene Raum über einen geheimen Zugang verfügt. Dieser Trick befördert eine Geschichte dermaßen über die Grenzen des Erträglichen, daß ein Autor, der auch nur einen Funken Selbstachtung besitzt, kaum mehr erwähnen muß, daß ein solches Ding nicht existiert. Kleinere Varianten dieser literarischen Verirrung brauchen wir nicht zu berücksichtigen: die Wandtäfelung, die sich nur so weit öffnen läßt, daß eine Hand hindurchpaßt, oder das verschlossene Loch in der Zimmerdecke, durch das ein Messer fallengelassen wird, wonach der Verschluß unauffindbar wieder eingesetzt und der Fußboden des oberen Zimmers so eingestaubt wird, daß es den Anschein hat, als könne dort niemand gewesen sein.

Das ist dasselbe Foul im Kleinen. Das Prinzip bleibt sich gleich, ob die geheime Öffnung so klein wie ein Fingerhut oder so groß wie ein Scheunentor ist... Was nun eine sinnvolle Kategorisierung angeht – Sie könnten vielleicht das eine oder andere notieren, Mr. Pettis...«

»In Ordnung«, lächelte Pettis. »Fahren Sie fort.«

»Erstens: Wir haben es mit einem Verbrechen in einem hermetisch versiegelten Raum zu tun, der wirklich hermetisch verschlossen ist und aus dem kein Mörder entkommen ist, weil in Wahrheit gar kein Mörder in dem Raum war. Erklärungen:

1. Es ist kein Mord, sondern eine Kette von Zufällen, die in einen Unfall münden, der wie Mord aussieht. Zu einem früheren Zeitpunkt, bevor der Raum verschlossen wurde, fanden ein Raub, ein Überfall, eine Verwundung oder eine Zertrümmerung von Mobiliar statt, die an einen Kampf denken lassen. Später kommt das Opfer in dem nunmehr verschlossenen Raum entweder durch einen Unfall ums Leben oder verliert das Bewußtsein, und man nimmt an, daß alle diese Vorfälle zur selben Zeit stattfanden. In diesem Fall ist die Todesursache meistens ein Schlag auf den Kopf; man nimmt an, mit einer Art Keule, aber in Wirklichkeit war es ein Möbelstück, vielleicht die Kante eines Tischs oder eines Stuhls, aber am beliebtesten sind eiserne Kamingitter. Seit Sherlock Holmes' Abenteuer mit dem *Verwachsenen* pflegt das mörderische Kamingitter Menschen auf eine Art und Weise umzubringen, die nach Mord aussieht. Die rundum befriedigendste Lösung dieser Art von Geschichte, in der überdies ein Mörder vorkommt, wird in Gaston Leroux' *Das Geheimnis des gelben Zimmers* präsentiert – dem besten Kriminalroman, der jemals geschrieben wurde.

2. Es handelt sich um Mord, doch das Opfer wird dazu gebracht, sich selbst zu töten oder einen tödlichen Unfall zu erleiden. Dies kann durch die Illusion eines Raumes, in dem es spukt, bewirkt werden; oder, was gebräuchlicher ist, durch Gas, das von außen in den Raum geleitet wird. Dieses Gas oder Gift läßt das Opfer verrückt spielen; der Bedauernswerte zertrümmert die Einrichtung, als hätte es einen Kampf gegeben, und stirbt endlich an einem Messerstich, den er sich selbst beigebracht hat. In anderen Varianten jagt er sich die Spitze eines Leuchters durchs Haupt, erhängt sich an einer Drahtschlinge oder erdrosselt sich sogar eigenhändig.

3. Es ist Mord, der durch eine mechanische Vorrichtung bewerkstelligt wird, die bereits vorher in dem Raum installiert wurde und unentdeckt in einem unschuldig aussehenden Möbelstück verborgen ist. Es mag eine Falle sein, die von jemandem installiert wurde, der längst tot ist, die automatisch funktioniert oder von einem noch lebenden Mörder ihrem Zweck gemäß verwendet wird, vielleicht auch ein teuflischer Trick, der neuesten wissenschaftlichen Erkenntnissen entspringt. Beispielsweise kennen wir den Schußmechanismus, der in einem Telefonhörer verborgen ist und eine Kugel in den Kopf des Opfers feuert, sobald es den Hörer abnimmt. Es gibt die Pistole mit einer Schnur am Abzug, oder der Schuß wird durch Wasser ausgelöst, das beim Gefrieren sein Volumen ausdehnt. Wir haben eine Standuhr, die eine Kugel abschießt, sobald man sie aufzieht. Und, da Standuhren nun mal sehr beliebt sind, wir haben die überaus raffinierte Großvateruhr, die ein gräßlich mißklingendes Glockengeläut erklingen läßt, und wenn man dann hinaufreicht, um den Lärm abzustellen, löst man mit der Berührung eine Klinge aus, die einem den Bauch aufschlitzt. Dann gibt es noch das Gewicht, das von der Decke pendelt, und das Gewicht, das dem Opfer von der hohen Lehne eines Ohrensessels auf den Schädel kracht; ein Bett, das ein tödliches Gas ausströmt, sobald es von einem menschlichen Körper erwärmt wird. Die vergiftete Nadel, die keine Spur hinterläßt, den ...

... Sie sehen«, sagte Dr. Fell, der jedes Beispiel mit einem Hieb seiner Zigarre durch die Luft unterstrichen hatte, »wenn wir uns auf mechanische Vorrichtungen einlassen, bewegen wir uns eher in der allgemeinen Sphäre der ›unmöglichen Situation‹ als in der spezielleren des ›verschlossenen Raumes‹. Ich könnte endlos fortfahren, und sei es nur über mechanische Vorrichtungen, mit denen man Menschen durch einen elektrischen Schlag ins Jenseits befördern kann: Ein Seil vor einer Bilderwand steht unter Strom; ein Schachbrett steht unter Strom; ein Handschuh steht unter Strom. Der Tod lauert in jedem nur denkbaren Haushaltsgegenstand, sogar in einem Teewärmer. Aber diese Dinge scheinen in unserem Fall keine Rolle zu spielen, kommen wir also zu:

4. Selbstmord, der wie Mord aussehen soll. Ein Mann ersticht sich mit einem Eiszapfen, der Eiszapfen schmilzt. Da keine Waffe in dem verschlossenen Raum gefunden wird, geht man von Mord aus. Ein Mann erschießt sich mit einem Revolver, der an

einem Gummiband befestigt ist – sobald er nach dem Schuß den Revolver losläßt, wird dieser in den Kamin hinauf außer Sicht katapultiert. Varianten dieses Tricks, die nichts mit dem verschlossenen Raum zu schaffen haben, sind erstens die Pistole, die mit einer Schnur an ein Gewicht gebunden ist, das an der Außenseite eines Brückengeländers hängt und nach dem Schuß die Pistole ins Wasser befördert; zweitens die Pistole, die aus dem Fenster in eine Schneeverwehung geschleudert wird.

5. Ein Mord, dessen Besonderheit auf dem Gebiet der Illusion und Personifikation zu suchen ist: Das Opfer, von dem man annimmt, daß es noch lebt, liegt bereits ermordet in einem Zimmer, dessen Tür sich im Blickfeld von Zeugen befindet. Der Mörder, der entweder als sein Opfer verkleidet ist oder von hinten mit ihm verwechselt wird, eilt zur Tür hinein. Er legt seine Verkleidung ab und kommt als er selbst wieder aus dem Zimmer. Die Illusion besteht darin, daß er beim Verlassen des Raumes seinem Opfer lediglich begegnet sei. Er hat auf jeden Fall ein Alibi, denn wenn der Leichnam später entdeckt wird, wird man glauben, daß der Mord erst einige Zeit, nachdem das vermeintliche Opfer den Raum betrat, geschehen ist.

6. Ein Mord, der von einem Täter begangen wurde, der zur Tatzeit nicht in dem Raum war, aber den Anschein erweckt, als hätte er dort sein müssen.

Um dies zu erklären«, unterbrach sich Dr. Fell, »weise ich nunmehr diese Sorte Mord der allgemeinen Kategorie der Distanz- oder Eiszapfen-Verbrechen zu, da es sich normalerweise um Varianten dieses Prinzips handelt. Ich habe von Eiszapfen gesprochen; Sie begreifen, was ich damit sagen will? Die Tür ist verschlossen, das Fenster zu klein, der Mörder hätte nicht hindurchschlüpfen können, und doch ist das Opfer augenscheinlich in diesem Zimmer erstochen worden; die Tatwaffe fehlt. Nun, der Eiszapfen ist als Projektil von draußen abgeschossen worden – wir werden nicht diskutieren, ob so etwas praktisch durchführbar ist; genausowenig, wie wir die geheimnisvollen Gase diskutiert haben, von denen die Rede war. Der Eiszapfen schmilzt, ohne eine Spur zu hinterlassen. Ich glaube, es war Anna Katharine Green, die in ihrem Roman *Initials Only* diesen Trick als erste in die Kriminalliteratur einführte.

Übrigens hat sie eine ganze Reihe von Traditionen ins Leben gerufen. In ihrem ersten Roman begründete sie das Motiv des mörderischen Sekretärs, der seinen Arbeitgeber umbringt, und ich glaube, heutige Statistiken würden erweisen, daß der Sekretär immer noch der beliebteste literarische Mörder ist. Butler sind längst aus der Mode; der Invalide im Rollstuhl ist zu verdächtig; und die sanftmütige Jungfer mittleren Alters hat ihre Mordlust längst an den Haken gehängt; sie ist statt dessen selbst zur Detektivin avanciert. Auch Ärzte benehmen sich heutzutage etwas gesitteter, mit Ausnahme derer, die berühmt und dann verrückte Wissenschaftler werden. Rechtsanwälte halten sich zwar hartnäckig als windige Burschen, werden aber nur in seltenen Fällen wirklich gewalttätig.

Aber das Rad dreht sich weiter! Edgar Allan Poe verplauderte sich vor 80 Jahren, als er seinen Mörder Goodfellow nannte; und der populärste Kriminalschriftsteller unserer Zeit tut genau dasselbe, indem er seinem Erzschurken den Namen Goodman gibt. Indes sind Sekretäre immer noch die gefährlichsten Burschen, die man im Haus haben kann.

Aber zurück zu unserem Eiszapfen: Sein Gebrauch wurde den Medici zugeschrieben, und in einer der bewundernswerten Fleming-Stone-Geschichten wird ein Epigramm von Martial zitiert, um zu zeigen, daß der Eiszapfen seine tödliche Karriere im Rom des ersten nachchristlichen Jahrhunderts begann.

Nun, er wurde geworfen oder vermittels diverser Apparaturen, bis hin zu einem Bogen, abgeschossen, so zum Beispiel in einem Abenteuer Hamilton Cleeks, dieser großartigen Figur aus *Forty Faces*. Variationen desselben Themas, ein schmelzendes Geschoß, sind Steinsalzkugeln sowie Kugeln aus gefrorenem Blut.

Die Beispiele veranschaulichen, was ich mit Verbrechen meine, die von einer Person, die sich selbst außerhalb eines Raumes befindet, in diesem Raum begangen werden. Es gibt andere Methoden: Das Opfer kann mit der dünnen Klinge eines Stockdegens ermordet werden, die durch die geflochtenen Wände eines Gartenhauses geschoben und wieder zurückgezogen wird, oder mit einer Klinge erstochen werden, die so dünn ist, daß es seine Verwundung zunächst gar nicht bemerkt und in ein anderes Zimmer geht, bevor es dann plötzlich tot zusammenbricht. Oder es wird dazu gebracht, aus einem Fenster zu schauen, das von unten unzugänglich ist, von oben jedoch saust unser alter Freund Eisberg herunter und beschert ihm einen zertrümmerten Schädel, aber es gibt keine Waffe, denn die Waffe ist geschmolzen.

In diese Kategorie – sie würden aber auch genausogut unter die Überschrift Nummer 3 passen – gehören Morde, die mit Hilfe giftiger Schlangen oder Insekten verübt werden. Schlangen können nicht nur in Kommoden und Panzerschränken versteckt, sondern auch geschickt in Blumentöpfen, Büchern, Kronleuchtern und Spazierstöcken untergebracht werden.

Ich erinnere mich da an eine amüsante kleine Begebenheit, bei welcher der Bernsteinstiel einer Pfeife, der originellerweise in Gestalt eines Skorpions geschnitzt war, sich just in dem Augenblick als lebendiger Skorpion herausstellt, als das Opfer ihn zum Munde führt. Aber als das faszinierendste Distanzverbrechen, das jemals in einem verschlossenen Raum verübt wurde, meine Herren, empfehle ich Ihnen eine der glänzendsten Kurzgeschichten der Kriminalliteratur. Sie teilt sich die Ehre, in die oberste Kategorie absoluter Unschlagbarkeit zu gehören, mit Thomas Burkes *Die Hände des Mr. Ottermole*, Chestertons *Der Mann in der Passage* und Jacques Futrelles *Der Rätsel von Zelle 13*. Ich spreche von Melville Davisson Posts Erzählung mit dem Titel *The Doomdorf Mystery*. Der auf Distanz bleibende Mörder ist in diesem Fall die Sonne. Die Sonne scheint durch das Fenster des verschlossenen Raumes; eine Flasche von Doomdorfs eigenem Methylalkohol wird zum Brennglas und entzündet das Zündhütchen eines Gewehrs, das an der Wand hängt – und die Brust des verhaßten Opfers wird zerfetzt, während er im Bett liegt. Ferner haben wir ...

... aber langsam. Ha. Ich will nicht abschweifen. Ich werde diese Kategorie abschließen mit dem letzten Punkt:

7. Es ist Mord, der auf einem Effekt beruht, der sich genau umgekehrt zu dem unter 5 verhält, will sagen, das Opfer wird schon lange für tot gehalten, ehe es tatsächlich tot ist. Es liegt bewußtlos, unter der Einwirkung von Drogen, aber unversehrt in einem verschlossenen Raum. Kein Türklopfen kann es wecken. Der Mörder spielt den übrigen Anwesenden Theater vor: Er bricht die Tür auf, stürzt als erster hinein und tötet das Opfer durch Erstechen oder Kehledurchschneiden. Gleichzeitig legt er den Zeugen nahe, etwas gesehen zu haben, das gar nicht existierte. Die Ehre, diese Konstruktion erfunden zu haben, gebührt Israel Zangwill. Sie wurde seitdem in manch abgewandelter Form immer wieder eingesetzt. Diese Art von Mord wurde, gewöhnlich durch Erstechen, schon auf einem Schiff, in einer

Ruine, einem Gewächshaus, einer Mansarde und sogar unter freiem Himmel verübt. In letzterem Fall stolpert das Opfer und verliert das Bewußtsein, bevor sich der Mörder über es beugt. Wir sehen also . . .«

»Einen Augenblick bitte!« warf Hadley jetzt ein und verschaffte sich mit einem Hieb auf den Tisch Aufmerksamkeit. Dr. Fell, der seine Sprechmuskeln inzwischen angenehm warmgeredet hatte, drehte sich bereitwillig zu ihm um und strahlte ihn an.

Hadley ergriff das Wort: »Das ist ja alles schön und gut. Sie haben sich nun mit allen Aspekten des verschlossenen Raumes beschäftigt . . .«

»Mit allen?« schnaubte Dr. Fell mit weit aufgerissenen Augen. »Das habe ich keineswegs. Das bisher Gesagte deckte nicht einmal annähernd die Methoden ab, die unter die erste Kategorie fallen. Es handelte sich nur um einen groben, vorläufigen Abriß, aber dabei wollen wir es bewenden lassen. Ich wollte von der nächsten Kategorie sprechen, den verschiedenen Methoden, Türen und Fenster so zu manipulieren, daß sie von innen verriegelt erscheinen. Hm! Also, meine Herren, ich fahre fort.«

»Nein, das tun Sie nicht«, sagte der Superintendent hartnäckig. »Ich habe Einwände vorzubringen, die sich auf Ihre eigenen Argumente stützen. Sie behaupten, die Aufzählung der verschiedenen Arten und Weisen, wie das Bubenstück durchgeführt worden sein kann, könnte uns auf eine Spur bringen. Sie haben sieben Punkte aufgeführt, aber wenn wir die auf unseren Fall anwenden, müssen sie ausnahmslos ausgeschlossen werden, und zwar gemäß der Überschrift, unter der Sie sie eingeführt haben, nämlich unter der Kategorie: ›Kein Mörder entkam aus dem Raum, weil zum Zeitpunkt des Verbrechens niemand in dem Raum war.‹ Damit wird doch alles hinfällig! Denn wir wissen eines genau – sofern wir nicht annehmen wollen, daß Mills und die Dumont lügen –: daß der Mörder tatsächlich im Zimmer war! Was sagen Sie dazu?«

Pettis' Glatzkopf glänzte im Schein der Lampe mit dem roten Schirm, während er sich über einen Briefumschlag beugte; mit einem feinen goldenen Bleistift machte er sich säuberliche Notizen.

Jetzt schaute er mit seinen mehr denn je hervorquellenden Augen erschreckt auf.

»Äh, ja«, sagte er hüstelnd. »Aber dieser Punkt Nummer 5 ist doch recht aufschlußreich, würde ich meinen: Illusion! Was wäre, wenn Mills und die Dumont in Wahrheit gar niemanden zu dieser Tür hineingehen sahen, wenn ihnen das nur durch eine Illusion, vielleicht nach Art der Laterna magica, vorgegaukelt wurde?«

»Von wegen Illusion!« sagte Hadley. »Tut mir leid, daran habe ich auch schon gedacht. Daraufhin habe ich Mills gestern abend schon abgeklopft, und heute morgen habe ich mich noch einmal mit ihm darüber unterhalten. Was auch immer der Mörder gewesen sein mag, eine Illusion jedenfalls nicht, und er ging tatsächlich durch diese Tür. Er war so wirklich, daß er einen Schatten warf und beim Gehen den Fußboden erbeben ließ. Er war so wirklich, daß er sprach und eine Tür zuschlug. Dagegen haben Sie doch keine Einwände, Fell, oder?«

Der Doktor nickte mit untröstlicher Miene; geistesabwesend zog er an seiner Zigarre. »Oh nein, dagegen habe ich keine Einwände. Er war dort, und er ging tatsächlich hinein.«

»Und selbst«, spann Hadley seinen Faden weiter, während Pettis beim Kellner Kaffee bestellte, »wenn wir annehmen, daß alles, was wir zu wissen glauben, nicht stimmt, selbst wenn wir annehmen, daß alles nur das Werk einer Laterna magica war: Grimaud wurde nicht von einer Laterna magica getötet. Es war ein wirklicher Revolver, der von einer wirklichen Hand abgefeuert wurde.

Und was all das übrige angeht: Grimaud wurde weiß Gott nicht von einer mechanischen Vorrichtung erschossen. Mehr noch, er hat sich auch nicht selbst erschossen und sich anschließend den Revolver den Kamin hinauf entreißen lassen – wie in einem Ihrer Beispiele. Erstens kann sich ein Mensch nicht aus einigen Metern Entfernung selbst erschießen, zweitens fliegen Revolver nicht Kamine hinauf, segeln über die Dächer und landen in der Cagliostro Street, um dort Fley zu erschießen und nach getaner Arbeit zu Boden zu trudeln. Verflucht, Fell, ich rede schon daher wie Sie! Das kommt davon, daß ich mich Ihren Denkgewohnheiten zu sehr aussetze. Ich erwarte jeden Moment einen Anruf aus der Zentrale, und ich möchte wieder einen klaren Kopf bekommen. Was haben Sie denn?«

Dr. Fell starrte mit seinen kleinen, weit aufgerissenen Äuglein auf die Lampe und ließ seine geballte Faust langsam auf den Tisch sinken.

»Der Kamin!« murmelte er. »Der Kamin! Mann, vielleicht . . .? Herr im Himmel! Hadley, was für ein Esel ich doch war!«

»Was ist mit dem Kamin?« fragte der Superintendent. »Wir haben doch längst bewiesen, daß der Mörder so nicht entkommen sein kann – durch den Kamin.«

»Ja, sicher, aber das meine ich nicht. Es beginnt mir allmählich etwas zu dämmern, und wenn es nur der Dämmer des Mondes ist. Ich muß mir diesen Kamin noch einmal vornehmen.«

Pettis kicherte leise und klopfte mit dem Bleistift auf seine Notizen. »Jedenfalls«, schlug er vor, »könnten Sie Ihre Ausführungen immerhin zu einem Abschluß bringen. Ich muß dem Superintendent in einem Punkt zustimmen. Es könnte sinnvoller sein, sich mit den Methoden zu beschäftigen, wie man Türen, Fenster oder Kamine manipuliert.«

»Kamine, so muß ich mit Bedauern feststellen«, fuhr Dr. Fell fort, der seinen alten Schwung wiedergefunden hatte, nachdem die momentane Zerstreutheit von ihm abgefallen war, »Kamine sind als Fluchtwege in den Detektivromanen nicht sonderlich beliebt, es sei denn, als Geheimgänge, als solche sind sie sogar vorherrschend. Es gibt den hohlen Kamin mit der geheimen Kammer dahinter; die Rückwand der Feuerstelle, die sich wie ein Vorhang öffnen läßt; sogar den Raum unter der Feuerstelle. Ferner können alle möglichen Dinge durch den Kamin h i n u n t e r geworfen werden, in erster Linie giftige Dinge. Aber der Mörder, der entwischt, indem er den Kamin h i n a u f klettert, bleibt eine seltene Spezies. Abgesehen davon, daß es so gut wie unmöglich ist, ist es viel schmutziger, als mit Türen und Fenstern herumzuspielen. Von den beiden Oberkategorien Tür und Fenster ist die Tür die weitaus beliebtere.

Zweitens: Wir können ein paar Methoden aufzählen, wie man sie manipulieren kann, damit sie von innen verschlossen erscheint:

1. Die Manipulation des Schlüssels, der noch im Schloß steckt. Dies ist seit jeher die häufigste Methode gewesen, aber ihre Spielarten sind heutzutage so bekannt, daß sie niemand mehr mit Erfolg anwenden kann. Der Schlüssel kann mit einer Zange von außen gepackt und umgedreht werden; wir selbst haben das getan, um die Tür von Grimauds Arbeitszimmer von außen zu öffnen. Eine praktische kleine Vorrichtung besteht aus einem dünnen Metallstift, etwa fünf Zentimeter lang, an dem eine Schnur befestigt wird. Bevor man das Zimmer verläßt, wird dieser Stift an der Spitze des Schlüssels ins Schlüsselloch

geschoben, ein Schnurende darunter und eines darüber, so daß er als Hebel wirkt. Die Schnur wird fallengelassen und unter dem Türspalt hindurch nach außen geführt. Die Tür wird von außen geschlossen. Nun muß man nur an der Schnur ziehen, und der Hebel dreht den Schlüssel im Schloß. Dann zieht oder schüttelt man den losen Stift mit der Schnur aus dem Schloß, und wenn er heruntergefallen ist, zieht man ihn unter der Tür hindurch zu sich hinaus. Dieses Prinzip kennt mehrere Varianten, die alle auf dem Einsatz einer Schnur basieren.

2. Einfaches Entfernen der Türangeln, ohne dabei etwas an Schloß oder Riegel zu verändern. Dies ist ein netter, kleiner Trick, den die meisten Schuljungen kennen, wenn sie einen abgeschlossenen Schrank aufbrechen wollen. Selbstverständlich müssen sich die Angeln an der Außenseite der Tür befinden.

3. Manipulationen am Riegel; wieder mit Hilfe einer Schnur, diesmal einer Vorrichtung aus Näh- oder Stopfnadeln, mit der der Riegel von außen vorgeschoben wird, indem man eine Nadel, die in der Innenseite der Tür steckt, als Hebel benutzt und die Schnur durchs Schlüsselloch geführt wird. Philo Vance, vor dem ich meinen Hut ziehe, hat uns mit der gelungensten Durchführung dieses Tricks erfreut. Es gibt einfachere, aber weniger wirkungsvolle Spielarten, die mit einem Stück Schnur arbeiten. Ans Ende einer langen Schnur wird mit einem Narrenknoten, der mit einem heftigen Ruck gelöst werden kann, eine Schlinge geknüpft. Diese Schlinge wird um den Riegel gelegt und die Schnur unter der Tür hindurch nach außen gelegt. Die Tür wird geschlossen, und indem man die Schnur nach links oder rechts bewegt, kann man den Riegel öffnen und schließen. Ein Ruck löst den Knoten vom Riegel, und die Schnur kann weggezogen werden. Ellery Queen hat uns eine weitere Methode vorgeführt, bei der die Leiche selbst miteinbezogen wird – aber eine trockene Darstellung dieser Methode, ohne sie in ihren Zusammenhang zu stellen, erschiene so ungeheuerlich, daß wir diesem brillanten Kopf nicht gerecht würden.

4. Manipulationen am Fallriegel. Dies geschieht für gewöhnlich, wenn etwas unter den Fallriegel geklemmt wird, das weggezogen werden kann, nachdem die Tür von außen verschlossen worden ist, und ihn zufallen läßt. Die weitaus erfolgversprechendste Methode bedient sich ebenfalls des immer wieder

hilfreichen Eises. Ein Eiswürfel wird unter den Fallriegel geklemmt; sobald er schmilzt, fällt der Riegel, und die Tür ist zu. Eine Situation gibt es, bei der das bloße Zuschlagen der Tür genügt, innen den Riegel zum Fallen zu bringen.

5. Eine Illusion, schlicht, aber wirkungsvoll: Der Mörder hat nach seinem Verbrechen die Tür von außen verschlossen und den Schlüssel behalten. Man nimmt aber an, daß der Schlüssel noch von innen steckt. Der Mörder schlägt als erster Alarm und findet auch die Leiche. Er zerschlägt die oberste Glasscheibe der Tür, streckt seine Hand hindurch, in der er den Schlüssel versteckt, er ›findet‹ den Schlüssel innen im Schloß stecken und öffnet mit ihm die Tür. Dieser Trick kann auch bei einer normalen Holztür angewendet werden, deren Füllung eingeschlagen wird.

Es gibt mannigfaltige Möglichkeiten: Zum Beispiel kann man die Tür von außen abschließen und den Schlüssel, einmal mehr mit Hilfe einer Schnur, anschließend nach innen befördern. Aber Sie sehen selbst, daß in unserem Fall keine davon zum Zuge kommen konnte. Wir fanden die Tür von innen verschlossen. Nun, vielleicht hätte es irgendwie bewerkstelligt werden können, aber es wurde nicht so vorgegangen, weil Mills die Tür ohne Unterlaß im Auge hatte. Dieser Raum war nicht nur im technischen Sinne verschlossen, er wurde zusätzlich beobachtet, und diese Tatsache ist es, die uns alle um den Verstand bringt.«

»Ich bemühe nur ungern berühmte Platitüden«, sagte Pettis stirnrunzelnd, »doch wäre es nicht recht vernünftig zu sagen, schließen wir das Unmögliche aus, und was übrigbleibt, und sei es auch noch so unwahrscheinlich, muß die Wahrheit sein? Sie haben die Tür ausgeschlossen; ich nehme an, Sie schließen auch den Kamin aus?«

»So ist es«, grunzte Dr. Fell.

»Dann bewegen wir uns im Kreise und kehren zum Fenster zurück, oder täusche ich mich etwa?« wollte Hadley wissen. »Sie haben sich weitschweifig über lauter Möglichkeiten ausgelassen, die offensichtlich nicht in Betracht kommen. Aber in diesem Kompendium der Sensationen haben Sie den einzigen Fluchtweg nicht aufgeführt, den der Mörder überhaupt nur nehmen konnte.«

»Weil es kein verschlossenes Fenster war, verstehen Sie!« rief Dr. Fell. »Ich kann Ihnen diverse amüsante Fenstervarianten aufzählen, aber verriegelt müßten sie schon sein; ausgehend von den frühesten unechten Nagelköpfen bis zum neuesten Hokuspokus mit Stahlrolläden. Man kann ein Fenster zuerst einschlagen und dann den Verschluß sorgfältig von außen umdrehen, um es zu verriegeln. Schließlich, bevor man geht, setzt man eine neue Scheibe ein, die sieht wie die ursprüngliche aus, und das Fenster ist von innen verschlossen. Aber dieses Fenster war nicht verriegelt, ja nicht einmal geschlossen – es war nur unzugänglich.«

»Ich habe irgendwo schon einmal etwas von menschlichen Fliegen gelesen...«, grübelte Pettis.

Dr. Fell schüttelte den Kopf. »Wir wollen uns nicht darüber streiten, ob eine menschliche Fliege eine kahle, glatte Wand hinauflaufen kann. Ich habe schon so viel geschluckt, ich könnte auch das noch schlucken, wenn die Fliege bloß eine Art Landeplatz gehabt hätte. Damit meine ich, sie hätte irgendwo starten und irgendwo landen müssen. Aber das tat sie nicht, nicht auf dem Dach, nicht auf dem Boden vor dem Haus...« Dr. Fell klopfte mit den Knöcheln gegen seine Schläfen. »Wenn Sie aber ein paar Vermutungen, die in diese Richtung gehen, hören wollen, dann will ich Ihnen sagen...«

Er hielt inne und hob den Kopf. Am Ende des stillen, nunmehr verlassenen Speisesaals ließ eine Fensterreihe bleiches Tageslicht herein, das von fallendem Schnee flimmerte. Eine schattenhafte Gestalt hatte sich herangeschoben, gezögert, sich nach allen Seiten umgesehen und trat jetzt auf die Gruppe um Dr. Fell zu. Hadley tat einen gedämpften Ausruf, als er Mangan erkannte. Dieser war totenbleich.

»Doch nicht schon wieder etwas?« fragte Hadley so beherrscht wie irgend möglich. Er stieß seinen Sessel zurück. »Kein weiterer Mantel, der seine Farbe wechselt, oder...«

»Nein«, entgegnete Mangan. Er stand am Tisch und schnappte nach Luft. »Aber Sie kommen besser mit. Etwas ist mit Drayman, ein Schlaganfall oder etwas Ähnliches. Nein, er ist nicht tot. Aber er ist übel dran. Er wollte sich mit Ihnen in Verbindung setzen, als ihn der Schlag traf. Er redet wirres Zeug. Jemand sei in seinem Zimmer gewesen, von Feuerwerkskörpern und von Kaminen!«

Kapitel 18

Der Kamin

W ieder warteten drei Menschen im Salon – drei Menschen mit gereizten und strapazierten Nerven. Stuart Mills, der mit dem Rücken zum Kamin stand, räusperte sich unausgesetzt auf eine Art und Weise, die Rosette an den Rand des Wahnsinns zu treiben schien. Ernestine Dumont saß ruhig am Feuer, als Mangan Dr. Fell, Hadley, Pettis und Rampole hereinführte. Alle Lampen waren gelöscht, nur der düstere, schneeverhangene Nachmittag drang durch die schweren Spitzenvorhänge, und Mills' Schatten verdeckte den müden Schein des Feuers. Burnaby war gegangen.

»Sie können ihn nicht sprechen«, sagte die Frau. Ihre Augen waren auf den Schatten gerichtet. »Der Arzt ist bei ihm. Alles kommt auf einmal. Wahrscheinlich ist er verrückt geworden.«

Rosette war mit der ihr eigenen katzenhaften Anmut, die Arme verschränkt, auf und ab gegangen. Sie sah die Neuankömmlinge und sprach sie unvermittelt an.

»Ich halte das nicht mehr aus, wissen Sie. Eine Zeitlang geht es gut, und dann . . . Haben Sie eine Ahnung, was passiert ist? Wissen Sie, wie mein Vater ums Leben kam, oder wer ihn getötet hat? Um Himmels willen, sagen Sie doch etwas, und sei es nur, daß Sie mich beschuldigen!«

»Berichten Sie uns erst einmal genau, was Mr. Drayman zugestoßen ist«, erwiderte Hadley sanft, »und wann das war. Schwebt er in Lebensgefahr?«

Madame Dumont zuckte die Achseln. »Möglich. Sein Herz – ich weiß es nicht. Er ist einfach zusammengebrochen. Jetzt ist er bewußtlos. Ob er jemals das Bewußtsein wiedererlangen wird, kann ich auch nicht sagen. Was mit ihm passierte – wir haben keine Ahnung, was der Auslöser war . . .«

Wieder räusperte sich Mills. Er hatte den Kopf hochgereckt, sein starres Lächeln wirkte gespenstisch.

»Falls Sie, Sir, den geringsten Verdacht hegen, daß daran irgend etwas faul ist oder jemand ihn in mörderischer Absicht attackiert hat, dann können Sie diesen Verdacht sofort wieder fallenlassen. Und seltsamerweise werden Sie dafür, wie soll ich mich ausdrücken, paarweise Bestätigung erhalten. Ich will damit sagen, daß heute nachmittag dieselben Personen zusammen waren, die sich auch gestern abend hier versammelt hatten. Madama Pythia und ich« – er verbeugte sich feierlich vor Ernestine Dumont – »befanden uns oben in meinem kleinen Büro. Miss Grimaud und unser Freund Mangan waren meines Wissens hier unten.«

Rosettes Kopf fuhr herum. »Hören Sie lieber alles von Anfang an. Hat Boyd Ihnen erzählt, wie Drayman zuerst zu uns herunterkam?«

»Nein, ich habe gar nichts erzählt«, antwortete Mangan mit einer gewissen Bitterkeit. »Nach dieser Geschichte mit dem Mantel wollte ich jemanden zu meiner Unterstützung dabeihaben.« Er wandte sich ihr kurz zu, die Adern an seinen Schläfen traten hervor. »Es war vor ungefähr einer halben Stunde, Rosette und ich waren allein hier. Ich hatte mich mit Burnaby gestritten – na, das Übliche. Jeder zankte, und wegen dieser Mantelgeschichte haben wir uns schließlich getrennt. Burnaby war schon fort. Drayman hatte ich überhaupt noch nicht gesehen. Heute morgen war er in seinem Zimmer geblieben. Jedenfalls kam er herein und fragte mich, wie er Sie erreichen könne.«

»Glauben Sie, er hatte etwas entdeckt?«

Rosette zog die Nase kraus. »Oder er wollte den Eindruck erwecken, er hätte etwas entdeckt. Er kam auf seine tattrige Art herein und wollte, wie Boyd schon sagte, wissen, wo er Sie finden könne. Boyd erkundigte sich nach dem Grund.«

»Benahm er sich so, als sei er, nun, vielleicht auf etwas Wichtiges gestoßen?«

»Ja. Wir sind beide furchtbar erschrocken.«

»Warum das?«

»Das wären Sie auch«, entgegnete Rosette kühl, »wenn Sie unschuldig wären.« Sie bewegte ihre Schultern, wobei sie ihre Arme immer noch verschränkt hielt, als fröstle sie. »Also, wir fragten ihn, was denn los sei? Er stammelte ein bißchen herum und meinte: ›Ich habe bemerkt, daß in meinem Zimmer etwas fehlt, und das hat mich an etwas aus der letzten Nacht erinnert, was ich vergessen hatte.‹ Er sagte eine Menge Unsinn über unbewußte

Erinnerungen, und er drückte sich keineswegs klar aus. Kern der Sache war wohl eine Art Halluzination, daß letzte Nacht, als er mit dem Schlafmittel im Bett lag, jemand in seinem Zimmer war.«

»Vor dem ... Verbrechen?«

»Ja.«

»Wer war in seinem Zimmer?«

»Das ist es ja! Er wußte es entweder nicht oder konnte es nicht sagen, oder das Ganze war sowieso nichts anderes als ein Traum. Das war es wahrscheinlich auch. Alles andere ist wohl ziemlich abwegig«, urteilte Rosette, noch immer sehr kühl. »Als wir ihn fragten, tippte er sich nur an die Stirn und meinte ausweichend: ›Ich kann es beim besten Willen nicht sagen.‹ Seine typische Art, die einen wahnsinnig machen kann ... Mein Gott! Wie ich diese Leute hasse, die nicht damit herausrücken, was sie meinen! Wir beide haben uns ziemlich aufgeregt.«

»Ach, er ist schon in Ordnung«, meinte Mangan, der sich zunehmend unwohl zu fühlen schien, »bloß, verdammt noch mal, wenn ich nicht gesagt hätte ...«

»Was sagten Sie?« fragte Hadley schnell.

Mangan hob die Schultern, seine Augen wanderten ausweichend zum Feuer. »Ich sagte: ›Nun, wenn Sie so wichtige Entdeckungen gemacht haben, warum gehen Sie dann nicht hinauf zum Schauplatz des gräßlichen Mordes und finden noch ein bißchen mehr heraus?‹ Ja, ich war wütend. Er nahm mich aber beim Wort, sah mich einen Moment an und antwortete: ›Ja, das werde ich, glaube ich, auch tun. Ich muß mich vergewissern.‹ Und damit ging er wieder hinaus. Vielleicht 20 Minuten später hörten wir Lärm, als ob jemand die Treppe herunterpolterte. Sehen Sie, wir haben den Salon nicht verlassen, obwohl ...« Plötzlich hielt er inne.

»Du kannst es ruhig sagen«, forderte Rosette ihn mit erstaunlicher Gleichgültigkeit auf. »Mir ist es ganz gleich, wer darüber Bescheid weiß. Ich wollte ihm nachschleichen und ihn beobachten. Aber das ließen wir bleiben. Nach 20 Minuten hörten wir ihn herunterstapfen. Als er offenbar die unterste Stufe erreicht hatte, vernahmen wir ein würgendes Geräusch und einen Aufprall. Plumps! Einfach so. Boyd öffnete die Tür, und da lag er zusammengekrümmt am Boden. Sein Gesicht war ganz angeschwollen, die Adern auf seiner Stirn waren blau und traten hervor – ein furchtbarer Anblick! Natürlich haben wir sofort den Arzt kommen lassen. Drayman sagte nichts, abgesehen von einem wirren Gestammel über Kamine und Feuerwerk.«

Ernestine Dumont blieb nach wie vor gleichmütig. Ihr Blick wich nicht vom Feuer. Mills indessen tat einen kleinen, hüpfenden Schritt vorwärts.

»Wenn Sie mir erlauben, den Bericht fortzusetzen«, sagte er mit geneigtem Kopf. »Ich halte es für wahrscheinlich, daß ich die Lücke füllen kann. Natürlich nur mit Erlaubnis von Madame Pythia.«

»Ach, bah!« rief diese aus. Ihr Gesicht lag im Schatten, als sie aufsah, wobei sie so steif wie Fischbein wirkte, aber erschreckt sah Rampole, daß ihre Augen wild funkelten.

»Immer müssen Sie den Narren spielen! Madame Pythia hier, Madame Pythia da. Na gut, ich will Ihnen etwas sagen: Ich bin genug Wahrsagerin, um zu wissen, daß Sie den armen Drayman nicht mochten und daß meine kleine Rosette ihn auch nicht mag. Gott! Was wissen Sie von Menschlichkeit oder Mitgefühl... Drayman ist ein guter Mensch, auch wenn er ein bißchen verrückt ist. Vielleicht irrt er, vielleicht steht er unter Drogen, aber er ist im Innersten ein guter Mensch, und wenn er stirbt, werde ich für seine Seele beten.«

»Soll ich, äh, fortfahren?« fragte Mills unbeirrt.

»Jawohl, Sie sollen fortfahren«, äffte ihn die Frau nach und schwieg.

»Madame Pythia und ich saßen in meinem Büro im obersten Stockwerk, gegenüber dem Arbeitszimmer, wie Sie wissen. Und wieder stand die Tür offen. Ich sortierte einige Papiere und sah, wie Mr. Drayman die Treppe heraufkam und ins Arbeitszimmer ging.«

»Wissen Sie, was er dort tat?« fragte Hadley.

»Leider nicht. Er schloß die Tür hinter sich. Ich konnte nicht einmal eine Vermutung wagen, was er möglicherweise tat, da ich auch nichts hörte. Nach einiger Zeit kam er wieder heraus, in einem Zustand, den ich nur als atemlos und verunsichert zu bezeichnen vermag.«

»Was meinen Sie damit?«

Mills runzelte die Stirn. »Ich bedaure sagen zu müssen, Sir, daß es mir unmöglich ist, mich präziser auszudrücken. Ich kann nur feststellen, daß ich den Eindruck hatte, er müsse sich einer heftigen körperlichen Anstrengung unterzogen haben. Dies hat zweifellos seinen Kollaps verursacht oder beschleunigt, da es bereits klare Anzeichen eines Schlaganfalles gab. Wenn ich Madame Pythia korrigieren darf, mit seinem Herzen hatte es nichts zu tun. Äh, ich möchte noch etwas hinzufügen, wovon noch nicht die Rede war. Als er nach dem Anfall hochgehoben wurde, fiel mir auf, daß seine Hände und Ärmel rußbedeckt waren.«

»Wieder der Kamin«, murmelte Pettis kaum hörbar, und Hadley drehte sich zu Dr. Fell um. Rampole war verblüfft, als er bemerkte, daß der Doktor gar nicht mehr im Zimmer war. Jemand von seinem Gewicht und Körperumfang bemüht sich zumeist erfolglos, wenn er sich auf verstohlene Weise in Luft aufzulösen trachtet. Dennoch war er fort, und Rampole glaubte zu wissen wohin.

»Folgen Sie ihm hinauf«, flüsterte Hadley dem Amerikaner zu. »Und sehen Sie zu, daß er nicht wieder mit seiner verfluchten Geheimniskrämerei loslegt. Nun, Mr. Mills . . .«

Hadleys unerbittliche Fragen folgten Rampole bis hinaus in das Zwielicht der Eingangshalle. Es war sehr still im ganzen Haus, so still, daß er im ersten Stock unwillkürlich zusammenfuhr, als von unten das Telefon heraufschrillte. Als er an Draymans Zimmertür vorüberging, hörte er heisere Atemzüge und leise Schritte auf Zehenspitzen. Durch den Türspalt sah er auf einem Stuhl die Tasche und den Hut des Arztes. Im obersten Stockwerk brannte kein Licht. Auch hier war es so still, daß er deutlich Annies Stimme hören konnte, die unten das Telefon beantwortete.

Im Arbeitszimmer war es dämmrig, trotz der wenigen Schneeflocken schimmerte ein spärliches, unheimliches Licht – ein stumpfes, orangerotes Abendlicht – zum Fenster hinein. Es tauchte den Raum in einen unsteten Glanz, es entzündete die Farben des Wappenschildes zum Leben, funkelte über die gekreuzten Rapiere und ließ die weißen Büsten auf den Bücherregalen groß und bedrohlich erscheinen.

In dem Zimmer, das wie Grimaud selbst eine Mischung aus Gelehrsamkeit und Exotik ausstrahlte, schien leise kichernd der Schatten des Toten zwischen den Möbeln umzugehen. Die riesige leere Stelle an der getäfelten Wand, die für das Bild vorgesehen war, starrte Rampole höhnisch entgegen.

Und Dr. Fell stand auf seinen Stock gestützt in seinem schwarzen Umhang reglos vor dem Fenster und blickte in den Sonnenuntergang.

Das Knarren der Tür hatte nicht vermocht, ihn aus seinen Gedanken zu reißen. Rampoles Stimme schien ein Echo hervorzurufen, als er sagte:

»Haben Sie . . .?«

Dr. Fell wandte den Kopf. In der kalten Luft wurde die Wolke seines Atems sichtbar, als er ihn in unwillkürlicher Erschöpfung heftig ausstieß.

»Wie? Oh! Was hab' ich?«

»Etwas gefunden.«

»Nun, ich denke, daß ich jetzt die Wahrheit kenne. Ja, ich glaube, ich kenne die Wahrheit«, antwortete Dr. Fell nachdenklich, aber bestimmt, »und heute abend werde ich wahrscheinlich in der Lage sein, das auch zu beweisen. Ähem. Hah. Ja. Sehen Sie, ich habe hier gestanden und mir überlegt, wie ich es anstellen soll. Es ist das alte Problem, Junge, und mit jedem Jahr meines Lebens wird es schwieriger: Wenn der Horizont immer weiter und der alte Sessel immer bequemer wird, und vielleicht das menschliche Herz . . .« Er wischte sich mit der Hand über die Stirn. »Was ist Gerechtigkeit? Diese Frage mußte ich mir am Ende fast eines jeden Falles stellen, den ich gelöst habe. Gesichter erscheinen mir, arme Seelen und böse Träume . . . Lassen wir das; gehen wir hinunter?«

»Aber was ist mit dem Kamin?« fragte Rampole. Er trat auf ihn zu, sah hinein, klopfte dagegen und konnte immer noch nichts Ungewöhnliches ausmachen. Ein wenig Ruß war auf die Feuerstelle heruntergerieselt, und in der Rußschicht, welche die Rückwand bedeckte, war eine gekrümmte Kratzspur zu erkennen. »Was ist damit? Gibt es doch einen geheimen Ausgang?«

»Oh, nein. So wie Sie meinen, ist gar nichts damit. Niemand ist dort hineingekrochen. Nein«, fügte er hinzu, als Rampole seine Hand in die Öffnung des Rauchabzuges steckte und darin herumtastete. »Ich fürchte, Sie verschwenden Ihre Zeit. Da ist nichts.«

»Aber«, rief Rampole verzweifelt, »wenn dieser Bruder Henri . . .«

»Ja«, ließ sich eine bleischwere Stimme von der Tür vernehmen. »Bruder Henri!«

Diese Stimme wollte so wenig zu Hadley passen, daß Rampole und Dr. Fell sie im ersten Augenblick nicht erkannten. Hadley stand im Türrahmen und hielt ein zerknittertes Blatt Papier in Händen; sein Gesicht lag im Schatten, seine Stimme jedoch klang so tonlos, daß Rampole darin schiere Verzweiflung zu spüren glaubte. Hadley drückte behutsam die Tür hinter sich ins Schloß, verharrte im Dämmerlicht und sprach ruhig weiter.

»Es war unser eigener Fehler, daß wir uns von einer Theorie hypnotisieren ließen. Sie ist mit uns durchgegangen; und nun müssen wir den Fall ganz von vorn aufrollen. Fell, Sie sagten heute morgen, daß an diesem Fall alles verkehrtherum sei, und ich glaube kaum, daß Sie auch nur ahnten, wie recht Sie damit hatten. Es ist nicht nur alles verkehrtherum: Es gibt ihn gar nicht! Die wichtigste Grundlage unserer Überlegungen hat sich in Luft aufgelöst. Dieser gottverdammte, unmögliche...« Er starrte das Blatt Papier an, als wolle er es am liebsten zerfetzen. »Soeben habe ich einen Telefonanruf vom Yard erhalten: Es gibt Neuigkeiten aus Bukarest.«

»Ich fürchte, ich weiß, was Sie uns jetzt eröffnen werden«, nickte Dr. Fell. »Sie werden sagen, daß Bruder Henri...«

»Es gibt keinen Bruder Henri«, sagte Hadley. »Der dritte der drei Horváth-Brüder starb vor über 30 Jahren!«

Das spärliche rötliche Licht hatte eine schmutzige Färbung angenommen; in dem kalten, stillen Arbeitszimmer war von weither das Summen Londons zu hören, das am Abend noch einmal zum Leben erwachte. Hadley ging zu dem breiten Schreibtisch hinüber und strich das zerknitterte Papier darauf glatt, so daß die anderen es lesen konnten. Der gelbe Jadebüffel warf höhnisch seinen Schatten darauf. Auf der anderen Seite des Raumes klafften die Schnitte in dem Bild der drei Gräber.

»Ein Irrtum ist ausgeschlossen«, fuhr Hadley fort. »Der Fall ist durchaus bekannt, wie es scheint. Das Telegramm, das man uns geschickt hat, ist sehr lang, aber ich habe mir die wesentlichen Stellen am Telefon wörtlich notiert. Schauen Sie selbst.«

»Keine Schwierigkeit, die gewünschten Informationen zu bekommen«, war da zu lesen. »Zwei Männer, die jetzt in meinen persönlichen Diensten stehen, waren als Aufseher im Jahre 1900 in Siebentürmen beschäftigt und bestätigten die Aktenlage: Károly Grimaud Horváth, Pierre Fley Horváth und Nicholas Revéi Horváth waren die Söhne von Professor Károly Horváth (Universität Klausenburg) und seiner Frau Cécile Fley Horváth (aus Frankreich gebürtig). Wegen Raubüberfalls auf die Kunar Bank in Kronstadt im November 1898 wurden die drei Brüder im Januar 1899 zu 20 Jahren Zuchthaus verurteilt. Wachmann der

Bank starb an beigebrachter Verwundung; Beute wurde nie wiedergefunden. Es wurde angenommen, sie sei versteckt worden. Alle drei machten während der Pest im August 1900 mit Hilfe des Gefängnisarztes einen waghalsigen Ausbruchsversuch. Wurden für tot erklärt und auf Pestfriedhof begraben. Aufseher J. Lahner und R. Görgei kamen eine Stunde später zu den Gräbern zurück, um Holzkreuze aufzustellen, und bemerkten, daß Erde auf Károly Horváths Grab zerwühlt war. Überprüfung zeigte seinen Sarg offen und leer. Aufseher schaufelten die übrigen zwei Särge frei und fanden Pierre Horváth blutig und bewußtlos, aber am Leben. Nicholas Horváth war erstickt. Nicholas wurde abermals beerdigt, nachdem Vergewisserung über den Tod des Mannes erfolgt war. Pierre wurde ins Gefängnis zurückgebracht. Skandal vertuscht; Flüchtling nicht verfolgt; Geschichte erst Ende des Krieges aufgedeckt. Pierre Fley Horváth seitdem nicht mehr im Vollbesitz seiner geistigen Kräfte. Wurde im Januar 1919 entlassen, nachdem Strafe abgesessen war. Versichere Sie, daß nicht der geringste Zweifel am Tod des dritten Bruders bestehen kann!

Alexander Cuza

Polizeichef von Bukarest.«

»Oh ja«, sagte Hadley, als die beiden anderen gelesen hatten. »Es bestätigt unsere Rekonstruktion durchaus, mit Ausnahme der Kleinigkeit, daß wir einem Gespenst als Mörder aufgesessen sind. Bruder Henri, oder Bruder Nicholas, um genau zu sein, hat sein Grab nie verlassen. Er ist jetzt noch dort. Und der ganze Fall . . .«

Dr. Fell pochte mit den Knöcheln auf das Blatt Papier.

»Es war mein Fehler, Hadley«, gab er zu. »Ich sagte heute morgen, daß ich beinahe den größten Fehler meines Lebens gemacht hätte. Ich war von Bruder Henri wie besessen! Ich konnte an gar nichts anderes mehr denken. Sie verstehen jetzt, warum wir so bemerkenswert wenig über diesen dritten Bruder herausbrachten – so wenig, daß ich mit meiner verfluchten Selbstsicherheit alles mögliche in ihn hineininterpretiert habe.«

»Nun, es wird uns nicht helfen, nur den Fehler zuzugeben. Wie zum Teufel sollen wir jetzt all diese verrückten Bemerkungen Fleys erklären? Eine private Vendetta, Rache! Nachdem das vom Tisch ist, haben wir keine heiße Spur mehr, die wir noch verfolgen könnten. Keine einzige Spur! Und wenn wir das Motiv der Rache an Grimaud und Fley ausschließen, was bleibt uns dann noch?«

Dr. Fell wies einigermaßen feindselig mit seinem Stock auf ihn. »Erkennen Sie denn nicht, was uns bleibt?« zürnte er. »Sehen Sie nicht, daß dies die beiden Morde erklärt, die wir akzeptieren müssen, wenn wir uns nicht in der Klapsmühle wiederfinden wollen?«

»Sie meinen, jemand hat die ganze Sache so arrangiert, daß sie wie das Werk eines Rächers aussieht? Ich bin mittlerweile an einem Punkt«, bekannte der Superintendent, »wo ich fast alles glauben könnte. Aber das kommt mir doch ein bißchen zu weit hergeholt vor. Woher sollte der Mörder gewußt haben, daß wir in der Lage sein würden, so weit in die Vergangenheit zurückzugehen? Dazu wäre es nie gekommen, wenn wir nicht, mit Verlaub, ein paar Glückstreffer erzielt hätten. Wie konnte der Mörder wissen, daß wir Professor Grimaud jemals mit einem ungarischen Verbrecher in Verbindung bringen würden oder mit Fley und dem ganzen Rest der Affäre? Mir erscheint das wie eine falsche und viel zu gut getarnte Fährte.« Er ging auf und ab und boxte sich mit der Faust in die Handfläche. »Außerdem, wenn ich darüber nachdenke, wird das Ganze immer verwirrender! Wir hatten gute Gründe für die Annahme, daß der dritte Bruder die beiden anderen getötet hat; und je mehr ich über diese Möglichkeit nachdenke, desto mehr Zweifel kommen mir am Tod von Nicholas. Grimaud sagte selbst, daß sein dritter Bruder ihn erschossen habe, und wenn ein Mann stirbt und weiß, daß er stirbt, warum zum Teufel soll er dann noch lügen? Oder – Augenblick! Denken Sie vielleicht, er könnte Fley damit gemeint haben? Denken Sie, Fley kam hierher, erschoß Grimaud, und anschließend erschoß jemand anderer Fley? Diese Lösung würde eine Menge Fragen beantworten.«

»Aber«, sagte Rampole, »entschuldigen Sie, daß ich mich einmische, das würde nicht beantworten, warum auch Fley ständig über einen dritten Bruder sprach. Entweder ist Bruder Henri tot, oder er ist es nicht. Aber wenn er tot ist, welchen Grund sollten beide Opfer gehabt haben, unausgesetzt Lügen über ihn zu verbreiten? Wenn er tot ist, muß er ein Prachtexemplar von einem Untoten sein.«

Hadley schüttelte seine Aktentasche. »Ich weiß. Das ist doch gerade mein Problem. Jemandem müssen wir glauben, und es scheint mir vernünftiger, zwei Menschen zu glauben, die von ihm erschossen wurden, als einem Telegramm, das aus zahllosen Gründen manipuliert worden sein könnte – oder schlicht auf einem Irrtum beruht. Nehmen wir mal an, er ist wirklich tot, aber der Mörder gibt vor, dieser tote Bruder zu sein, von den Toten auferstanden.«

Er blieb stehen, nickte und blickte aus dem Fenster. »Ich glaube, wir kommen der Sache näher. Das würde doch alle Ungereimtheiten erklären. Der Mörder spielt die Rolle eines Mannes, den keiner der Brüder seit fast 30 Jahren gesehen hat. Na? Die Morde werden begangen, wir kommen ihm auf die Spur –, falls wir ihm auf die Spur kommen – und schieben alles auf Rache. Was halten Sie davon, Fell?«

Dr. Fell stapfte mit finsterster Miene um den Tisch herum. »Nicht schlecht. Nein, als Irreführung wirklich nicht schlecht. Aber was ist mit dem Motiv? Warum wurden Grimaud und Fley wirklich getötet?«

»Wie meinen Sie das?«

»Es muß doch eine Verbindung geben. Es kann alle möglichen Motive geben, offensichtliche oder obskure, warum jemand Grimaud hätte töten können. Mills oder die Dumont oder Burnaby oder – ja, jeder hätte Grimaud töten können! Und auch Fley hätte jeder töten können. Aber niemand, so muß ich betonen, aus dem gleichen Kreis oder der gleichen Clique. Warum hätte zum Beispiel jemand aus Grimauds Zirkel Fley töten sollen? Keiner war ihm wahrscheinlich je zuvor begegnet. Wenn diese Morde das Werk desselben Täters sind, wo ist die Verbindung? Ein respektabler Professor in Bloomsbury und ein vagabundierender Artist, der schon einmal gesessen hat. Wo ist der menschliche Beweggrund, der diese beiden im Hirn des Mörders verbindet, wenn nicht einer, der weit in die Vergangenheit zurückreicht?«

»Mir fällt jemand ein, der durch die Vergangenheit mit beiden verbunden ist«, sagte Hadley.

»Wer? Meinen Sie die Dumont?«

»Genau.«

»Was wird dann aber aus der Person, die Bruder Henri gespielt hat? Sie können sich überlegen, was Sie wollen, aber Sie müssen immer davon ausgehen, daß sie das nicht war. Nein, mein Freund. Die Dumont ist nicht nur eine ungeeignete Verdächtige, sie ist eine unmögliche Verdächtige!«

»Das sehe ich nicht so. Schauen Sie, Sie gründen doch Ihren Glauben, daß die Dumont Grimaud nicht getötet hat, auf der Voraussetzung, daß sie Grimaud liebte. Streiten Sie's nicht ab,

Fell, streiten Sie's nicht ab! Erinnern Sie sich, daß sie es war, die von der ganzen phantastischen Geschichte angefangen hat.«

»In schönster Einigkeit mit Mills!« rief Dr. Fell mit höhnischem Grinsen. Er schnaufte. »Können Sie sich zwei miserabler zusammenpassende Verschwörer denken, in mondloser Nacht umherschleichend, um die Polizei mit ihren phantastischen Märchen hinters Licht zu führen? Sie trägt vielleicht eine Maske, ich meine bildlich, in ihrem Leben; Mills trägt vielleicht eine Maske; aber die Kombination beider Masken sowie ihrer Handlungen, das ist zuviel. Da ziehe ich das eine wirklich falsche Gesicht vor. Außerdem dürfen Sie nicht vergessen, daß Ernestine Dumont als Doppelmörderin definitiv nicht in Frage kommt. Warum? Weil sie zum Zeitpunkt von Fleys Tod, der von drei glaubwürdigen Zeugen unbezweifelbar beschworen wird, hier in diesem Zimmer war und mit uns sprach.« Er überlegte, und ein verschmitztes Zwinkern schlich sich in seine Augen. »Oder wollen Sie die zweite Generation mit hineinziehen? Rosette ist Grimauds Tochter. Wollen wir annehmen, der mysteriöse Stuart Mills sei in Wahrheit der Sohn des verstorbenen Henri?«

Hadley wollte schon zu einer Entgegnung ansetzen, hielt aber inne und ließ seinen Blick auf Dr. Fell ruhen. Er setzte sich auf die Schreibtischkante.

»Diese Stimmung kenne ich. Die kenne ich sehr gut«, stellte der Superintendent fest, als bewahrheitete sich eben ein finsterer Verdacht. »So fangen Ihre verfluchten Geheimniskrämereien an, und in einer solchen Situation ist es müßig, mit Ihnen zu streiten. Warum sind Sie eigentlich so erpicht darauf, daß ich Ihnen Ihre Geschichte abkaufe?«

»Erstens«, sagte Dr. Fell, »weil ich es in Ihren Kopf hineinpauken will, daß Mills die Wahrheit gesagt hat.«

»Sie meinen, als Teil Ihrer Geheimniskrämerei, nur um mir anschließend zu beweisen, daß er doch gelogen hat? Ein fauler Trick, so ähnlich wie der, mit dem Sie mich beim Fall um die Totenuhr reingelegt haben?«

Darüber ging der Doktor mit einem verächtlichen Grunzen hinweg: »Und zweitens, weil ich den wahren Mörder kenne.«

»Ist es jemand, den wir gesehen und mit dem wir gesprochen haben?«

»Oh ja, absolut.«

»Und haben wir eine Chance, ihn . . .?«

Dr. Fell starrte mit einem geistesabwesenden, wilden, beinahe verächtlichen Ausdruck auf seinem geröteten Gesicht eine lange Weile auf den Schreibtisch.

»Ja, mit Gottes Hilfe«, entgegnete er endlich mit einem eigenartigen Unterton. »Ich glaube, die haben wir. Bis dahin gehe ich heim.«

»Heim?«

»Um die Grosssche Methode zu versuchen«, sagte Dr. Fell.

Er drehte sich um, ging aber nicht sofort. Während das trübe Licht sich in Purpur vertiefte und staubgraue Schatten allmählich den Raum verschlangen, verharrte er noch lange und betrachtete das aufgeschlitzte Bild, dessen unstete Kraft das letzte Tageslicht einfing, und die drei Särge, die nun endlich ihre Toten hatten.

Kapitel 19

Der Hohle Mann

In dieser Nacht schloß sich Dr. Fell in das kleine Kabuff hinter seiner Bibliothek ein, welches er für jene Zwecke reserviert hatte, die e r seine naturwissenschaftlichen Experimente und Mrs. Fell »dieses schreckliche Herumpfuschen« zu nennen pflegte. Nun, ein gewisser Hang zum Herumpfuschen ist einer der besten menschlichen Charakterzüge, und Rampole und Dorothy boten beide ihre tatkräftige Hilfe dazu an.

Aber der Doktor war so ernst und so ungewohnt bekümmert, daß sie ihn mit dem unbehaglichen Gefühl in Ruhe ließen, jeder Scherz sei fehl am Platze. Der unermüdliche Hadley hatte sich zur Überprüfung von Alibis auf den Weg gemacht. Nur eine Frage konnte Rampole sich nicht verkneifen:

»Ich weiß, daß Sie vorhaben, diese verkohlten Papiere zu entziffern«, sagte er, »und ich weiß, daß Sie sie für wichtig erachten. Aber was glauben Sie denn überhaupt noch herausfinden zu können?«

»Das Allerschlimmste«, antwortete Dr. Fell. »Das, was mich gestern abend beinahe zum Narren gemacht hätte.«

Und mit einem schläfrigen Kopfschütteln zog er die Tür hinter sich zu.

Rampole und Dorothy saßen sich am Feuer gegenüber und sahen sich an. Draußen wirbelten die Schneeflocken umeinander. Es war keine Nacht, in der man sich weit hinausgewagt hätte. Zuerst hatte Rampole daran gedacht, Mangan auswärts zum Essen einzuladen, um an die alten Zeiten anzuknüpfen, aber Mangan hatte am Telefon gesagt, daß Rosette sie nicht begleiten könne und er deshalb lieber bei ihr bliebe. Nachdem Mrs. Fell zur Kirche gegangen war, hatten Rampole und Dorothy also die Bibliothek allein für sich.

»Seit gestern abend«, bemerkte der junge Gatte, »höre ich immer wieder von dieser Grossschen Methode, mit der man angeblich verbrannte Papiere entziffern kann. Aber niemand weiß so recht, was das eigentlich ist. Man mixt da wohl irgendwelche Chemikalien zusammen?«

»Ich weiß, was das ist«, antwortete seine Frau triumphierend. »Ich hab's nachgeschlagen, während ihr heute nachmittag so furchtbar beschäftigt tatet. Und nicht nur das, ich wette, daß es nicht funktioniert, obwohl es im Prinzip ganz einfach ist. Ich würde jede Wette eingehen, daß es nicht funktioniert!«

»Du hast Gross gelesen?«

»Nun ja, in englischer Übersetzung. Es ist eigentlich ganz einfach. Ungefähr so: Er sagt, daß jedem, der schon einmal Briefe ins Feuer geworfen hat, aufgefallen sein muß, daß die Schrift auf den verkohlten Stücken deutlich lesbar bleibt; weiß oder grau auf schwarzem Hintergrund, manchmal aber auch umgekehrt. Ist dir das schon einmal aufgefallen?«

»Kann ich nicht behaupten. Aber ich habe auch erst wenige offene Kaminfeuer gesehen, ehe ich nach England kam. Stimmt es denn?«

Sie legte die Stirn in Falten. »Es funktioniert bei Pappkartons, zum Beispiel bei Seifenflockenschachteln und dergleichen, die mit Schrift bedruckt sind. Aber bei Handschrift... Folgendes soll man tun: Man nimmt sich jede Menge Pauspapier und heftet es mit Reißnägeln auf ein Brett. Dann bestreicht man das Pauspapier mit Gummilösung und preßt die Fragmente des verkohlten Papiers darauf.«

»Zerknittert, wie es ist? Es würde sofort zerfallen!«

»Aha! Genau das ist das Entscheidende, sagt Gross. Man muß die Fragmente weich bekommen. Über und um das Pauspapier bastelt man einen offenen Rahmen, etwa fünf oder acht Zentimeter hoch, in den man alle Fragmente einlegt. Dann spannt man feuchte Tücher in mehreren Lagen über den Rahmen. Das erzeugt eine feuchte Atmosphäre, das verkohlte Papier glättet sich. Wenn alle Blätter glatt ausgebreitet auf dem Pauspapier liegen, schneidet man dieses um jedes Fragment herum aus. Danach legt man alles auf einer Glasscheibe wieder zusammen. Wie ein Puzzle. Anschließend drückt man eine zweite Glasscheibe auf die erste, fixiert beide aufeinander und hält sie gegen Licht. Aber ich wette, daß...«

»Probieren wir es«, rief Rampole, Feuer und Flamme für diese Idee.

Diverse Anläufe, Papier zu verbrennen, waren durchaus kein voller Erfolg. Zuerst zog er einen alten Brief aus der Tasche und hielt ein Streichholz daran. Seiner verzweifelten Gegenwehr ungeachtet, leckte die Flamme schnell an dem Brief hinauf, der in seiner Hand zuckte und davonsegelte, um schließlich wie ein winziger, schwarzer, schrumplig zusammengerollter Schirm auf der Feuerstelle zu landen. Obwohl sie beide niederknieten und sich die größte Mühe gaben, vermochten sie keinen Buchstaben mehr zu erkennen. Rampole verbrannte reihenweise Zettel, die alle wie schwarze Schneeflocken durch die Luft trudelten, um sich auf der Feuerstelle niederzulassen. Schließlich verlor er die Geduld und verbrannte alles, was ihm in die Finger fiel. Und je zorniger er wurde, desto überzeugter war er, daß der Trick funktionieren mußte, sofern man es nur richtig anstellte. Schreibmaschinenschrift wurde ausprobiert. Rampole tippte auf Dr. Fells Maschine ein paarmal: »Nun ist die Stunde, da alle aufrechten Männer der Partei zu Hilfe eilen müssen«, und schließlich war der Teppich mit schwarzen Tupfen übersät.

»Übrigens«, stellte Rampole fest, wobei er eine Wange an den Boden und ein Auge zudrückte, »sind die gar nicht verkohlt. Sie sind einfach verbrannt. Sie erfüllen nicht einmal die grundlegenden Voraussetzungen. Ah! Ich hab's! Das Wort ›Partei‹ ist deutlich zu erkennen, es ist viel kleiner als die ursprüngliche Schreibmaschinenschrift. Es sieht aus, als sei es aus dem Schwarz ausgeschnitten, aber man kann es lesen. Hast du noch ein Stück von diesem handgeschriebenen Brief?«

Dorothys eigene Erregung wuchs, als auch sie etwas entdeckte. Die schmutziggrauen Worte ›East 11th Street‹ waren gut sichtbar. Mit einiger Sorgfalt, wobei aber gleichwohl viel brüchiges Papier zu Staub zerfiel, entzifferten sie schließlich noch die Worte ›Samstag abend‹, ›Biene‹, ›Kater‹ und ›Gin‹. Rampole stand befriedigt vom Fußboden auf.

»Wenn diese Stücke durch Feuchtigkeit geglättet werden können, dann funktioniert es«, verkündete er. »Das Problem ist nur, ob man so viele Worte, zum Beispiel aus einem Brief, zusammenbekommt, daß sich ein Sinn erschließt. Außerdem sind w i r nur Amateure, Gross könnte es schaffen. Aber was will Dr. Fell herausfinden?«

Daraus entwickelte sich nunmehr ein Streitgespräch, das bis tief in die Nacht hinein dauerte.

»Da dieser Fall sozusagen auf dem Kopf steht«, dozierte Rampole, »wo sollen wir da nach einem Motiv suchen? Das ist die Crux der ganzen Angelegenheit. Es gibt kein Motiv, das Grimaud und Fley mit dem Mörder verbindet! Was ist übrigens aus deinen gewagten Theorien von gestern geworden, daß der Schuldige Pettis oder Burnaby sein muß?«

»Oder die Blonde mit dem komischen Gesicht«, ergänzte sie mit einer gewissen Betonung. »Weißt du, woran ich am meisten denken muß? An diesen Mantel, der die Farbe wechselt und sich in Luft auflöst. Das scheint uns doch unmittelbar zu Grimauds Haus zurückzuführen, oder?« Sie überlegte. »Nein, ich habe meine Meinung vollkommen geändert. Ich glaube nicht länger, daß Pettis oder Burnaby irgend etwas damit zu tun hatten. Ich glaube, nicht einmal die Blonde. Der Mörder muß einer von zwei anderen Personen sein, da bin ich mir jetzt ganz sicher.«

»Nun?«

»Höre auf meine Worte: Drayman oder O'Rourke«, sagte sie entschlossen und nickte dazu.

Rampole unterdrückte einen heftigen Protest. »Ja, ich hatte auch schon an O'Rourke gedacht«, gab er zu. »Aber d u bist nur aus zwei Gründen auf ihn gekommen. Erstens, weil er ein Trapezkünstler ist, und du denkst, daß der Mörder irgendwie durch die Luft entkommen sein muß. Aber nach allem, was ich weiß, ist das unmöglich. Zweitens, und das wiegt schwerer, kommt er dir in den Sinn, weil er mit diesem Fall überhaupt nichts zu tun zu haben scheint. Er steht ohne guten Grund in der Gegend herum, und das macht ihn verdächtig. Habe ich recht?«

»Kann sein.«

»Und Drayman, ja, Drayman ist vielleicht der einzige, den man sowohl mit Grimaud als auch mit Fley in der Vergangenheit verbinden könnte. Da ist was dran! Außerdem hat ihn den ganzen Abend über niemand zu Gesicht bekommen, vom Ende des Abendessens bis ungefähr elf Uhr, also viel später. Aber ich glaube nicht, daß er schuldig ist. Ich sage dir was: Laß uns doch eine Liste mit den Ereignissen des gestrigen Abends aufstellen, damit wir uns einen Überblick verschaffen können. Wir schreiben alles auf, angefangen mit dem Abendessen. Es kann nur ein ungefährer Stundenplan werden, wobei wir bei vielen Punkten raten müssen. Wir kennen nur wenige Einzelheiten, zum Beispiel die tatsächliche Tatzeit und ein paar Ereignisse, die sich davor abspielten, aber wir können ja mal einen Versuch unternehmen. Unser Wissen über die Zeit vor dem Abendessen ist auch vage. Aber fangen wir einfach mal an.«

Er zog einen Umschlag aus der Tasche und kritzelte eifrig darauf:

»ca. 6.45: Ankunft Mangan; er hängt seinen Mantel in den Wandschrank und sieht dort einen schwarzen Mantel.

ca. 6.48: (Geben wir ihr 3 Min.) Annie kommt aus dem Eßzimmer, schaltet das Licht aus, das Mangan im Wandschrank brennen ließ; sie sieht gar keinen Mantel.

ca. 6.55: (Genau wissen wir es nicht, aber es war vor dem Essen) Madame Dumont schaut in den Wandschrank und sieht einen hellen Mantel.«

»Ich schreibe es in dieser Reihenfolge«, sagte Rampole, »weil ich kaum annehme, daß die Dumont in der sehr kurzen Zeitspanne zwischen Mangans und Annies Auftritt am Wandschrank in die Halle sauste, um in den Schrank zu schauen.«

Die Augen seiner Frau wurden wachsam. »Oh, Moment mal! Wo h e r weißt du das? Ich meine, wenn das Licht aus war, wie konnte sie da überhaupt einen hellen Mantel erkennen?«

Eine Weile sahen sie einander an. Rampole sagte:

»Jetzt wird es interessant. Und überhaupt, warum schaute sie hinein? Es ist doch so: Wenn die Zeitfolge stimmt, die ich notiert habe, ergibt es einen Sinn. Zuerst hängt ein schwarzer Mantel da, den Mangan sieht. Na, dann greift sich jemand den schwarzen, kaum daß Mangan fort ist – wir wissen nicht, aus welchem Grund –, und Annie sieht infolgedessen gar keinen. Später wird statt des schwarzen ein heller Tweedmantel hingehängt. Das klingt nicht übel. Aber«, rief er und gestikulierte mit seinem Bleistift, »wenn es andersherum war, dann lügt entweder jemand, oder die ganze Geschichte ist unmöglich. Dann ist es auch völlig gleichgültig, wann Mangan kam, denn alles muß sich innerhalb weniger Minuten oder gar Sekunden abgespielt haben. Verstehst du? Boyd erscheint, hängt seinen Mantel auf und entfernt sich. Die Dumont tritt auf den Plan, schaut in den Schrank – und entfernt sich. Unmittelbar danach: Annie, sie macht das Licht aus, und auch sie entfernt sich. In dieser winzigen Zeitspanne hat sich ein schwarzer Mantel zuerst in einen hellen verwandelt, um dann ganz zu verschwinden. Und das ist unmöglich!«

»Gut gemacht!« kommentierte Dorothy strahlend. »Also, wer hat gelogen? Du gehst bestimmt davon aus, daß es nicht dein Freund war.«

»Allerdings. Es war die Dumont, jede Wette!«

»Aber sie ist unschuldig; das ist bewiesen. Und ich mag sie.«

»Bring mich jetzt nicht durcheinander«, ermahnte sie Rampole ungeduldig. »Machen wir lieber mit der Zeittafel weiter, und schauen wir, ob wir noch etwas rauskriegen können. Na, wo waren wir? Ja. Das Abendessen legen wir auf sieben Uhr, wir wissen, daß es um halb acht beendet war.

7.30: Rosette und Mangan gehen in den Salon.

7.30: Drayman geht in sein Zimmer hinauf.

7.30: Madame Dumont – es ist nicht bekannt, wohin sie geht, aber sie bleibt im Haus.

7.30: Mills sucht die untere Bibliothek auf.

7.30: Grimaud trifft Mills in der unteren Bibliothek und fordert ihn auf, ca. 9.30 Uhr hinaufzukommen, da er um diese Zeit einen Besucher erwarte.

Hoppla! Da ist ein Haken. Ich wollte gerade schreiben, daß Grimaud anschließend in den Salon ging und Mangan davon unterrichtete, daß der Besucher um zehn Uhr erwartet würde. Aber s o kann es nicht gewesen sein, denn Rosette wußte nichts davon, und doch war sie bei Mangan. Das Problem ist, daß Boyd nicht genau angegeben hat, wann er diese Mitteilung erhielt. Aber es ist vielleicht nicht wichtig; Grimaud kann ihn beiseite genommen haben oder so. Ferner wissen wir nicht, wann Madame Dumont erfuhr, daß der Besucher um halb zehn erscheinen würde – vermutlich früher. Es läuft auf dasselbe hinaus.«

»Bist du sicher?« fragte Dorothy und suchte nach Zigaretten. »Hm. Na, mach erstmal weiter!«

»ca. 7.35:	Grimaud geht in sein Arbeitszimmer hinauf.
7.35 bis 9.30:	Keine weiteren Ereignisfolgen. Jeder bleibt, wo er ist. Es schneit heftig.
ca. 9.30:	Es hört zu schneien auf.
ca. 9.30:	Madame Dumont entfernt das Kaffeegeschirr aus Grimauds Arbeitszimmer. Grimaud teilt mit, der Besucher komme wohl nicht mehr. Die Dumont verläßt das Arbeitszimmer, als
9.30:	Mills die Treppe hinaufkommt.

Ich glaube nicht, daß in der nächsten Zeit etwas Bemerkenswertes geschah. Mills war oben, Drayman in seinem Zimmer, und Rosette und Boyd befanden sich im Salon, während das Radio lief. Warte mal! Ich habe etwas vergessen. Kurz bevor es an der Tür läutete, hörte Rosette draußen auf der Straße einen Plumps, so als wäre jemand von irgendwo oben heruntergefallen.«

»Wie konnte sie das eigentlich, wenn das Radio spielte?«

»Offenbar war es nicht so laut. Doch, es w a r laut. Es veranstaltete sogar einen solchen Lärm, daß sie kaum die Imitation von Pettis' Stimme verstehen konnten. Aber der Reihe nach:

9.45: Es läutet an der Tür.

9.45 bis 9.50: Madame Dumont öffnet; sie spricht mit dem Besucher und erkennt seine Stimme nicht. Sie nimmt seine Karte entgegen, schlägt ihm die Tür vor der Nase zu, blickt auf die Karte, sieht, daß nichts draufsteht, zögert und geht die Treppe hinauf.

9.45 bis 9.50: Nachdem die Dumont hinaufgegangen ist, gelangt der Besucher irgendwie ins Haus, schließt Rosette und Boyd im Salon ein und antwortet auf ihre Rufe mit der Stimme von Pettis.«

»Ich will dich nicht immer unterbrechen«, unterbrach ihn Dorothy, »aber haben die beiden nicht ziemlich lange dazu gebraucht, sich bemerkbar zu machen und zu fragen, wer dort sei? Ich meine, wer würde denn so lange warten? Wenn ich solch einen Besucher erwarten würde, hätte ich ›Hallo, wer ist da?‹ gerufen, sobald ich nur die Tür gehört hätte.«

»Aber was willst du damit beweisen? Nichts? Sicher? Sei nicht so streng mit der Blondine!

Es war einige Zeit, bevor sie überhaupt jemanden erwarteten, vergiß das nicht. Und an deiner krausen Nase sehe ich, daß ein Vorurteil dich treibt. Machen wir weiter mit der Zeit zwischen Viertel vor zehn, als der Große Unbekannte das Haus betrat, und zehn vor zehn, als er in Grimauds Arbeitszimmer verschwand:

9.45 bis 9.50: Besucher folgt Madame Dumont die Treppe hinauf, überholt sie im oberen Korridor. Er nimmt seine Kappe ab und schlägt den Mantelkragen hinunter, die Maske behält er auf.

Grimaud kommt an die Tür, aber erkennt ihn nicht. Der Besucher macht einen Satz ins Zimmer, die Tür wird zugeschlagen. (Bezeugt von Dumont und Mills.)

9.50 bis 10.10: Mills beobachtet die Tür vom anderen Ende des Flurs, die Dumont von der Treppe.

10.10: Ein Schuß fällt.

10.10 bis 10.12: Mangan stellt fest, daß die Tür vom Salon zur Halle von außen abgesperrt ist.

10.10 bis 10.12: Madame Dumont wird es übel, oder sie fällt in Ohnmacht. Danach sucht sie ihr Zimmer auf. (Drayman, der in seinem Zimmer schläft, hört den Schuß nicht.)

10.10 bis 10.12: Mangan versucht, die Tür zur Halle aufzubrechen, was ihm nicht gelingt. Er springt aus dem Fenster, als

10.12: wir ankommen. Die Haustür ist offen. Wir eilen zum Arbeitszimmer hinauf.

10.12 bis 10.15: Die Tür wird mit Hilfe einer Zange geöffnet, Grimaud niedergeschossen aufgefunden.

10.15 bis 10.20: Ermittlungen; wir rufen nach einer Ambulanz.

10.20: Die erscheint und nimmt Grimaud mit. Rosette begleitet ihn. Boyd geht auf Anweisung von Hadley hinunter und verständigt die Polizei.

Dies«, erläuterte Rampole mit einiger Genugtuung, »befreit sowohl Rosette als auch Boyd von jedem Verdacht. Ich brauche die Zeitfolge nicht einmal bis ins Detail aufzuschreiben. Bis die Leute von der Ambulanz kamen, der Arzt den Verletzten untersucht hatte und dieser nach unten getragen wurde, müssen allein mindestens schon fünf Minuten verstrichen sein, selbst wenn sie mit der Trage das Treppengeländer hinuntergerutscht wären. Mein Gott! Wenn man's aufschreibt, wird alles sonnenklar. Bis sie die Klinik erreicht hatten, verging noch einmal eine gewisse Zeit. Und doch wurde Fley 25 Minuten nach zehn in der Cagliostro Street erschossen! Nun, Rosette ist in der Ambulanz mitgefahren. Boyd war im Haus, als die Ambulanz kam, denn er begleitete die Leute nach oben und ging nach ihnen hinunter. Ein ziemlich einwandfreies Alibi.«

»Oh, du mußt nicht glauben, ich sei sonderlich erpicht darauf, sie zu überführen! Am wenigsten Boyd. Er ist nett, soweit ich ihn kennengelernt habe.« Dorothy runzelte die Stirn. »Alles hängt allerdings von deiner Schätzung ab, daß der Krankenwagen nicht vor zwanzig nach zehn dort war.«

Rampole zuckte die Achseln. »Wenn er früher dort war«, meinte er, »dann muß er von der Guilford Street herübergeflogen sein. Niemand hat vor Viertel nach zehn angerufen, und es ist sowieso ein Wunder, daß er in fünf Minuten bei Grimaud war. Nein, Boyd und Rosette haben nichts damit zu tun. Darüber hinaus fällt mir ein, daß sie in der Klinik unter den Augen von Zeugen um halb elf Licht im Fenster von Burnabys Wohnung sah. Bringen wir unsere Aufstellung zu einem Ende, und sehen wir zu, daß wir so viele Personen wie möglich entlasten können:

10.20 bis 10.25:	Ankunft und Abfahrt der Ambulanz mit Grimaud.
10.25:	Fley wird in der Cagliostro Street erschossen.
10.20 bis mindestens 10.30:	Mills beantwortet im Arbeitszimmer unsere Fragen.
10.25:	Madame Dumont betritt das Arbeitszimmer.
10.30:	Rosette sieht von der Klinik aus Licht in Burnabys Wohnung.
10.25 bis 10.40:	Madame Dumont hält sich bei uns im Arbeitszimmer auf.
10.40:	Rosette kehrt aus dem Krankenhaus zurück.
10.40:	Ankunft der Polizei nach Hadleys Anruf.«

Rampole lehnte sich zurück, überflog sein Gekritzel und zog einen dicken Strich unter die letzte Eintragung.

»Das vervollständigt nicht nur unsere Zeittafel, soweit wir sie brauchen«, sagte er, »sondern erweitert auch unsere Liste der Unschuldigen um zwei Namen. Mills und die Dumont kommen nicht in Betracht; Rosette und Boyd kommen nicht in Frage. Damit ist jeder im Haus, außer Drayman, entlastet.«

»Aber«, protestierte Dorothy nach einer Weile, »dadurch ist alles nur noch verworrener. Was wird aus deiner glänzenden Idee mit den Mänteln? Du hast angenommen, jemand müsse gelogen haben. Das könnten aber nur Boyd Mangan oder Ernestine Dumont gewesen sein, und beide haben wir entlastet. Abgesehen von dem Mädchen, Annie, aber das kann auch nicht sein, oder? Dürfte es jedenfalls nicht.«

Wieder sahen sie einander an. Mit einer ironischen Geste faltete Rampole die Aufstellung zusammen und schob sie in die Tasche. Draußen fegte der Nachtwind in wütenden Böen ums Haus, und hinter der Tür seines Kabuffs konnten sie Dr. Fell rumoren hören.

Am nächsten Morgen verschlief Rampole, teils aus Erschöpfung, teils weil jener Morgen so grau war, daß er vor zehn Uhr kein Auge aufbrachte. Es war nicht allein so finster, daß die Lichter eingeschaltet waren, sondern auch ein geradezu betäubend kalter Tag. Am Abend zuvor hatte er Dr. Fell nicht mehr gesehen, und als er zum Frühstück in das kleine hintere Eßzimmer hinunterging, setzte ihm das Mädchen mit empörter Miene Eier und Speck vor.

»Der Doktor ist im Bad, Sir«, informierte ihn Vida. »Er hat sich die ganze Nacht mit diesem wissenschaftlichen Zeug beschäftigt; ich habe ihn um acht Uhr heute früh schlafend in seinem Sessel gefunden. Ich weiß nicht, was Mrs. Fell dazu sagen wird, ich weiß es wirklich nicht. Superintendent Hadley ist auch gerade gekommen. Er ist in der Bibliothek.«

Hadley, der ungeduldig mit seinen Absätzen gegen das Kamingitter trommelte – es sah aus, als scharre er mit den Hufen –, erkundigte sich ungeduldig nach Neuigkeiten.

»Haben Sie Fell gesehen?« wollte er wissen. »Hat er sich um die Papiere gekümmert? Und was ist...?«

Rampole erstattete Bericht. »Und was gibt es bei Ihnen?«

»Pettis und Burnaby sind aus dem Schneider; beide haben hieb- und stichfeste Alibis.«

Der Wind heulte durch Adelphi Terrace, und die hohen Fensterrahmen klapperten. Hadley scharrte weiter auf dem Kaminvorleger. Er fuhr fort: »Ich habe gestern abend mit Burnabys drei Kartenspielern gesprochen. Einer ist übrigens Richter von Old Bailey, es wäre wohl ein Problem, einen Mann vor Gericht zu zerren, wenn der Richter selbst seine Unschuld bezeugen kann.

Burnaby hat am Samstag von acht bis fast halb zwölf Uhr gepokert. Und heute morgen war Betts bei dem Theater, wo Pettis eine Aufführung gesehen haben will, nun, das hat er auch tatsächlich. Einer der Angestellten im Foyer kennt ihn vom Sehen. Der zweite Akt endete gegen fünf Minuten nach zehn. Ein paar Minuten später, während der Pause, hat dieser Angestellte Pettis an der Bar einen Whisky mit Soda serviert. Er ist bereit, das zu beschwören. Mit anderen Worten: Pettis trank diesen Whisky in genau demselben Augenblick, als Grimaud fast zwei Kilometer entfernt erschossen wurde.«

»Ich habe so etwas erwartet«, entgegnete Rampole nach einem Augenblick des Schweigens. »Und doch, wenn es dann eintrifft . . . Ich möchte, daß Sie sich dies einmal anschauen.«

Er gab ihm den Zeitplan, den sie am vorigen Abend aufgeschrieben hatten. Hadley überflog ihn.

»Oh ja, ich habe selbst eine ähnliche Aufstellung gemacht. Diese ist ziemlich genau, besonders, was das Mädchen und Mangan angeht, obwohl wir in puncto Uhrzeit nicht ganz sicher sein können. Aber ich denke, alles in allem liegen wir richtig.«

Er schlug den Umschlag in die Handfläche. »Es engt den Kreis der Verdächtigen ein, das gebe ich zu. Wir werden uns Drayman noch einmal vorknöpfen müssen. Ich habe heute morgen drüben im Haus angerufen. Alle waren in ziemlicher Aufregung, weil der Leichnam des alten Mannes wiedergebracht wurde. Aus Rosette konnte ich nicht viel mehr herausbekommen, als daß Drayman immer noch nicht bei Bewußtsein und voller Schmerzmittel sei. Wir . . .«

Er unterbrach sich, als er den vertrauten stapfenden Schritt und das Tappen des Stockes nahen hörte. Bei Hadleys letzten Worten schien das doppelte Geräusch vor der Türe innezuhalten, doch dann stieß Dr. Fell die Tür auf. Seine Augen waren ausdruckslos, als er eintrat, kein lustiges Zwinkern zeigte sich. Er schien ein Teil dieses düsteren Morgens, eine Ahnung von Verhängnis wehte mit ihm in den Raum.

»Na?« fragte Hadley. »Haben Ihnen die Papiere verraten, was Sie erfahren wollten?«

Dr. Fell fingerte nach seiner schwarzen Pfeife, fand sie, zündete sie an. Bevor er sich zu einer Antwort herabließ, schlurfte er zum Kamin und warf das Streichholz ins Feuer. Dann endlich kicherte er, es klang jedoch eher gequält.

»Ja, ich habe herausgefunden, was ich wissen wollte. Hadley, mit meinen Theorien habe ich Sie am Samstag abend zweimal unfreiwillig in die Irre geführt. Ich war so ungeheuer und schwindelerregend dumm, daß ich jede Bestrafung verdient hätte, die für Narren bestimmt ist, wenn ich nicht gestern meine Selbstachtung wiedergefunden hätte, indem ich die Wahrheit erkannte. Aber nicht nur m i r ist ein Schnitzer unterlaufen. Auch der Zufall sowie die Umstände haben eine verhängnisvolle Rolle gespielt; und gemeinsam haben sie ein furchtbares, unerklärliches Rätsel aus etwas gemacht, was im Grunde ein gemeiner, häßlicher und alltäglicher Mord war. Oh, der Mörder war durchtrieben genug, das gebe ich zu. Aber... ja, ich habe herausgefunden, was ich wissen wollte.«

»Und? Was war mit der Schrift auf den Papieren? Was stand darauf?«

»Nichts«, sagte Dr. Fell.

Es lag etwas Unheimliches in der langsamen, gewichtigen Art, wie er das Wort aussprach.

»Meinen Sie«, rief Hadley, »das Experiment hat nicht geklappt?«

»Doch, ich meine, daß es sehr wohl geklappt hat. Ich meine, daß einfach n i c h t s in diesen Papieren stand«, erwiderte Dr. Fell mit nunmehr erhobener Stimme. »Nicht eine einzige Zeile oder eine Spur einer Handschrift, nicht einmal die Andeutung eines Schnörkels, in dem die tödlichen Geheimnisse, die ich am Samstag zu finden glaubte, aufbewahrt wären. Das meine ich! Darunter befanden sich ein paar Bogen dickeres Papier, man könnte eher von dicker Pappe sprechen, und darauf waren ein oder zwei Buchstaben gedruckt.«

»Aber warum Briefe verbrennen, wenn nicht...?«

»Weil es keine Briefe waren. Das war unser Irrtum. Merken Sie immer noch nicht, was es statt dessen war? Nun, Hadley, bringen wir's hinter uns, damit wir uns davon freimachen können. Sie wollen doch den unsichtbaren Mörder kennenlernen? Sie wollen doch den unseligen Unhold kennenlernen, den Hohlen Mann, der durch unsere Träume geschlichen ist? Sehr gut! Ich will Sie ihm vorstellen. Haben Sie Ihren Wagen dabei? Dann kommen Sie. Mal sehen, ob ich ein Geständnis erwirken kann!«

»Von...?«

»Von jemand in Grimauds Haus. Kommen Sie!«

Rampole sah das Ende bedrohlich nahe und fürchtete sich davor, ohne allerdings die geringste Idee zu haben, wie dieses Ende

aussehen würde. Hadley mußte den eingefrorenen Motor mühsam anwerfen, bevor es losging. Auf dem Weg blieben sie mehrmals im Verkehr stecken; Hadley fluchte nicht einmal. Und der
Stillste von ihnen war Dr. Fell.

Alle Jalousien des Hauses am Russell Square waren heruntergelassen. Es sah noch lebloser aus als am Tag zuvor, denn der Tod
hatte darin Einzug gehalten. Es war so still, daß sie sogar draußen
die Klingel hörten, als Dr. Fell läutete. Nach einiger Zeit erschien
Annie ohne Häubchen und Schürze an der Tür. Sie sah bleich und
müde aus, aber noch immer gefaßt.

»Wir wollen zu Madame Dumont«, sagte Dr. Fell.

Hadley warf ihm einen unauffälligen Blick zu, ließ sich aber
darüber hinaus nichts anmerken. Annie wich zurück, ihre Stimme
schien aus der Dunkelheit der Eingangshalle zu dringen.

»Sie ist dort drin, bei . . . sie ist dort drin«, sagte das Mädchen
und wies auf die Tür zum Salon. »Ich werde Sie melden.« Sie
schluckte.

Dr. Fell schüttelte den Kopf. Mit verblüffender Lautlosigkeit
machte er ein paar Schritte und öffnete leise die Tür zum Salon.

Die stumpfbraunen Jalousien waren geschlossen, und die dik-
ken Spitzenvorhänge erstickten das fahle Licht, das trotzdem hinein wollte. Obwohl der Raum jetzt größer wirkte, verlor sich die
Einrichtung im Schatten, nur ein »Möbelstück« aus glänzendem
schwarzen Metall, mit weißem Satin ausgeschlagen, konnte man
nicht übersehen: einen offenen Sarg. Er war von dünnen, bren-
nenden Kerzen umgeben.

Später erinnerte sich Rampole daran, daß er von dort, wo er
stand, nur eine Nasenspitze ausmachen konnte. Aber allein die
Kerzen, allein die Üppigkeit der Blumen und ihr Duft versetzten
die Szene vom rußigen London in einen stürmischen Felsengrund
in den Karpaten, wo ein Goldkreuz um den Hals vor Teufeln
schützt und Knoblauchgebinde einem die umherwandelnden
Vampire vom Halse halten.

Und doch war dies nicht das erste, was ihnen auffiel. Ernestine
Dumont stand neben dem Sarg und hatte eine Hand auf seine
Kante gelegt. Der Lichtschein einer der Kerzen über ihrem Kopf
verwandelte ihr graues Haar in Gold und milderte sogar den Ein-
druck der Erschöpfung, den ihr tiefgebeugter Rücken vermittelte.
Als sie langsam den Kopf drehte, sahen sie, daß ihre müden
Augen tief in den Höhlen lagen; aber Tränen fand sie immer noch

nicht. Ruckweise hob und senkte sich ihre Brust. Doch um ihre Schultern hatte sie einen dicken, fröhlich-gelben Schal mit langen Fransen gelegt, dessen rote Brokat- und Perlenstickerei im Kerzenschein tanzte und glitzerte. Er war der letzte verbliebene Hauch von Exotik.

Dann erst sah sie die drei Männer. Mit beiden Händen klammerte sie sich an die Kante des Sargs, als wolle sie den Toten vor den Lebenden schützen. Als Silhouette erschien sie, die Arme nach beiden Seiten ausgestreckt im flackernden Kerzenlicht.

»Es wird Ihnen helfen, Madame, wenn Sie gestehen«, sagte Dr. Fell überaus behutsam. »Glauben Sie mir, es wird Ihnen helfen.«

Eine Sekunde lang dachte Rampole, sie hätte aufgehört zu atmen. Dann gab sie ein unterdrücktes Geräusch von sich – ihr Kummer schien kurz davor, in hysterische Heiterkeit umzuschlagen.

»Gestehen?« sagte sie. »Das ist es also, was Sie glauben, Sie Narr? Nun, was kümmert es mich? Gestehen! Etwa einen Mord?«

»Nein«, entgegnete Dr. Fell.

Seine Stimme legte großen Nachdruck in diese eine Silbe. Jetzt sah sie ihn offen an, und zum ersten Mal war Angst in ihren Augen, als er auf sie zuging.

»Nein«, wiederholte Dr. Fell. »Sie sind nicht die Mörderin. Ich will Ihnen sagen, was Sie sind.«

Wie ein Turm ragte er vor ihr auf, eine schwarze Masse vor dem schimmernden Kerzenlicht, aber immer noch sprach er behutsam.

»Sehen Sie, gestern erzählte uns ein Mann namens O'Rourke verschiedene Dinge, zum Beispiel, daß die meisten Illusionen, ob auf der Bühne oder nicht, nur mit Hilfe von Assistenten funktionieren. Hier gab es keine Ausnahme. Sie waren die Assistentin des Illusionisten und Mörders!«

»Des Hohlen Mannes«, sagte Ernestine Dumont, und sie begann, hysterisch zu lachen.

»Des Hohlen Mannes«, sagte Dr. Fell und drehte sich langsam zu Hadley um, »im wahrsten Sinne des Wortes. Des Hohlen Mannes, den wir im Scherz und mit schrecklicher Ironie so genannt haben, denn es war uns nicht bewußt, daß wir damit genau ins Schwarze getroffen hatten. Das ist das Gräßliche und in gewisser Weise auch das Schändliche. Wollen Sie den Mörder sehen, den wir die ganze Zeit gejagt haben? Der Mörder liegt h i e r!« rief Dr. Fell, »doch der Allmächtige bewahre uns davor, ihn zu richten.«

Und langsam hob er die Hand und zeigte auf das weiße, tote, schmallippige Antlitz von Professor Charles Grimaud.

Kapitel 20

Die zwei Kugeln

Dr. Fell sah die Frau immer noch unverwandt an. Sie lehnte sich gegen den Sarg, als wolle sie ihn verteidigen.

»Ma'am«, sprach er weiter, »der Mann, den Sie geliebt haben, ist tot. Er ist dem Arm des Gesetzes entzogen; und was immer er getan hat, er hat dafür bezahlt. Unser unmittelbares Problem, Ihres und meines, ist, wie wir diese Sache handhaben, damit wir die Lebenden nicht verletzen. Aber, schauen Sie, Sie sind darin verwickelt, auch wenn Sie bei dem Mord nicht selbst Hand anlegten. Glauben Sie mir, Ma'am, hätte ich diesen Fall aufklären können, ohne Sie dabei zu behelligen, ich hätte es getan. Ich weiß, wie Sie gelitten haben. Aber Sie werden begreifen, daß ich so nicht verfahren kann, wenn ich das ganze Problem lösen will. Also müssen wir Superintendent Hadley davon überzeugen, daß diese Affäre vertuscht werden muß.«

Etwas in Gideon Fells Stimme, das sein unerschütterliches, grenzenloses Mitgefühl verriet, schien sie sachte anzurühren, wie Schlaf, der auf Tränen folgt. Ihre Hysterie war verschwunden.

»Wissen Sie es?« fragte sie ihn nach einer Pause beinahe gespannt. »Halten Sie mich nicht zum Narren! Sie wissen es wirklich?«

»Ja, ich weiß es wirklich!«

»Gehen Sie hinauf! Gehen Sie in sein Zimmer«, sagte sie tonlos, »ich werde gleich zu Ihnen kommen. Ich... ich kann jetzt nicht sofort mit Ihnen sprechen. Ich muß nachdenken, und... Aber, bitte reden Sie mit niemandem, bis ich komme. Bitte! Nein, ich werde nicht davonlaufen.«

Eine heftige Geste Dr. Fells brachte Hadley zum Schweigen, als sie hinausgingen. Immer noch schweigend stiegen sie das düstere Treppenhaus in die oberste Etage hinauf. Sie begegneten niemandem und sahen niemanden. Und noch einmal betraten sie das Arbeitszimmer, wo es so dunkel war, daß Hadley die Lampe mit dem Schirm aus Mosaikglas auf dem Schreibtisch einschaltete. Nachdem er sich vergewissert hatte, daß die Tür geschlossen war, konnte sich der Superintendent nicht länger beherrschen.

»Wollen Sie mir weismachen, daß Grimaud Fley getötet hat?« verlangte er zu wissen.

»Ja.«

»Während er bewußtlos und sterbend unter den Augen von Zeugen in einem Krankenhaus lag, ging er in die Cagliostro Street und . . .«

»Nein, nicht zu diesem Zeitpunkt«, erwiderte Dr. Fell gelassen. »Sehen Sie, das ist es, was Sie nicht verstehen. Das hat Sie in die Irre geführt. Das habe ich gemeint, als ich sagte, der ganze Fall stehe nicht auf dem Kopf, sondern sei verkehrt herum – in falscher Reihenfolge! Fley wurde vor Grimaud getötet! Und das Schlimmste ist: Grimaud hat versucht, uns die unverfälschte, wortwörtliche Wahrheit zu sagen. Er sagte uns die Wahrheit, als er begriff, daß es keine Hoffnung mehr für ihn gab und er sterben mußte – einer der lichten Züge in ihm, aber wir haben es nicht richtig interpretiert. Setzen Sie sich, und ich werde sehen, ob ich es erklären kann. Wenn Sie einmal die drei entscheidenden Punkte verstanden haben, bedarf es keiner Deduktion und sehr wenig weiterer Aufklärung durch mich. Alles erklärt sich von selbst!«

Schwer atmend ließ er sich auf dem Schreibtischstuhl nieder. Für einen kurzen Moment starrte er ausdruckslos in das Licht der Lampe. Dann fuhr er fort:

»Die drei entscheidenden Punkte sind folgende – erstens: Es gibt keinen Bruder Henri; es gibt nur zwei Brüder. Zweitens: Beide Brüder sagten die Wahrheit. Drittens: Ein Zeitproblem hat den ganzen Fall verdreht.

Vieles bei diesem Fall hat sich als Frage sehr kurzer Zeiträume gestellt, bei denen entscheidend war, wie kurz sie waren. Dieselbe Ironie, die uns den Mörder den Hohlen Mann nennen ließ, war es auch, die eine falsche Zeit zur Crux dieses Falles werden ließ. Sie können leicht darauf kommen, wenn Sie zurückdenken.

Erinnern Sie sich an gestern früh: Ich hatte längst Grund zu der Annahme, daß etwas faul sei an dieser Geschichte in der Cagliostro Street. Die Schießerei dort, das erfuhren wir von drei glaubwürdigen Zeugen, die bis auf die Sekunde darin übereinstimmten, fand genau um fünf Minuten vor halb elf Uhr statt. Ich fragte mich indessen vergeblich, warum die drei Zeugen einander mit dieser verblüffenden Präzision bestätigten.

Bei einem Unfall sind sogar die nüchternsten Zeugen nicht dermaßen aufmerksam oder machen sich die Mühe, auf ihre Uhren zu sehen; und selbst wenn sie es tun, stimmen ihre Aussagen nicht mit dieser beängstigenden Genauigkeit überein. Es waren aber alles aufrichtige Leute, und deshalb muß es einen Grund für ihre genaue Übereinstimmung geben. Die Uhrzeit muß sich ihnen geradezu aufgedrängt haben.

Es gab natürlich einen Grund. Just auf derselben Höhe der Straße, wo der Ermordete zu Boden fiel, befand sich ein beleuchtetes Schaufenster – das einzige beleuchtete Fenster in dieser Gegend –, das Schaufenster eines Juweliers. Es existierte nichts Auffälligeres in nächster Nähe. Es beleuchtete den Ermordeten; es war der erste Ort, auf den der Constable zustürzte, als er den Mörder suchte.

Es war ganz natürlich, daß alle drei darauf aufmerksam wurden. Und aus diesem Fenster blickte sie eine enorme und so ungewöhnlich aussehende Uhr an, daß sie jedem Betrachter ins Auge springen mußte. Unvermeidlicherweise sah der Constable nach der Uhrzeit, und natürlich taten die übrigen dasselbe. Daher ihre Übereinstimmung.

Aber eine Kleinigkeit, damals scheinbar unwichtig, fiel mir auf und beschäftigte mich. Nachdem Grimaud niedergeschossen worden war, holte Hadley seine Leute hier ins Haus und schickte unverzüglich einen von ihnen los, um Fley als Verdächtigen festzunehmen. Nun, diese Leute, wann kamen die hier an?«

»Um 20 Minuten vor elf ungefähr«, sagte Rampole, »nach meiner groben Schätzung. So steht es in meiner Aufstellung.«

»Und«, sagte Dr. Fell, »ein Mann wurde sofort wieder weggeschickt, um sich Fley zu schnappen. Dieser Mann muß wann in der Cagliostro Street eingetroffen sein? Zwischen 15 und 20 Minuten nach dem Zeitpunkt, an dem Fley angeblich ermordet worden war. Aber was ist während dieser kurzen Zeitspanne passiert? Eine unglaubliche Menge von Ereignissen! Fley wurde in das Haus des Arztes getragen; er starb dort; eine Untersuchung wurde durchgeführt; ein Versuch, ihn zu identifizieren, verlief fruchtlos. Nach einiger Verzögerung, wie es in dem Zeitungsbericht hieß, wurde der Leichenwagen gerufen und Fleys Leiche abtransportiert.

All das ereignete sich innerhalb dieser wenigen Minuten! Denn als Hadleys Polizist in der Cagliostro Street ankam, um Fley zu verhaften, mußte er feststellen, daß alles schon gelaufen war und Constable Withers bereits von Tür zu Tür ging, um Erkundigungen einzuziehen. Die ganze Aufregung hatte sich gelegt. Ziemlich unglaublich!

Leider war ich so vernagelt, daß mir nicht einmal gestern früh, als ich die Uhr im Juweliergeschäft mit eigenen Augen sah, ihre Bedeutung dämmerte.

Erinnern Sie sich: Gestern morgen frühstückten wir in meinem Hause; Pettis kam vorbei, wir unterhielten uns – bis wann?«

Es gab eine Pause.

»Bis genau zehn Uhr«, antwortete Hadley unvermittelt und schnippte mit den Fingern. »Ja! Das weiß ich noch, denn Big Ben schlug, als Pettis eben gehen wollte.«

»Ganz genau. Er verließ uns, und anschließend nahmen wir unsere Mäntel und Hüte und fuhren in die Cagliostro Street. So, nun rechnen Sie eine vernünftige Zeitspanne für das Anziehen der Mäntel, das Aufsetzen der Hüte, das Hinuntergehen sowie eine kurze Fahrtstrecke durch verlassene Straßen an einem Sonntagmorgen, eine Strecke, für die wir im samstagabendlichen Verkehrsgewühl nur zehn Minuten gebraucht haben. Ich denke, Sie werden mir zustimmen, wenn ich sage, Sie kommen alles in allem auf nicht mehr als 20 Minuten. In der Cagliostro Street machten Sie mich auf das Juweliergeschäft aufmerksam, und diese ausgefallene Uhr schlug gerade elf.

Und selbst da kam ich in meiner gedankenverlorenen Verbohrtheit nicht darauf, mir diese Uhr genau anzusehen und irgendeinen Gedanken daran zu verschwenden – genausowenig wie am Abend zuvor die drei Zeugen in ihrer Aufregung.

Wenige Augenblicke später riefen uns Somers und O'Rourke in Burnabys Wohnung. Wir führten dort eine recht lange Untersuchung durch und unterhielten uns anschließend mit O'Rourke. Während O'Rourke sprach, war in der Grabesstille des Tages, in der wir unten auf der Straße nur den Wind gehört hatten, ein neuer Klang zu vernehmen, der Klang von Kirchenglocken.

Nun, um welche Zeit fangen denn Kirchenglocken zu läuten an? Nicht nach elf Uhr, da hat der Gottesdienst bereits begonnen. Normalerweise vor elf; ein einladendes Läuten. Würde ich jedoch diese deutsche Uhr als Anhaltspunkt akzeptieren, mußte es schon weit nach elf Uhr sein. Endlich wachte mein träger Geist auf. Ich erinnerte mich an Big Ben und unsere kurze Reise in die Cagliostro Street. Die Kirchenglocken machten gemeinsame Sache mit Big Ben, gegen, ähem, eine ausländische Billiguhr. Kirche und Staat, sozusagen, konnten gegen sie nicht beide unrecht haben – mit anderen Worten: Die Uhr im Schaufenster des Juweliers ging mehr als 40 Minuten vor. Deshalb konnte die Schießerei in der Cagliostro Street am Abend zuvor nicht um fünf vor halb elf stattgefunden haben, sondern kurz vor Viertel vor zehn. Sagen wir um z w a n z i g v o r z e h n!

Tja, früher oder später hätte das jemand bemerkt, vielleicht hat es unterdessen schon jemand bemerkt. So etwas schreit ja geradezu danach, bei einer Untersuchung der Todesursache ans Tageslicht zu kommen. Jemand würde bei der gerichtlichen Verhandlung die Zeitabfolge anzweifeln. Ob man dann die Wahrheit sofort erkannt hätte, wie ich hoffe, oder ob es nur für mehr Verwirrung gesorgt hätte, weiß ich nicht... Aber die unabänderliche Tatsache bleibt bestehen, daß der Vorfall in der Cagliostro Street einige Minuten v o r dem Augenblick stattfand, in dem der Mann mit dem falschen Gesicht um Viertel vor zehn hier an der Tür läutete.«

»Aber ich verstehe immer noch nicht...«, protestierte Hadley.

»Die unmögliche Situation? Nein, aber jetzt habe ich mir erst einmal freie Hand verschafft, Ihnen die ganze Geschichte von Anfang an auseinanderzusetzen.«

»Fein, doch eines möchte ich noch einmal klarstellen. Wenn Grimaud, wie Sie behaupten, Fley in der Cagliostro Street kurz vor Viertel vor zehn erschoß...«

»Das habe ich keineswegs behauptet«, versetzte Dr. Fell.

»Wie bitte?«

»Sie werden es verstehen, wenn Sie meinen geduldigen Erläuterungen von Anfang an folgen wollen. Am Mittwoch abend der letzten Woche, als Fley zum ersten Mal aus der Vergangenheit auftauchte, aus seinem Grab, wie es schien, um seinem Bruder gegenüber in der Warwick Tavern eine schreckliche Drohung auszusprechen, beschloß Grimaud, ihn zu töten. In diesem ganzen Fall war Grimaud der einzige mit einem Motiv, Fley zu ermorden. Und, mein Gott, Hadley, w a s für ein Motiv! Er war in Sicherheit, er war reich, er war respektiert; die Vergangenheit war begraben. Und dann wird ganz plötzlich eine Tür aufgerissen, und dieser dünne, grinsende Fremde tritt herein – Bruder Pierre. Grimaud hatte bei seiner Flucht aus dem Kerker einen seiner Brüder ermordet, indem er ihn lebendig begraben zurückließ. Und um ein Haar wäre ihm auch der andere zum Opfer gefallen. Er konnte immer noch ausgeliefert und gehenkt werden – und jetzt hatte Pierre Fley ihn aufgespürt.

Nun rufen Sie sich ins Gedächtnis, was genau Fley sagte, als er an jenem Abend im Pub hereingestürmt kam und Grimaud zur Rede stellte. Überlegen Sie, warum er gewisse Dinge sagte und tat, und Sie werden sehen, daß selbst der wirrköpfige Fley weit davon entfernt war, so verrückt zu sein, wie er vorgab. Wenn er es lediglich auf private Rache abgesehen hatte, warum entschied er sich dann dafür, Grimaud in Gegenwart seiner Freunde entgegenzutreten und diese seltsamen Andeutungen auszusprechen? Er drohte mit seinem verstorbenen Bruder, und das war das einzige Mal, daß er von diesem toten Bruder sprach. Warum sagte er: ›Er kann Ihnen viel gefährlicher werden als ich?‹ Weil der tote Bruder Grimaud an den Galgen bringen konnte. Warum tönte er: ›Ich will Ihr Leben nicht, aber er?‹ Warum fragte er: ›Soll ich meinen Bruder schicken?‹ Und schließlich, warum gab er Grimaud darauf seine Karte, auf der seine eigene Anschrift sorgfältig notiert war? Das Überreichen dieser Karte, in Kombination mit seinen Worten und späteren Taten, ist bezeichnend.

Was Fley wirklich wollte, wenngleich verschleiert, so daß er Grimaud vor Zeugen einen gewaltigen Schrecken einjagen konnte, war dies: ›Du, mein Bruder, bist fett und reich geworden aufgrund der Früchte eines Raubüberfalles, den wir beide verübten, als wir jung waren. Ich hingegen bin arm geblieben, und ich hasse meine Arbeit. Wirst du mich nun also unter dieser Adresse aufsuchen, damit wir die Sache regeln können – oder muß ich dir die Polizei auf den Hals hetzen?‹«

»Erpressung«, sagte Hadley leise.

»Ja. Fley war ihm ein Dorn im Auge, und Fley war keineswegs dumm. Achten Sie jetzt darauf, wie geschickt er in seinen letzten Drohungen gegen Grimaud mit der Bedeutung seiner Worte spielte: ›Auch ich bin in Gefahr, wenn ich Kontakt mit meinem Bruder aufnehme, aber dieses Risiko bin ich bereit einzugehen!‹ Dabei, wie stets von diesem Moment an, bezog er sich auf Grimaud. ›Du, mein Bruder, könntest auch mich töten, so wie du den anderen getötet hast, aber ich werde es riskieren. Soll also ich dir einen Besuch abstatten, und wir regeln die Sache gütlich, oder ziehst du es vor, wenn mein anderer toter Bruder dich an den Galgen bringt?‹

Bedenken Sie sein darauffolgendes Verhalten, am Abend seiner Ermordung. Bedenken Sie, mit welcher Lust er seine Magierutensilien zerschlug und vernichtete! Welche Worte wählte er gegenüber O'Rourke? Worte, für die es, wenn wir sie nüchtern im Lichte dessen betrachten, was wir jetzt wissen, nur eine Erklärung geben kann. Er sagte: ›Ich werde die Sachen nicht mehr brauchen. Meine Arbeit ist beendet. Hab' ich's dir nicht gesagt? Ich geh' zu meinem Bruder. Er wird eine alte Geschichte für uns beide regeln.‹

Damit meinte er natürlich, daß sich Grimaud zu Zugeständnissen durchgerungen habe. Fley wollte sein altes Leben für immer hinter sich lassen, er wollte wieder der Tote im Grab mit einer Menge Geld werden. Genauer indessen konnte er sich nicht äußern, ohne alles auszuplaudern. Aber er wußte, wie durchtrieben sein Bruder war. In der Vergangenheit hatte er ausreichend Gelegenheit gehabt, das festzustellen. Einen direkten Hinweis konnte er O'Rourke gegenüber nicht geben, falls Grimaud wirklich zahlen würde, aber eine Andeutung machte er schon: ›Wenn mir was passieren sollte, werdet ihr meinen Bruder in derselben Straße finden, in der ich auch wohne. Er wohnt nicht richtig dort, aber er hat sich dort ein Zimmer genommen.‹

Diese letzte Bemerkung werde ich sogleich erklären. Aber zurück zu Grimaud. Nun, der hatte nie die Absicht, sich mit Fley zu arrangieren. Fley würde sterben müssen. Grimaud mit seinem gerissenen, scharfen Verstand und seinem Hang zum Theatralischen, der sich, wie Sie wissen, für magische Illusionen mehr interessierte als alle übrigen, denen wir begegnet sind, war entschlossen, sich den unsinnigen Plänen seines unberechenbaren Bruders nicht auszuliefern. Fley mußte sterben, aber das war schwieriger ins Werk zu setzen, als es zunächst den Anschein hatte.

Wenn Fley ihn privat aufgesucht hätte, ohne daß irgend jemand in der Welt Fleys Namen mit dem seinen in Verbindung hätte bringen mögen, wäre alles ganz einfach gewesen. Aber dafür war Fley zu gerissen. Er hatte im Angesicht von Grimauds Freunden seinen Namen samt Adresse hinausposaunt und dabei dunkle Geheimnisse im Leben Grimauds angedeutet. Peinlich! Wenn nun

Fley ermordet aufgefunden würde, würde bestimmt irgend jemand ausrufen: ›Ist das nicht der Kerl, der...?‹ Und dann würde es schon bald gefährliche Nachforschungen geben; der Himmel weiß, was Fley anderen noch alles über Grimaud berichtet hatte.

Was er vermutlich niemandem anvertraute, war, womit er Grimaud tödlich im Griff hatte. Und genau deshalb mußte Grimaud ihn zum Schweigen bringen. Was auch immer Fley zustoßen würde, wie auch immer sein plötzliches Ableben aussehen würde, Erkundigungen, die sich auch gegen Grimaud richten würden, waren unvermeidlich. Das einzige, was er tun konnte, war, ganz offen vorzugeben, Fley trachte ihm nach dem Leben, sich selbst Drohbriefe zu schicken, nicht allzu auffällig den Haushalt auf gewitzte Weise in Aufruhr zu versetzen und schließlich alle Welt wissen zu lassen, daß Fley gedroht habe, ihn an jenem Abend aufzusuchen, an dem er selbst beabsichtigte, bei Fley aufzukreuzen. Sie werden gleich sehen, wie er plante, einen sehr brillanten Mord zu begehen.

Folgenden Effekt wollte er hervorrufen: Der mörderische Fley sollte gesehen werden, wie er ihn am Samstag abend besuchte. Dafür sollte es Zeugen geben. Sie wären allein miteinander, nachdem Fley sein Arbeitszimmer betreten haben würde. Ein Streit wäre zu hören, Lärm von einem Kampf, ein Schuß, ein Sturz. Beim Aufbrechen der Tür sollte Grimaud allein gefunden werden, mit einer häßlichen, aber oberflächlichen Wunde, von einem Streifschuß aus einem Revolver beigebracht. Keine Waffe wäre zu sehen. Aus dem Fenster baumelte ein Seil, das Fley gehörte und von dem angenommen werden würde, daß Fley mit seiner Hilfe entkommen war. Denken Sie daran, daß es laut Wettervorhersage an jenem Abend keinen Schnee geben sollte, so daß man nicht nach Fußspuren gesucht hätte. Grimaud würde sagen: ›Er dachte, er hätte mich getötet, also habe ich mich totgestellt; dann ist er entwischt. Nein, lassen Sie die Polizei aus dem Spiel, der arme Teufel. Ich bin unverletzt.‹ Am nächsten Morgen wäre Fley tot in seiner eigenen Wohnung gefunden worden; als Selbstmörder, der sich seinen eigenen Revolver an die Brust gesetzt und abgedrückt hat. Der Revolver würde neben ihm liegen, auf dem Tisch befände sich ein Abschiedsbrief. Aus Verzweiflung darüber, daß er glaubte, Grimaud ermordet zu haben, hätte er sich selbst die Kugel gegeben. Das, meine Herren, war die Illusion, die Grimaud im Sinn hatte.«

»Aber wie hat er es gemacht?« fragte Hadley. »Und außerdem kam alles ganz anders.«

»Ja. Sein Plan schlug auf furchtbare Weise fehl. Der zweite Teil der Illusion, nach dem Fley ihn in seinem Arbeitszimmer aufsuchen sollte, obwohl er in Wahrheit bereits tot in dem Haus in der Cagliostro Street lag. Dazu komme ich zu gegebener Zeit. Mit Hilfe von Madame Dumont hatte Grimaud hierfür gewisse Vorbereitungen getroffen.

Er hatte Fley mitgeteilt, daß er ihn in dessen Zimmer im obersten Stockwerk über dem Tabakwarenladen aufsuchen wolle. Er hatte ihn angewiesen, dort um neun Uhr am Samstag abend auf ihn zu warten. Die Angelegenheit würde mit Bargeld geregelt werden. Sie erinnern sich, daß Fley um ungefähr Viertel nach acht frohlockend seine Arbeit hinwarf, seine Sachen verbrannte und das Theater in Limehouse verließ.

Grimaud hatte den Samstag abend gewählt, weil er diesen Abend nach unverletzlichem Brauch allein in seinem Arbeitszimmer zubrachte, ohne daß ihn irgend jemand, aus welchem Grund auch immer, stören durfte. Er wählte diesen Abend, weil er den Eingang im Souterrain benutzen wollte, durch den er kommen und gehen mußte. Und Samstag abend war Annies freier Abend, die dort unten ihr Zimmer hat. Wie Sie wissen, hat ihn, nachdem er um halb acht in sein Arbeitszimmer hinaufgegangen war, niemand mehr zu Gesicht bekommen, bis er, den Zeugenaussagen zufolge, um zehn vor zehn die Tür seines Arbeitszimmers öffnete, um seinen Besucher einzulassen.

Madame Dumont behauptet, um halb zehn in seinem Arbeitszimmer mit ihm gesprochen zu haben, als sie das Kaffeegeschirr holte. Ich werde Ihnen sagen, warum ich dieser Aussage keinen Glauben schenken konnte: Er befand sich nämlich nicht in seinem Arbeitszimmer, sondern in der Cagliostro Street. Er hatte Madame Dumont aufgetragen, um halb zehn hinter der Tür des Arbeitszimmers zu lauern und unter irgendeinem Vorwand herauszukommen. Warum? Weil Grimaud wiederum Mills befohlen hatte, um halb zehn nach oben zu kommen, um das Arbeitszimmer von seinem Büro gegenüber aus im Auge zu behalten. Mills sollte bei Grimauds Zaubertrick den Genasführten abgeben. Falls aber Mills auf dem Weg in sein Büro am Arbeitszimmer vorbeikommen sollte und es sich aus irgendeinem Grund in den Kopf gesetzt haben würde, mit Grimaud zu sprechen oder ihn zu sehen, wäre die Dumont zur Stelle gewesen, um ihn abzufangen. Sie sollte in dem Türbogen beim Treppenabsatz warten und Mills vom Arbeitszimmer fernhalten, falls er irgendwelche neugierigen Regungen entwickeln sollte.

Mills wurde als der Adressat der Illusion auserkoren. Warum? Er ist zwar so gewissenhaft, daß er jede seiner Anweisungen bis aufs Komma genau ausführen würde, aber er fürchtete sich vor Fley derart, daß er nicht eingreifen würde, wenn er den Hohlen Mann die Treppe heraufgestapft kommen sähe.

Er durfte den Mann mit dem falschen Gesicht in diesen entscheidenden Sekunden, ehe er noch das Arbeitszimmer betreten würde, nicht nur nicht angreifen, wie es Mangan – oder selbst Drayman – vielleicht getan hätten, sondern er durfte sich gar nicht erst aus seinem Büro hinauswagen. Man hatte ihn beschieden, dort zu bleiben, also tat er das auch! Schließlich wurde er ausgewählt, weil er ein kleiner Mann ist, ein Umstand, dessen Bedeutung in Kürze klar werden wird.

Also, ihm wurde befohlen, um halb zehn hinaufzugehen und aufzupassen. Und zwar deshalb, weil der Hohle Mann unmittelbar darauf seinen großen Auftritt haben sollte. Allerdings verspätete der sich dann. Beachten Sie die Diskrepanz: Mills wurde halb zehn gesagt, Mangan hingegen zehn Uhr! Der Grund dafür liegt auf der Hand. Jemand mußte unten in der Halle sein, um Madame Dumonts Aussage bestätigen zu können, nach der tatsächlich ein Besucher zum Hauseingang hereingekommen war. Aber Mangan hätte gegenüber diesem Besucher Neugier an den Tag legen, den Hohlen Mann sogar herausfordern können, wenn ihm Grimaud nicht beiläufig mitgeteilt hätte, daß der Besucher wahrscheinlich gar nicht erschiene, und falls doch, dann gewiß nicht vor zehn Uhr. All das war notwendig, um Mangan abzulenken und ihn lange genug zögern zu lassen, damit der Hohle Mann an dieser gefährlichen Tür vorbei nach oben gelangen konnte. Wenn es doch zum Schlimmsten käme, konnten Mangan und Rosette immer noch eingeschlossen werden.

Was alle übrigen Personen angeht: Annie befand sich außer Haus, Drayman war mit einer Konzertkarte versorgt, Burnaby spielte Karten, Pettis besuchte das Theater. Man hatte freie Bahn.

Irgendwann vor neun Uhr – wahrscheinlich ungefähr um zehn vor neun – schlich sich Grimaud durch die Souterraintür auf die Straße. Die Schwierigkeiten hatten indes schon angefangen. Seit einiger Zeit hatte es entgegen der Vorhersage heftig zu schneien angefangen. Aber das betrachtete Grimaud nicht als ein ernsthaftes Problem. Er glaubte fest, daß er seinen Plan würde ausführen können und bis halb zehn wieder zurück wäre, daß es bis dahin weiter so schneien würde, daß erstens etwaige Fußspuren, die er hinterlassen hätte, zugeschneit wären und der dauernde Schneefall zweitens keine Fragen nach Fußspuren aufwerfen würde, die der Besucher später eigentlich hinterlassen haben müßte, wenn er sich angeblich aus dem Fenster abseilte. Auf jeden Fall war Grimauds Planung schon zu weit fortgeschritten, um sie jetzt noch abbrechen zu können.

Als er das Haus verließ, trug er einen alten Revolver bei sich, dessen Herkunft nicht mehr feststellbar war und den er mit nur zwei Kugeln geladen hatte. Was für einen Hut er aufhatte, weiß ich nicht, aber er trug einen hellen gelben Mantel, einen Tweed mit einem grellen Muster. Diesen Mantel hatte er um Nummern zu groß gekauft. Er hatte ihn gekauft, weil jeder wußte, daß er diese Art Mantel noch nie besessen hatte, und weil niemand ihn darin erkennen würde, wenn er gesehen würde.«

Hadley fiel Dr. Fell ins Wort.

»Augenblick mal! Was war mit den Mänteln, die die Farbe wechselten? Das muß früher am Abend gewesen sein. Was war damit?«

»Wieder muß ich Sie bitten zu warten, bis wir zu seiner letzten Illusion kommen. Die Mäntel waren ein Teil davon.

Nun, Grimaud hatte die Absicht, Fley aufzusuchen. Dort wollte er mit ihm eine Zeitlang freundlich plaudern, Dinge wie folgende sagen: ›Du mußt diese Bruchbude verlassen, Bruder! Von jetzt an wird es dir gutgehen, dafür werde ich sorgen. Warum gibst du diese nutzlosen Habseligkeiten nicht auf und ziehst zu mir in mein Haus? Überlaß den Plunder deinem Zimmerwirt dafür, daß du die Kündigungsfrist nicht einhältst!‹ – irgend etwas Belangloses, verstehen Sie, zu dem einzigen Zweck, Fley zu veranlassen, eine seiner typischen vieldeutigen Botschaften an seinen Wirt zu schreiben: ›Ich gehe für immer.‹ – ›Ich kehre in mein Grab zurück.‹ Irgend etwas, das als Abschiedsbrief verstanden werden könnte, wenn Fley tot mit einer Waffe in der Hand gefunden würde.«

Dr. Fell beugte sich vor. »Und dann wollte Grimaud seinen Revolver ziehen, ihn Fley auf die Brust setzen und kaltlächelnd abdrücken.

Es handelte sich um das oberste Stockwerk eines leeren Hauses. Wie Sie selbst gesehen haben, sind die Wände erstaunlich dick und massiv. Der Wirt wohnt unten im Keller und ist der am wenigsten neugierige Mensch in der ganzen Cagliostro Street. Kein Schuß, besonders keiner, der dadurch gedämpft wäre, daß der Revolver Fley gegen den Leib gedrückt würde, wäre zu hören gewesen. Es hätte eine lange Weile dauern können, bis der Leichnam entdeckt worden wäre, sicher nicht vor dem nächsten Morgen. Was hatte Grimaud dann vor? Nachdem er Fley getötet hätte, wollte er dieselbe Waffe auf sich selbst richten und sich eine leichte Wunde zufügen, selbst wenn das so zu geschehen hatte, daß die Kugel dabei in seinem Körper stecken blieb. Er hatte, wie wir aus der kleinen historischen Episode um die drei Särge wissen, die Konstitution eines Ochsen und Nerven wie Drahtseile. Den Revolver wollte er neben Fley liegenlassen. Er wollte einfach ein Taschentuch oder Gaze auf seine Wunde pressen, und zwar unter dem Mantel und über dem Hemd, mit Klebeband festgeklebt, bis die Zeit gekommen wäre, es wieder abzureißen. Dann wollte er nach Hause, um seine Illusion durchzuführen, die beweisen sollte, daß Fley ihn besucht hatte. Kein Geschworener würde später bezweifeln, daß Fley auf ihn geschossen hatte, in die Cagliostro Street zurückgekehrt war und sich mit demselben Revolver das Leben genommen hatte. Drücke ich mich soweit klar genug aus? Es war ein Verbrechen in falscher Reihenfolge.

Das war es, was Grimaud vorhatte zu tun. Wenn alles nach Plan verlaufen wäre, hätten wir es mit einem wahrhaft genialen Mord zu tun gehabt. Ich glaube nicht, daß wir jemals an Fleys Selbstmord gezweifelt hätten.

Nun, bei der Durchführung dieses Plans gab es nur eine Schwierigkeit. Wenn jemand – nicht unbedingt jemand, den man als Grimaud erkannt haben würde, sondern irgend jemand – dabei gesehen worden wäre, wie er Fleys Haus betrat, hätten die Probleme schon angefangen. Es hätte nicht mehr so eindeutig nach Selbstmord ausgesehen.

Es gibt nur einen Eingang von der Straße aus: die Tür neben dem Tabakladen. Und Grimaud trug einen auffälligen Mantel, mit dem er schon zuvor das Terrain ausgekundschaftet hatte. Der Tabakhändler Dolberman hatte ihn schon vorher dort herumlungern sehen. Die Lösung dieses Problems fand sich in Burnabys geheimer Wohnung.

Sie verstehen natürlich, wie nahe es lag, daß gerade Grimaud von Burnabys Wohnung in der Cagliostro Street wußte? Burnaby selbst erzählte uns, daß Grimaud ihn einige Monate zuvor nicht nur verdächtigte, Hintergedanken beim Malen dieses Bildes gehabt zu haben, sondern auch regelrecht beobachtete. Ein Mann, der sich in einer so großen, wenn auch eingebildeten Gefahr befindet, leistet sich dabei keine Nachlässigkeit. Er wußte von der Wohnung. Er wußte, daß Rosette einen Schlüssel besaß. Als die Zeit gekommen war und er seinen Plan faßte, stahl er Rosette den Schlüssel.

Das Haus mit Burnabys Wohnung befindet sich auf derselben Straßenseite wie das Haus, in dem Fley wohnte. Diese Häuser sind alle miteinander verbunden und haben flache Dächer. Man muß nur über niedrige Trennmauern steigen, wenn man über die Dächer von einem Ende der Straße zum anderen will. Beide Männer, wohlgemerkt, wohnten im obersten Stockwerk. Wissen Sie noch, was wir fanden, als wir uns Burnabys Wohnung ansahen – neben dem Eingang?«

Hadley nickte. »Ja, natürlich. Eine kurze Leiter, die zu einer Klapptür in der Decke führte.«

»Genau. Und auf dem Treppenabsatz vor Fleys Zimmer gab es ein niedriges Oberlicht, das auch aufs Dach hinausging. Grimaud mußte lediglich hintenherum in die Cagliostro Street gehen, durch die Gasse, die wir von Burnabys Fenster aus gesehen haben, ohne in der Straße selbst zu erscheinen. Er betrat das Haus durch die Hintertür, wie wir es später bei Burnaby und Rosette sahen, stieg ins oberste Stockwerk hinauf und von dort aufs Dach. Dann lief er über die Dächer bis zu Fleys Haus und kletterte durch das Oberlicht auf den Treppenabsatz. So konnte er das Zimmer betreten und verlassen, ohne von einer Menschenseele gesehen zu werden. Und er wußte genau, daß Burnaby an diesem Abend außer Haus Karten spielen würde.

Und dann ging alles schief!

Er muß schon vor Fley in dessen Zimmer gewesen sein. Es wäre ungünstig gewesen, wenn Fley Verdacht geschöpft hätte, weil er ihn über die Dächer kommen sah. Aber wir wissen, daß Fley ohnehin bereits Verdacht geschöpft hatte. Das mag an Grimauds Bitte gelegen haben, Fley möge eines seiner langen Zauberseile mitbringen. Grimaud wollte dieses Seil später als Beweisstück gegen Fley benutzen. Oder es mag daran gelegen haben, daß Fley wußte, daß sich Grimaud in der Cagliostro Street herumgetrieben hatte; vielleicht hatte er ihn sogar selbst gesehen, wie er bei einem Erkundungsgang über die Dächer zu Burnabys Wohnung schlich. Und das hatte Fley auf den Gedanken gebracht, Grimaud habe sich in der Straße ein Zimmer genommen.

Die beiden Brüder trafen sich um neun Uhr in diesem von einem Gaslicht beleuchteten Zimmer. Worüber sie sprachen, wissen wir nicht. Wir werden es nie erfahren. Aber offenbar gelang es Grimaud, Fleys Verdacht zu zerstreuen. Die Stimmung wurde gesellig und freundschaftlich, alte Rechnungen wurden vergessen. Grimaud überredete seinen Bruder in scherzhaftem Ton, die Nachricht an seinen Vermieter aufzusetzen. Dann...«

»Ich will nicht sagen, daß es nicht so gewesen ist«, warf Hadley ruhig ein, »aber woher wollen Sie das wissen?«

»Grimaud hat es uns gesagt«, erwiderte Dr. Fell.

Hadley riß die Augen auf.

»Aber ja. Nachdem ich einmal auf unseren verhängnisvollen Irrtum mit den Uhrzeiten gestoßen war, war plötzlich alles ganz klar. Doch fahren wir fort: Fley hatte also einen ›Abschiedsbrief‹ geschrieben. Er hatte Mantel und Hut angezogen und war bereit zu gehen, denn Grimaud wollte es so aussehen lassen, als hätte Fley sich nach der Rückkehr von einem Ausgang umgebracht – nach seiner Rückkehr von seinem Phantombesuch bei Grimaud. Als er aufbrechen wollte, griff Grimaud an.

Ob nun Fley unbewußt auf der Hut war, ob er sich zur Tür umdrehte, um zu fliehen, weil er sich dem kräftigen Grimaud nicht gewachsen fühlte, ob es während eines Handgemenges geschah – wir wissen es nicht. Jedenfalls beging Grimaud, als er den Revolver bereits gegen Fleys Mantel gedrückt hielt und Fley sich von ihm losreißen konnte, einen verhängnisvollen Fehler: Er schoß! Und so plazierte er die Kugel an der falschen Stelle. Statt sein Opfer von vorn ins Herz zu treffen, drang das Geschoß unter dem linken Schulterblatt ein, eine Wunde fast wie jene, an der Grimaud später selbst starb – eine tödliche Wunde, die aber keineswegs sofort zum Tode führte. Eine fast poetische Ironie sorgte dafür, daß die Brüder mit austauschbaren Methoden auf dieselbe Weise getötet wurden.

Fley ging zu Boden. Er hatte keine andere Wahl, und es war auch das klügste, was er tun konnte, sonst hätte Grimaud ihn erledigt. Dem jedoch müssen für einen Augenblick vor schierem Entsetzen die Nerven durchgegangen sein. Sein ganzer Plan ging hier zum Teufel! War es möglich, daß ein Mann sich selbst eine solche Verwundung zufügte? Wenn nicht, mochte Gott dem Mörder beistehen. Schlimmer noch: Fley, den er nicht schnell genug erwischt hatte, hatte aufgeschrien, ehe ihn die Kugel traf, und Grimaud glaubte, er höre bereits Verfolger.

Selbst in diesem höllischen Augenblick hatte er Verstand und Mut genug, nicht den Kopf zu verlieren. Er drückte dem reglosen Fley, der auf dem Gesicht lag, die Waffe in die Hand und nahm das aufgerollte Seil an sich. Irgendwie mußte sein Plan zu Ende geführt werden, trotz der Pannen und des Durcheinanders. Aber er war schlau genug, einen zweiten Schuß nicht zu riskieren. Vielleicht gab es schon Lauscher! Auch Zeit war keine mehr zu verlieren. Er machte sich rasch davon.

Das Dach, sehen Sie! Das Dach war seine einzige Chance. Überall, bildete er sich ein, waren Verfolger zu hören; vielleicht wurde er von einer grausigen Erinnerung an drei Gräber in einem karpatischen Sturm heimgesucht. Er bildete sich ein, seine Verfolger würden ihn hören und seinen Fluchtweg über die Dächer entdecken. So rannte er zur Klapptür in Burnabys Dach und glitt in die Dunkelheit von Burnabys Wohnung.

Erst jetzt gelang es ihm allmählich, wieder etwas ruhiger zu denken.

Was war inzwischen passiert? Pierre Fley hatte eine tödliche Verletzung erlitten. Aber immer noch hatte er dieselbe eiserne Konstitution, die ihn schon einmal überleben ließ, als er lebendig begraben war. Sein Mörder war verschwunden! Fley würde nicht aufgeben. Er brauchte Hilfe. Er mußte . . .

Er mußte einen Arzt finden, Hadley. Gestern fragten Sie, warum Fley in der falschen Richtung durch die Straße lief, zum Ende einer Sackgasse. Weil, wie Sie in der Zeitung lesen konnten, dort ein Arzt wohnt – der Arzt, in dessen Praxis er später getragen wurde.

Fley war schwer verletzt und wußte es, aber er gab sich noch nicht geschlagen! Er stand auf, in Mantel und Hut. Der Revolver war ihm in die Hand gedrückt worden; er steckte ihn in die Tasche, denn er konnte ihm nützlich werden. Er stieg die Treppe hinunter – nicht gerade mit sicherem Tritt, aber er schaffte es. Und er gelangte auf eine Straße, die vollkommen still war, offenbar hatte niemand Alarm geschlagen. Er ging weiter.

Haben Sie sich schon einmal gefragt, warum er in der Straßenmitte lief und sich dabei ständig umsah? Die naheliegende Erklärung ist nicht die, daß er jemanden Bestimmtes aufsuchen wollte, sondern daß er wußte, daß der Mörder sich irgendwo in der Nähe herumtrieb und er mit einer zweiten Attacke rechnen mußte. Er fühlte sich einigermaßen sicher. Vor ihm gingen schnellen Schrittes zwei Männer die Straße entlang. Er kam an einem hellerleuchteten Juweliergeschäft vorbei und sah bald rechts eine Straßenlaterne.

Aber was war unterdessen aus Grimaud geworden? Er hatte keine Verfolger ausmachen können, aber er war halb verrückt vor Sorge. Er wagte sich nicht zurück aufs Dach aus Angst, entdeckt zu werden.

Aber Augenblick! Falls seine Tat inzwischen entdeckt worden war, würde er das schnell genug herausfinden, wenn er einen Blick auf die Straße warf. Er mußte doch lediglich zur Haustür hinunter, den Kopf hinausstrecken und nachsehen, was auf der Straße los war, oder? Das stellte kein Risiko dar, denn das Haus mit Burnabys Wohnung war verlassen.

Leise schlich er die Treppe hinunter. Leise öffnete er die Haustür. Seinen Mantel hatte er aufgeknöpft, da er sich darunter das Seil um den Leib geschlungen hatte. Er öffnete die Tür und fand sich im Lichtkranz der Straßenlaterne wieder. Da kam mitten auf der Gasse der Mann auf ihn zu, von dem er angenommen hatte, ihn vor noch nicht zehn Minuten tot in dem anderen Haus zurückgelassen zu haben.

Und zum letzten Mal standen sich die Brüder von Angesicht zu Angesicht gegenüber.

Grimauds helle Kleidung gab im Licht der Laterne ein vorzügliches Ziel ab. Und Fley, verrückt vor Schmerz und Panik, zögerte keine Sekunde. Er brüllte los; er brüllte: ›Die zweite Kugel ist für dich!‹ Dann riß er den Revolver hoch und drückte ab!

Diese Anstrengung war zuviel. Ein Blutsturz brachte das Ende, und er wußte es. Er stieß noch einen letzten Schrei aus, und der leer geschossene Revolver rutschte ihm aus der Hand bei dem Versuch, ihn nach Grimaud zu schleudern. Schließlich stürzte er vornüber auf sein Gesicht.

Das, meine Freunde, war der Schuß, den die drei Zeugen in der Cagliostro Street gehört haben. Es war der Schuß, der Grimaud in die Brust traf, ehe er die Tür wieder schließen konnte.«

Kapitel 21

Die Entwirrung

»Die drei Zeugen sahen Grimaud natürlich nicht«, fuhr Dr. Fell nach einer langen Pause fort, »weil er gar nicht aus dem Eingang trat, weil er die Stufen vor der Tür gar nicht berührte, weil er zu keinem Zeitpunkt näher als sechs Meter an den Mann, der scheinbar in der Mitte einer Schneewüste ermordet wurde, herankam. Fley war bereits schwer verwundet, seine letzten Zuckungen ließen das Blut nur so hervorsprudeln. Daher mußte natürlich jeder Versuch scheitern, aus dem Einschußwinkel irgend etwas abzuleiten. Auf dem Revolver waren keine Fingerabdrücke, da er in den Schnee gefallen und buchstäblich reingewaschen worden war.«

»Mein Gott!« kommentierte Hadley so verhalten, daß es wie eine sachliche Feststellung klang. »Das alles stimmt mit den Fakten, die wir kennen, überein. Trotzdem habe ich keinen Augenblick daran gedacht... Aber reden Sie weiter. Grimaud?«

»Grimaud verbarg sich hinter der Tür. Er wußte, daß er eine Kugel in die Brust bekommen hatte, aber er glaubte nicht, daß es wirklich ernst um ihn stand. Er hatte schon Schlimmeres als Kugeln überlebt, und er hielt andere Dinge für ernster.

Schließlich hatte er ja nur abbekommen, was er sich selbst zufügen wollte, eine Wunde. Bei diesem Gedanken stimmte er sicher sein berüchtigtes bellendes Gelächter an. Sein Plan jedoch war vollständig zunichte gemacht.

Wie konnte er übrigens wissen, daß die Uhr in dem Juweliergeschäft vorging? Er hatte ja nicht einmal eine Ahnung, daß Fley schon tot war, denn da wandelte Fley mitten auf der Straße, sein Stachel stach noch, wenn auch das Licht seiner Kerze bereits flackerte. Das Glück in Gestalt der Uhr des Juweliers stand Grimaud jetzt bei, gerade als er dachte, daß es ihn verlassen hatte – aber wie konnte er das wissen?

Er wußte nur mehr, daß Fley niemals als Selbstmörder in diesem winzigen Zimmer gefunden werden würde. Fley, höchstwahrscheinlich schwer verletzt, aber immer noch in der Lage zu reden, war dort draußen auf der Straße, und ein Constable kam auf ihn zugerannt. Grimaud war erledigt. Wenn er nicht schleunigst seinen Verstand benutzte, befand er sich auf dem direkten Wege zum Henker, denn jetzt würde Fley nicht länger schweigen.

Alle diese Gedanken stürmten in dem kurzen Augenblick unmittelbar nach dem Schuß auf ihn ein. Hier, in diesem dunklen Hauseingang, konnte er nicht bleiben. Aber er sollte doch nach seiner Wunde sehen und dafür Sorge tragen, daß er keine Blutspur hinterließ. Wo? Oben in Burnabys Wohnung selbstverständlich. Er stieg wieder hinauf, machte die Tür auf und schaltete das Licht ein. Er trug noch das Seil um den Leib, das ihm nun nichts mehr nutzte. Er konnte nicht länger vorgeben, Fley habe ihn besucht, da dieser vielleicht eben jetzt mit der Polizei sprach. Er wickelte das Seil los und ließ es fallen.

Als nächstes warf er einen Blick auf die Wunde. Die Innenseite des hellen Tweedmantels und die Kleidung darunter waren vollkommen blutverschmiert, die Wunde selbst gar nicht so tragisch. Er hatte Gaze und Klebeband dabei, und es gelang ihm, sich notdürftig zu verarzten – wie ein vom Stier aufgespießtes Pferd. Károly Horváth, den nichts umzuwerfen vermochte, konnte es sich leisten, über so etwas zu lachen. Er fühlte sich so frisch und stark wie eh und je. Er versorgte seine Wunde – daher all das Blut in Burnabys Bad – und versuchte, seinen Verstand zusammenzureißen. Wie spät war es? Großer Gott! Er hatte sich verspätet, gleich Viertel vor zehn. Er mußte hier raus und nach Hause, bevor man ihn schnappen würde . . . Und er ließ das Licht brennen. Wann ein Shilling verbraucht war und es sich im Lauf der Nacht von allein abschaltete, wissen wir nicht. Eine Dreiviertel Stunde später, als Rosette es sah, war es jedenfalls noch an.

Aber ich glaube, als Grimaud dann in aller Eile nach Hause lief, fand er seinen kühlen Kopf wieder. Würde er entlarvt werden? Es schien unabwendbar. Aber gab es nicht doch noch ein Schlupfloch, den Schatten einer Chance, und sei sie noch so gering? Denn, sehen Sie, abgesehen von allem anderen war Grimaud eine Kämpfernatur, ein gerissener, phantasievoller, zynischer und kaltblütiger Lump mit einem Hang zum Theatralischen; aber nicht zu vergessen: auch ein Kämpfer! Er war nicht nur einfach böse und sonst nichts. Er war fähig, seinen Bruder zu ermorden, aber ich bezweifle, ob er auch einen Freund getötet hätte oder eine Frau, die ihn liebte. Nun also, gab es noch einen Ausweg? Da war tatsächlich eine Chance – so gering, daß es eigentlich vollkommen hoffnungslos war, aber eine andere hatte er nicht. Sie bestand darin, seinen ursprünglichen Plan auszuführen und so zu tun, als hätte ihn Fley wirklich zu Hause besucht und angeschossen. Fley hatte noch immer die Waffe. Grimaud würde darauf bestehen und alle Zeugen würden es bestätigen, daß er das Haus den ganzen Abend nicht verlassen hatte! Andererseits würden sie beschwören, daß Fley zu ihm gekommen war – und dann sollte doch die verdammte Polizei versuchen, ihm irgend etwas nachzuweisen! Warum nicht? Der Schnee? Es hatte aufgehört zu schneien, und Fley würde keine Spur hinterlassen... Grimaud hatte das Seil weggeworfen, welches Fley angeblich hätte benutzen sollen... Das Ganze war zu einem Vabanquespiel geworden, bei dem der Teufel alles auf eine Karte setzt, der einzig verbliebene Ausweg...

Fley hatte um ungefähr zwanzig Minuten vor zehn auf ihn geschossen. Um Viertel vor zehn oder ein wenig später kam Grimaud bei sich zu Hause an. Wie konnte er, ohne Spuren zu hinterlassen, ins Haus hineinkommen? Kein Problem für einen nur leicht verletzten Mann mit der Konstitution eines Ochsen! Ich glaube übrigens, daß er wirklich nur leicht verletzt war und daß jetzt der Galgen auf ihn warten würde, wenn er nicht in dieser Nacht gewisse Dinge unternommen hätte, wie Sie gleich sehen werden. Er würde wie vorgesehen über die Außentreppe zum Souterrain und durch die Souterraintür ins Haus gelangen. Wie? Nun, auf der Treppe lag natürlich frischgefallener Schnee. Aber der Zugang zur Treppe befindet sich neben dem Nachbarhaus, nicht wahr? Und der Eingang zum Souterrain am Fuß der Treppe ist von einem Vorsprung geschützt, nämlich den seitlich überstehenden Stufen der Treppe zur Haustür hinauf. Also gab es unmittelbar vor der Tür zum Souterrain keinen Schnee. Wenn er dorthin gelangen konnte, ohne Spuren zu hinterlassen...

Er konnte. Er konnte sich dem Haus von der anderen Seite her nähern, als wollte er zum Nachbarhaus, um von dort über die Außentreppe bis auf die schneefreie Stelle hinunterzuspringen... Ich erinnere mich daran, daß irgendwer berichtete, er habe einen Plumps gehört, als wäre jemand irgendwo herabgestürzt, kurz bevor die Türglocke läutete?«

»Aber er läutete doch gar nicht an der Tür!«

»Oh doch, aber von innen – nachdem er durch das Souterrain ins Haus gelangt und ins Erdgeschoß hinaufgegangen war, wo Ernestine Dumont ihn erwartete. Und endlich waren sie soweit, ihren Trick durchzuführen.«

»Ja«, sagte Hadley. »Jetzt kommen wir zu der Illusion. Wie haben sie es gemacht, und woher wissen Sie, wie es gemacht wurde?«

Dr. Fell lehnte sich behaglich zurück und legte nacheinander die Fingerspitzen beider Hände zusammen, als wolle er seine Gedanken ordnen.

»Woher ich das weiß? Nun, zunächst einmal hat mich das Gewicht dieses Bildes darauf gebracht.« Träge wies er auf die große zerschnittene Leinwand, die noch immer an der Wand lehnte. »Ja, das Gewicht dieses Gemäldes. Das allein war allerdings nicht sehr hilfreich, bis ich mich noch an etwas anderes erinnerte.«

»Das Gewicht des Bildes? Ja, das Bild«, knurrte Hadley. »Hatte ich ganz vergessen. Wie paßt das denn in die ganze verflixte Geschichte? Was hatte Grimaud damit vor?«

»Ähem, ja. Das habe ich mich nämlich auch gefragt, wissen Sie.«

»Aber das Gewicht des Bildes, Mann! Es wiegt nicht viel. Sie selbst haben es mit einer Hand hochgehoben und umgedreht.«

Dr. Fell richtete sich mit hellwachem Gesichtsausdruck auf. »Genau! Sie haben es erfaßt. Ich habe es mit einer Hand hochgehoben und umgedreht. Warum sollten dann zwei stämmige Männer, der Taxifahrer und noch einer, nötig gewesen sein, es hinaufzutragen?«

»Was?«

»So war es, wissen Sie nicht mehr? So ist es uns zweimal erzählt worden. Als Grimaud das Bild in Burnabys Atelier abholte, trug er es mit Leichtigkeit die Treppe hinunter. Aber als er mit demselben Gemälde hier am Spätnachmittag ankam, brauchte es zwei Männer, um es hinaufzubringen. Wie war diese plötzliche Gewichtszunahme möglich? Einen Glasrahmen hat es nicht, wie Sie selbst sehen. Wo hatte sich Grimaud die ganze Zeit herumgetrieben zwischen dem Morgen, als er das Kunstwerk kaufte, und nachmittags, als er damit hierher zurückkehrte? Es ist viel zu groß, um es zum Vergnügen mit sich herumzutragen. Warum bestand Grimaud so hartnäckig darauf, daß man es ihm einpackte?

Es war nicht allzu abwegig, auf den Gedanken zu kommen, daß er das Bild als eine Art Versteck benutzte, hinter dem die Männer, ohne es zu ahnen, etwas anderes hinauftrugen. Etwas, das mit dem Bild gemeinsam verpackt war. Etwas sehr Großes, mehr als ein mal zwei Meter, hmm . . .«

»Aber da kann nichts gewesen sein«, protestierte Hadley, »wir hätten es doch hier gefunden! Außerdem müßte das Ding fast flach gewesen sein, sonst wäre es unter der Verpackung des Gemäldes bemerkt worden. Was für ein Gegenstand hat die entsprechende Größe und ist doch flach genug, unter der Verpackung eines Bildes nicht aufzufallen? Was ist so riesig wie dieses Bild und kann doch jederzeit außer Sicht gezaubert werden?«

»Ein Spiegel«, sagte Dr. Fell.

Nach einem Augenblick fast schmerzhafter Stille, in dem sich Hadley langsam aus seinem Sessel erhob, fuhr Dr. Fell schläfrig fort: »Der kann außer Sicht gezaubert werden, wie Sie sich auszudrücken belieben, indem man ihn einfach in den Rauchabzug dieses ungewöhnlich breiten Kamins hinaufschiebt, in den wir übrigens alle vergeblich versuchten, unsere Fäuste hineinzuzwängen, und innen auf den Vorsprung stellt, wo der Kamin einen Knick beschreibt. Man braucht dazu keine Zauberei. Man braucht nur verdammt starke Arme und Schultern.«

»Sie meinen«, rief Hadley, »diesen verflixten Bühnentrick?«

»Eine neue Version des Bühnentricks«, erwiderte Dr. Fell, »und eine sehr gute und effektvolle dazu, wenn Sie es einmal versuchen wollen. Schauen Sie sich in diesem Raum um! Sehen Sie die Tür? Was sehen Sie an der Wand gegenüber der Tür?«

»Nichts«, antwortete Hadley. »Grimaud hat ja die Bücherregale in der Mitte wegräumen lassen, so daß vor der Wandtäfelung eine große freie Fläche entstanden ist.«

»So ist es. Und sehen Sie zwischen der Tür und jener Wand irgendein Möbelstück?«

»Nein. Da ist alles frei.«

»Wenn Sie also draußen wären und in das Zimmer hier blickten, dann würden Sie nur schwarzen Teppich erkennen, keine Möbel und dort hinten eine Fläche nackter Wand mit Eichentäfelung?«

»Ja.«

»Fein, Ted, nun öffnen Sie mal die Tür, und schauen Sie in den Flur hinaus«, sagte Dr. Fell. »Wie steht es mit den Wänden und dem Teppich?«

Rampole gab sich alle Mühe, wenngleich er längst Bescheid wußte. »Völlig identisch«, sagte er. »Der Fußboden besteht aus einem einzigen Stück Teppich, der wie dieser bis an die Wandleisten heranreicht. Die Wandtäfelung ist auch gleich.«

»Schön! Übrigens, Hadley«, spann Dr. Fell, immer noch schläfrig, seinen Faden weiter, »Sie könnten mal diesen Spiegel hinter dem Bücherregal dort drüben hervorholen. Der steht da seit gestern nachmittag, als Drayman ihn im Kamin fand; ihn herunterzuheben hat den Schlaganfall ausgelöst. Wir machen ein kleines Experiment. Ich glaube nicht, daß uns jemand aus dem Haus unterbrechen wird, aber wir können etwaige Störer auf jeden Fall abwehren. Ich möchte, daß Sie diesen Spiegel nehmen, Hadley, und ihn hier im Zimmer vor der Tür aufstellen. Wenn man dann die Tür öffnet und sie rechtwinklig offensteht – sie geht nach rechts innen auf, wenn man vom Korridor hereinkommt –, ist die äußere Türkante nur wenige Zentimeter vom Spiegel entfernt.«

Der Superintendent zog mit einigem Kraftaufwand den Gegenstand hervor, den er hinter dem Bücherregal fand. Er war größer als der Kippspiegel eines Schneiders und um etliche Zentimeter höher und breiter als die Tür. Mit der Unterkante ruhte er auf dem Teppich und wurde von einer schweren beweglichen Stütze an der rechten vorderen Seite aufrecht gehalten. Hadley betrachtete sie neugierig.

»Vor der Tür aufstellen?«

»Ja. Die Tür wird sich nur ein kleines Stück öffnen. Sie werden nur einen Spalt sehen, der deutlich schmäler als ein Meter sein wird. Versuchen Sie es einmal!«

»Ich weiß, aber wenn man das macht . . . Nun, jemand, der in dem Zimmer am anderen Ende des Korridors säße, dort, wo Mills saß, der würde doch sein eigenes Spiegelbild in dem Spiegel sehen.«

»Nicht unbedingt. Nicht bei dem Winkel: ein leichter Winkel, aber dafür ausreichend, in dem ich ihn aufstellen werde; ein winziges Detail, worauf ich aber immerhin selbst gekommen bin. Sie werden ja sehen! Sie beide gehen jetzt schön hinüber zu der Stelle, wo Mills war. Ich stelle unterdessen den Spiegel auf. Nicht gucken, ehe ich rufe!«

Hadley brummte etwas von Narreteien, trottete aber nichtsdestotrotz hinter Rampole her durch den Flur in das Büro. Sie sahen nicht hin, bis sie des Doktors »Hurra!« hörten; da drehten sie sich um.

Der Flur war finster – und lang; der schwarze Teppich erstreckte sich über die ganze Distanz bis zu einer geschlossenen Tür.

Vor dieser wartete Dr. Fell wie ein übergewichtiger Zeremonienmeister, der ein Denkmal enthüllen will. Er stand ein wenig rechts von der Tür vor der Wand und streckte seine Hand zum Türknauf aus.

»Und los geht's!« grunzte er, riß kurz die Tür auf – zögerte einen kleinen Augenblick – und schloß sie dann wieder. »Also? Was haben Sie gesehen?«

»Ich habe das Zimmer gesehen«, versetzte Hadley. »Oder wenigstens hatte ich diesen Eindruck. Ich sah den Teppich und hinten die Wand. Das Zimmer schien sehr groß zu sein.«

»All das haben Sie nicht gesehen«, rief Dr. Fell. »In Wahrheit sahen Sie das Spiegelbild der getäfelten Wand von Ihnen aus gesehen rechts von der Tür, wo Sie stehen, und des Teppichs davor. Deshalb schien Ihnen das Zimmer so groß: Sie sahen die Verdoppelung eines Spiegelbildes! Dieser Spiegel ist größer als die Tür, wissen Sie. Die Tür selbst konnten Sie nicht erkennen, da sie sich nach rechts innen öffnet. Wären Sie sehr aufmerksam gewesen, so hätten Sie vielleicht eine dunkle Linie am oberen Rand der Tür entdeckt. Dort reflektiert die Oberkante des Spiegels, der höher ist als die Tür, unvermeidlicherweise ein paar Zentimeter des inneren Türrahmens. Aber Ihre Aufmerksamkeit würde sich unweigerlich auf jedwede Person richten, die Sie sähen. Sahen Sie übrigens mich?«

»Nein, Sie standen zu weit weg. Sie streckten Ihren Arm quer über die Türfläche zum Türknauf, blieben aber selbst an der Seite stehen.«

»Ja. Genau wie die Dumont! Nun möchte ich ein letztes Experiment wagen, ehe ich erkläre, wie die ganze Illusion funktioniert hat. Ted, Sie setzen sich dort auf den Stuhl hinter den Schreibtisch, an Mills' Stelle. Sie sind viel größer als er, aber das Prinzip wird trotzdem klar werden. Ich werde hier bei geöffneter Tür vor dem Arbeitszimmer stehen und mich selbst im Spiegel betrachten. Nun, mich können Sie natürlich unmöglich verwechseln, ob von vorn oder von hinten, aber ich bin ja auch unverwechselbarer als die meisten. Sagen Sie mir einfach, was Sie sehen.«

Im Zwielicht fiel der Effekt des Experiments vor der halboffenen Tür recht gruselig aus. Dr. Fell stand im Türrahmen zum Arbeitszimmer; er blickte auf einen weiteren Dr. Fell, der sich selbst auf der Schwelle gegenüberstand – reglos und starr.

»Ich berühre die Tür nicht, wie Sie sehen«, polterte eine Stimme. Weil die Lippen des Spiegelbildes sich bewegten, hätte Rampole schwören mögen, daß es der Dr. Fell im Zimmer war, der da sprach. Der Spiegel warf die Stimme gleich einem Resonanzboden zurück. »Jemand ist bitte so zuvorkommend, die Tür zu öffnen und zu schließen – jemand auf meiner Rechten! Ich selbst berühre die Tür nicht, mein Spiegelbild würde das nämlich auch tun. Schnell, Ted, was fällt Ihnen auf?«

»Hm, der eine von Ihnen ist viel größer als der andere«, sagte Rampole und musterte die beiden Gestalten.

»Welcher?«

»Sie selbst; die Gestalt im Flur.«

»Genau. Erstens, weil Sie sie aus einiger Entfernung sehen; aber das Wichtigste ist, daß Sie sitzen. Einem Mann von Mills' Größe müßte ich wie ein Riese vorkommen. Wie? Ähem. Hm. Ja. Wenn ich jetzt mit einer schnellen Bewegung versuche, zur Tür hineinzuschlüpfen – sofern wir einmal annehmen wollen, daß ich zu einer solchen Bewegung fähig wäre –, und mein Assistent gleichzeitig von rechts eine heftige Bewegung zur Ablenkung vollführt, wobei er die Tür schließt, dann scheint doch die Person drinnen . . .?«

». . . auf Sie zuzuspringen, um Sie nicht reinzulassen.«

»Ja. Kommen Sie, wir wollen uns die Zeugenaussagen noch einmal vornehmen, falls Hadley sie bei sich hat.«

Als sie an dem schräg aufgestellten Spiegel vorüber, den Hadley zur Seite schob, wieder in das Arbeitszimmer gegangen waren, ließ sich Dr. Fell in einen Sessel fallen und seufzte.

»Tut mir leid, meine Herren. Ich hätte die Wahrheit bereits vor langer Zeit erkennen müssen – aufgrund der sorgfältigen, gründlichen und genauen Aussage von Mr. Mills. Wir wollen einmal sehen, ob ich seine Worte aus dem Gedächtnis zu wiederholen vermag. Hören Sie gut zu, Hadley . . . Hm.« Er rieb sich mit den Knöcheln die Schläfen und senkte finster den Blick. »Er sagte etwa: ›Sie‹ – die Dumont – ›wollte gerade an der Tür klopfen, da sah ich entsetzt, wie der große Mann gleich hinter ihr die Treppe heraufkam. Sie drehte sich um und bemerkte ihn. Sie stieß gewisse Worte aus... Der große Mann antwortete nicht. Er ging zur Tür, schlug ohne Eile den Kragen seines Mantels herunter und nahm seine Kappe ab, die er in seine Manteltasche steckte...‹ Sehen Sie, meine Herren? Das mußte er tun, denn das Spiegelbild durfte keine Kappe und keinen hochgeschlagenen Kragen zeigen, wenn die Gestalt im Zimmer einen Hausmantel tragen sollte. Aber ich fragte mich, warum er dabei so umsichtig war, wenn er doch andererseits die Maske nicht abnahm.«

»Ja, was war mit dieser Maske? Mills sagte, daß er sie aufbehielt.«

»Mills sah nicht, daß er sie abnahm! Ich werde Ihnen demonstrieren, warum; fahren wir ein wenig mit Mills' Aussage fort: ›Madame Dumont schrie etwas, wich gegen die Wand zurück und beeilte sich dann, die Tür aufzumachen. Dr. Grimaud erschien auf der Schwelle...‹

›Erschien!‹ Das trifft genau, was er tat. Unser gewissenhafter Zeuge befleißigte sich einer geradezu schreckenerregenden Exaktheit. Aber die Dumont? Hier fand ich den ersten Haken der Geschichte. Eine entsetzte Frau, die zu einer furchteinflößenden Gestalt aufblickt, unmittelbar vor der Tür eines Raumes, in dem sich der Mann aufhält, der ihr beistehen würde: Und sie weicht nicht zurück! Sie springt auf die Tür zu, um Schutz zu suchen. Doch folgen wir Mills' Aussage. Er sagte, Grimaud habe seine Brille nicht aufgehabt. Sie hätte hinter der Maske keinen Platz gehabt. Aber für den Mann im Zimmer wäre es doch natürlich gewesen, will mir scheinen, die Brille aufzusetzen, die ihm ja vor der Brust hing. Grimaud stand, Mills zufolge, die ganze Zeit stocksteif da. Wie der Fremde hatte er die Hände in den Taschen. Und jetzt kommt die entscheidende Stelle. Mills sagte: ›Ich habe den Eindruck, daß Madame Dumont, obwohl sie gegen die Wand zurückwich, doch die Tür hinter ihm schloß. Ich erinnere mich daran, daß sie ihre Hand am Türknauf hatte.‹

Das war in der Tat nicht eben eine natürliche Reaktion! Zwar widersprach sie ihm auch sogleich, aber Mills hatte recht!«

Dr. Fell gestikulierte.

»Es hat keinen Sinn, weiter auf Mills' Aussage einzugehen. Aber hier lag meine Schwierigkeit: Wenn Grimaud allein im Zimmer gewesen war, wenn er einfach zu seinem eigenen Spiegelbild hineingegangen war, was war aus seinen Kleidern geworden? Was war mit dem langen schwarzen Mantel, der spitzen Kappe, gar dem falschen Gesicht geschehen? Im Zimmer waren sie nicht. Da fiel mir wieder ein, daß es einmal Ernestine Dumonts Beruf gewesen war, für die Oper und das Ballett Kostüme anzufertigen. Ich erinnerte mich an eine Geschichte, die uns O'Rourke erzählt hatte, und da wußte ich...«

»Nun?«

»... daß Grimaud sie verbrannt hatte«, beendete Dr. Fell den Satz. »Er hatte sie verbrannt, weil sie aus Papier waren, wie die Uniform des verschwundenen Reiters, von dem O'Rourke berichtet hat. Es war ihm zu riskant, richtige Kleider lange und umständlich zu verbrennen; dazu fehlte ihm die Zeit. Er mußte die Papierkleider zerreißen und verbrennen; dafür warf er rasch ganze Bündel von losem, unbeschriebenem, völlig leerem Schreibpapier ins Feuer, um die Tatsache zu verbergen, daß sich darunter farbiges Papier befand. Gefährliche Briefe! Oh Bacchus, ich könnte mich umbringen, daß ich einen solchen Unsinn geglaubt habe!« Er schüttelte seine Faust. »Wo doch keine Blutspur, kein einziger Blutfleck zu der Schublade in seinem Schreibtisch führte, in der er seine wichtigen Papiere aufbewahrte! Und es gab einen weiteren Grund, Papier zu verbrennnen. Es sollte die Überreste des ›Schusses‹ verbergen.«

»Des Schusses?«

»Vergessen Sie nicht, hier im Zimmer wurde angeblich ein Revolver abgefeuert! Was die Zeugen wirklich hörten, das war das Geräusch eines Feuerwerkskörpers aus dem Vorrat, den sich Drayman stets für die Guy-Fawkes-Nacht aufbewahrte. Drayman entdeckte das Fehlen des Böllers. Ich glaube, das war der Grund dafür, daß er der Sache auf die Spur kam und immerzu etwas von Feuerwerk faselte.

Nun, die Bruchstücke eines explodierenden Kanonenschlags fliegen ziemlich weit. Sie bestehen aus dicker, verstärkter Pappe, sind schwer zu verbrennen, und sie mußten in diesem Feuer vernichtet oder unter Papierasche versteckt werden. Ein paar Stückchen davon habe ich gefunden. Wir hätten natürlich merken müssen, daß überhaupt keine Revolverkugel abgefeuert worden war. Moderne Patronen, die, wie Sie sagten, in diesem Revolver benutzt werden, haben rauchloses Schießpulver. Man kann es riechen, aber nicht sehen. Und doch schwebte eine Rauchwolke in diesem Zimmer; sogar noch, nachdem wir das Fenster aufgemacht hatten. Sie stammte von dem Böller.

Also schön, rekapitulieren wir: Grimauds aufwendige Uniform aus Krepp bestand aus einem schwarzen Mantel, schwarz wie ein Hausmantel, lang wie ein Hausmantel, vorn mit glänzenden Revers, die wie der Kragen eines Hausmantels aussahen, nachdem er sie heruntergeklappt hatte, um seinem Spiegelbild gegenüberzutreten. Sie bestand weiterhin aus einer Papierkappe, an der das falsche Gesicht angebracht war, so daß er es, als er die Kappe absetzte, ganz einfach damit zusammen in die Tasche stopfen konnte. Den echten Hausmantel hatte er übrigens schon vorher im Arbeitszimmer bereitgelegt, ehe er losgezogen war. Die schwarze Uniform schließlich war früh am Samstag abend unvorsichtigerweise unten im Wandschrank aufgehängt worden, wo Mangan sie entdeckte. Die aufmerksame Madame Dumont wußte, daß er sie unglücklicherweise bemerkt hatte, und nahm sie, kaum daß er gegangen war, aus dem Wandschrank, um sie an einem sicheren Ort aufzubewahren. Sie sah nie einen hellen Tweedmantel dort hängen. Den hatte Grimaud hier oben bei sich. Er brauchte ihn für seine Expedition. Aber gestern nachmittag wurde er tatsächlich im Wandschrank gefunden, und sie mußte so tun, als sei er immer schon dort gewesen. Daher der Chamäleonmantel.

Nunmehr sind Sie in der Lage, sich selbst auszumalen, was sich weiter zugetragen hat, als Grimaud, nachdem er Fley getötet und selbst eine Kugel in den Leib bekommen hatte, am Samstag ins Haus zurückkehrte. Gleich zu Beginn ihrer Vorstellung waren er und seine Assistentin in großer Gefahr. Grimaud hatte sich verspätet. Er hatte geplant, um halb zehn zurück zu sein, aber er kam erst um Viertel vor zehn. Je später er auftauchen würde, desto näher rückte der Zeitpunkt, den er Mangan als die Ankunftszeit seines Besuchers genannt hatte; Mangan würde mit dem Besucher rechnen und ein Auge auf ihn haben, denn darum war er gebeten worden. Alles hing an einem Haar, und ich kann mir lebhaft vorstellen, daß der besonnene Grimaud der Verzweiflung ziemlich nahe war. Er ging durch das Souterrain, wo ihn seine Assistentin erwartete, nach oben. Der blutverschmierte Tweedmantel verschwand im Wandschrank in der Halle und mußte umgehend fortgeschafft werden. Aber das geschah nie, denn Grimaud starb. Die Dumont öffnete ihm leise die Haustür, läutete, indem sie um die Türkante griff, und ›ging dann an die Tür‹, während Grimaud seine Uniform anzog.

Aber all das dauerte einfach zu lange. Mangan rief durch die Tür. Grimaud, der noch nicht wieder bei klarem Verstand war, geriet in Panik und leistete sich einen Schnitzer, mit dem er eigentlich seine sofortige Entdeckung abwenden wollte. Er war nun schon so weit gekommen; er wollte nicht an der Neugierde eines verdammten jungen Habenichts scheitern. Also rief er, er sei Pettis und schloß die beiden jungen Leute ein. Haben Sie nicht bemerkt, daß Pettis der einzige mit einer ähnlichen Baßstimme wie Grimaud ist? Ja, das war ein aus der Not des Augenblicks geborener Fehler, aber in diesem Augenblick wollte Grimaud eben nichts dringlicher, als der drohenden Entdeckung irgendwie und so schnell wie möglich zu entgehen.

Die Illusion war beendet. Er war allein in seinem Arbeitszimmer. Seine Jacke, wahrscheinlich auch voller Blut, hatte die Dumont an sich genommen. Er trug die Uniform über einem offenen Hemd und seiner bandagierten Wunde. Jetzt mußte er nur noch die Tür hinter sich verschließen, seinen echten Hausmantel anziehen, die Papieruniform vernichten und endlich den Spiegel in den Kamin hinaufwuchten.

Das, so betone ich noch einmal, besiegelte sein Ende. Die Wunde hatte wieder zu bluten begonnen. Kein normaler Mensch mit einer solchen Verwundung wäre der Belastung gewachsen gewesen, der er bis jetzt schon ausgesetzt war. Es war nicht Fleys Kugel, die ihn letztendlich umbrachte. Er riß sich seine eigene Lunge wie ein Stück brüchiges Gummi auf, als er versuchte, was ihm mit einer übermenschlichen Anstrengung auch gelang, den Spiegel in sein Versteck zu heben. Und da wußte er Bescheid. Da begann ihm das Blut aus dem Mund zu schießen wie aus einer offenen Arterie.

Er wankte und taumelte zum Sofa und warf den Sessel um bei seinem letzten und erfolgreichen Unterfangen, nämlich den Böller zu zünden.

All der Haß, all die Lügen, all die Pläne seines Lebens waren jetzt vergessen. Nun begann die Welt nicht vor seinen Augen zu tanzen, sondern wurde nur allmählich schwarz. Er versuchte zu brüllen, es gelang nicht mehr, Blut quoll ihm aus dem Mund. Und in diesem Moment erkannte Charles Grimaud, was er niemals für möglich gehalten hätte: das Zerbrechen der letzten und erschütterndsten Spiegelillusion seines bitteren Lebens!«

»Ja?«

»Er begriff, daß er starb«, erwiderte Dr. Fell. »Und anders als in den Alpträumen, die ihn geplagt hatten, war er darüber froh.«

Das bleigraue Licht war mit dem jetzt wieder beginnenden Schneefall noch fahler geworden. Dr. Fells Stimme hallte unheimlich durch den kalten Raum. Dann sahen die drei Männer, wie die Tür aufging und die Gestalt einer Frau mit einem verlorenen Gesicht auf der Schwelle erschien. Ein verlorenes Gesicht und ein schwarzes Kleid, aber um ihre Schultern hatte sie immer noch, als Zeichen ihrer Liebe für den Toten, den gelbroten Schal gelegt.

»Er gestand«, sagte Dr. Fell mit derselben leisen, monotonen Stimme. »Er versuchte, uns die Wahrheit über den Mord an Fley und über Fleys Mord an ihm selbst mitzuteilen. Nur wollten wir ihn nicht verstehen, und ich verstand erst, als ich die Geschichte mit der Uhr durchschaut hatte. Mein Gott, begreifen Sie das denn nicht? Nehmen Sie seine letzten Worte, die er laut Dr. Petersons Brief unmittelbar vor seinem Tod sagte: ›Mein Bruder hat es getan. Ich hätte nie gedacht, daß er wirklich schießen würde. Weiß der Himmel, wie er aus diesem Zimmer gekommen ist ...‹«

»Sie meinen, er sprach von Fleys Zimmer in der Cagliostro Street, nachdem er Fley dort für tot gehalten und liegengelassen hatte?« fragte Hadley.

»Ja. Welch ein Schock muß es für ihn gewesen sein, als er unter der Straßenlaterne die Haustür aufmachte und ihn plötzlich vor sich sah. Wie sagte er doch? ›Im einen Augenblick war er noch da, und im nächsten war er verschwunden. Will Ihnen sagen, wer mein Bruder ist, damit Sie nicht glauben, ich phantasiere.‹

Denn selbstverständlich nahm er nicht an, daß irgend jemand von Fley wußte. So, nun betrachten Sie in diesem Licht die verworrenen, konfusen, erstickten Worte, mit denen er, als er mitbekam, daß es zu Ende gehen würde, versuchte, uns das Rätsel zu erklären.

Als erstes wollte er uns von den Horváths und den Salzminen berichten. Doch sprach er dann von dem Mord an Fley, und was Fley ihm angetan hatte. ›Nicht Selbstmord.‹ Nachdem er Fley auf der Straße begegnet war, konnte er dessen Tod nicht länger wie geplant als Selbstmord hinstellen. ›Seil konnte er nicht nehmen.‹ Das Seil zur Flucht benutzt zu haben, konnte er Fley auch nicht mehr in die Schuhe schieben. Grimaud hatte es ja als nutzlos zurückgelassen. ›Dach.‹ Grimaud meinte nicht dieses Dach hier, sondern das andere Dach, das er überquerte, als er Fleys Wohnung verließ. ›Schnee.‹ Der Schneefall hatte aufgehört, seine Pläne wurden durchkreuzt. ›Zu viel Licht.‹ Das ist die Crux, Hadley! Als er auf die Straße hinaussah, gab die Straßenlaterne zu viel Licht. Fley erkannte ihn und schoß. ›Hatte den Revolver.‹ Natürlich hatte Fley in diesem Augenblick den Revolver. ›Fokus.‹ Die Maske, mit der er die Guy-Fawkes-Maskerade vorgespielt hatte. Und schließlich ›Hat nichts damit zu tun.‹ Nicht Drayman, er meinte nicht D r a y m a n, sondern es war seine Entschuldigung für die eine Sache, für die er sich, wie ich glaube, wirklich schämte, der eine Schwindel, den er nicht gewollt hatte. ›Der arme Pettis hat nichts damit zu tun. Ich wollte ihn nicht hineinziehen.‹«

Lange Zeit sprach niemand.

»Ja«, stimmte Hadley erschöpft zu. »Ja. Mit einer Ausnahme. We r hat das Bild zerschnitten, und wohin ist das Messer verschwunden?«

»Grimaud, stelle ich mir vor, hat das Bild zerschnitten – als besondere Pointe zur Untermalung seiner Zaubervorstellung. Was aus dem Messer geworden ist, weiß ich nicht, muß ich gestehen. Grimaud hatte es wahrscheinlich hier und versteckte es dann neben dem Spiegel im Kamin, damit der Unsichtbare zweifach bewaffnet erscheinen sollte. Aber jetzt liegt es nicht mehr auf dem Vorsprung im Kamin. Ich vermute, daß Drayman es gestern fand und wegnahm . . .«

»Das ist der einzige Punkt«, vernahm man eine Stimme, »wo Sie unrecht haben.«

Ernestine Dumont blieb in der Tür stehen. Ihre Hände waren vor ihrer Brust unter dem Schal zusammengelegt. Aber sie lächelte.

»Ich habe alles gehört, was Sie gesagt haben«, fuhr sie fort. »Vielleicht können Sie mich hängen, vielleicht nicht. Das spielt keine Rolle. Ich weiß, daß es sich nach so vielen Jahren nicht mehr lohnt, ohne Charles weiterzuleben . . . Ich habe das Messer, mein Freund! Ich hatte weitere Verwendung dafür.«

Sie lächelte noch immer, und für einen kurzen Augenblick blitzte Stolz in ihren Augen auf.

Rampole erkannte, was ihre Hände verbargen. Er sah sie wanken, aber er kam zu spät, um sie aufzufangen, als sie vornübersank. Dr. Fell erhob sich schwer aus seinem Sessel und blieb lange vor ihr stehen und sah sie an – mit einem Gesicht, das so weiß war wie das ihre.

»Ich habe noch ein Verbrechen begangen, Hadley«, sagte er. »Ich habe wieder einmal die Wahrheit erraten.«

ÜBERSICHT ÜBER DIE SPIEGELILLUSION

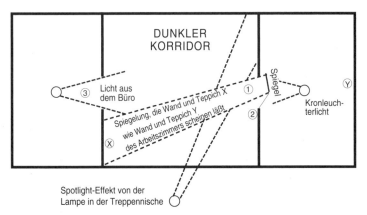

1. Jemand, dessen Spiegelbild vom Beobachter registriert wird, der jedoch etwa acht Zentimeter größer erscheint, weil der Beobachter ungefähr einen Zentimeter entfernt sitzt und sich auf einem wesentlich tieferen Betrachtungsniveau befindet.
2. Assistent, der die Tür öffnet und schließt.
3. Beobachter.

Beim Nachvollziehen dieser Illusion muß ein wichtiger Punkt beachtet werden. Das Licht darf nicht direkt auf den Spiegel fallen, sonst verrät er sich durch die Reflexion dieses Lichts. Das Scheinwerferlicht aus der Treppennische wurde mit Bedacht in einem stark spitzen Winkel auf die Tür gerichtet, und zwar so, daß es vom Spiegel nicht reflektiert werden kann. Im Flur brennt kein Licht, und das Licht aus dem Büro reicht nicht weit. Im Arbeitszimmer selbst kommt das Licht von einem Kronleuchter, der hoch oben an der Decke hängt, also von fast direkt über dem Spiegel. Der Spiegel wirft daher nur einen sehr kurzen Schatten in den Flur, und dieser Schatten wird vom Gegenschatten des Mannes vor der Tür überdeckt.

Nachwort

Der klassische Detektivroman des von seinen Fans nostalgisch verklärten Goldenen Zeitalters des Genres war eine nach kunstvollen Regeln konzipierte Spielform der Literatur, wie sie die Angelsachsen lieben und mit der sich die Deutschen traditionell schwertun: Wir haben nichts, was sich dem höheren Unsinn von Jerome K. Jeromes *Drei Mann in einem Boot. Vom Hunde ganz zu schweigen*, Lewis Carrolls *Alice im Wunderland* oder der ganzen Gattung des Limericks an die Seite stellen ließe. Und so haben wir eben auch kaum eine Tradition des Spiels mit spektakulären, mit »unmöglichen« Verbrechen, bei dem Realismus und Sozialkritik zurücktreten hinter der fairen Irreführung des Lesers, wie sie in England und Europa zugewandten Kreisen der USA gepflegt wurde.

Je länger dieses Spiel währte, bei dem jeder Autor seine in allen Genrekonventionen bewanderten Konkurrenten ebenso wie die nicht minder kundigen Leser im Auge haben mußte, desto kunstvoller und komplizierter wurden die Regeln, desto elaborierter die Morde und ihre Vertuschungsstrategien, desto »künstlicher« wurden die Ergebnisse. Daß »künstlich« für uns einen pejorativen Beiklang hat, beruht auf dem um 1770 aufgekommenen ästhetischen Vorurteil, »Kunst« habe »wahr« und »realistisch« zu sein – einem Vorurteil, dem sich in zurückliegenden Epochen nur die Romantik und der Dadaismus erfolgreich widersetzt haben. Bis 1770 hieß »künstlich« schlicht »kunstvoll, der Kunst zugehörig«, und in diesem Sinne wurden auch die Detektivromane immer »künstlicher«, bis es schließlich am einfachsten schien, jeglichen Realismusanspruch fallenzulassen. So verkündet Ellery Queen am Ende eines seiner detektivischen Abenteuer, die aufgelaufenen Spesen, die weder er selbst noch die New Yorker Polizei zu übernehmen bereit sind, werde der Leser bezahlen. Am weitesten ging Edmund Crispin alias Robert Bruce Montgomery, der späte

Vollender des klassischen Detektivromans. Sein Detektiv, der Literaturprofessor Gervase Fen, bezeichnet sich selbst als den einzigen Literaturwissenschaftler, der in der Geschichte des Genres zum Detektiv wurde, oder gibt bei einer wilden Verfolgungsjagd an einer Weggabelung die Anweisung: »Fahren wir links. Schließlich erscheint dieses Buch bei Victor Gollancz.«

Unübertroffenes Urbild dieser späten Tradition ist der Roman *Der verschlossene Raum* von John Dickson Carr (1906–1977), der 1935 erschien und Carrs eigene Theorie des Detektivromans nicht nur befolgt, sondern auch explizit mitliefert und kein Hehl daraus macht, nichts als ein – Roman zu sein. Dr. Gideon Fell, Carrs nach dem Vorbild des Father-Brown-Schöpfers Gilbert Keith Chesterton geschaffener lebens- und bücherlustiger Meisterdetektiv, spricht angesichts zweier Morde, die offenbar in Varianten des »hermetisch verschlossenen Raums« geschehen sein müssen, über die Geschichte dieses Motivs und seiner Variation im Detektivroman, »weil wir uns in einer Kriminalgeschichte befinden; und wir können keinen Leser damit täuschen, indem wir so tun, als wäre das nicht so«. Der uns so häufig im Kriminalroman begegnende Ausruf »Wir sind doch hier nicht in einem Kriminalroman«, der noch keinen Leser überzeugt hat, wird einfach auf den Kopf gestellt: Ja, wir sind Gestalten in einem klassischen Detektivroman, und der hat seine Vorlagen noch nie aus der Wirklichkeit bezogen, sondern aus der Tradition des Genres, die er aufnimmt und um eine neue Variante bereichert.

John Dickson Carr spielt von der ersten Seite des Romans an mit den so offengelegten Konventionen der Gattung. Gleich der erste Absatz umreißt das Problem, um das es im folgenden gehen wird – zwei unmögliche Verbrechen, wie sie im Schwierigkeitsgrad und in den evozierten Schauern in allen Fällen Dr. Fells nicht ihresgleichen finden. Den Zeugenaussagen zufolge muß der Täter nicht nur unsichtbar, sondern auch leichter als Luft gewesen sein, aus einem hermetisch verschlossenen Raum entkommen können, um einen zweiten Mord in einer leeren Straße zu begehen, ohne daß Zeugen an beiden Enden der Straße ihn gesehen haben und ohne Fußspuren im Schnee zu hinterlassen. Und diese Straße heißt auch noch nach dem großen Illusionisten des 18. Jahrhunderts »Cagliostro Street«.

Kennern des Genres wird so schon im ersten Absatz deutlich, daß Carr die beiden zentralen Rätsel des absoluten Klassikers des

»verschlossenen Raums« aufnimmt, den Dr. Fell in seinem Vortrag »den besten Kriminalroman, der jemals geschrieben wurde«, nennt. In Gaston Leroux' *Geheimnis des gelben Zimmers* erfolgt erst ein Mordanschlag in einem verschlossenen Raum, und später verschwindet der verfolgte Täter mitten in einem Korridor, an dessen Enden sich seine Verfolger befinden. Hinzu kommt noch die im klassischen Detektivroman häufig begegnende unverletzte Schneedecke: Sowohl Mordhaus wie Mordstraße muß der Täter betreten und verlassen haben, ohne Spuren im frisch gefallenen Schnee zu hinterlassen. Wenn Carr sich so bewußt den besten Detektivroman aller Zeiten zum Vorbild nimmt, dann natürlich, um diese Leistung zu überbieten. Daß ihm dies dann auch gelang, zeigt die Tatsache, daß der Krimi-Kenner und -Autor Henry Reymond Fitzwalter Keating Carrs *Der verschlossene Raum* als, nach Urteil aller Experten, besten Roman zu diesem Thema in seine Liste der 100 besten Krimis aller Zeiten aufgenommen hat und betont, ohne diesen Klassiker sei jede solche Liste automatisch unvollständig.

Der zweite Absatz bestätigt dann von vornherein die unverbrüchlichste aller Genrekonventionen, mit der bereits Edgar Allan Poe in *Die Morde in der Rue Morgue* gspielt hat: Wie übersinnlich auch die Schrecken sein mögen, die das Geschehen evoziert, wie sehr die Tat jedes »Menschenmögliche« übertrifft – in der Detektivgeschichte muß alles mit rechten Dingen zugegangen sein, das in ihr begegnende »Übernatürliche« darf zwar über die längste Strecke des Erzählens so wirken, muß aber am Ende mit natürlichen Mitteln erklärt werden. Andernfalls – etwa bei dem vom Erzähler als Beispiel angeführten *Unsichtbaren Mann* von Herbert G. Wells – handelt es sich um ein anderes Genre und nicht mehr um einen Detektivroman. Keinesfalls darf es sich hier um einen wirklichen »hollow man« – so der englische Originaltitel –, einen »hohlen« Mann ohne Substanz aus Fleisch und Blut handeln.

Carr legt hier selbst die Tradition offen, in der fast alle seine Romane stehen, eben die des »explained supernatural«, wie der von ihm zitierte englische Fachausdruck lautet. In dieser im späten 18. Jahrhundert von der Engländerin Ann Radcliffe begründeten Schule des Schauerromans finden alle scheinbar übernatürlichen und übersinnlichen Phänomene ihre rationale Erklärung. Vier der fünf bislang in der DuMont's Kriminal-Bibliothek vorgelegten Carr-Romane spielen an von Legenden, Schauern und Familienflüchen belasteten Orten (*Tod im Hexenwinkel*, Band 1002; *Der Tote im Tower*, Band 1014; *Die schottische Selbstmord-Serie*, Band 1018; und *Die Schädelburg*, Band 1027). Auch in *Der verschlossene Raum* wird dieses Element nicht fehlen: Den düsteren Hintergrund der Gegenwartshandlung, der mehr als ein Menschenalter zurückliegt, bildet ein rätselhaftes Geschehen in Transsylvanien, dem Mutter- oder besser Vaterland des Vampirismus, bei dem Tote (als Täter, als Opfer, als Rächer?) ihren Gräbern entkommen sein müssen. So liegt, wie es einmal heißt, ein Hauch des Schauers über diesen Morden mitten in London, eine Reminiszenz an die Karpaten, wo Goldkreuze und Knoblauchkränze vor Teufeln und Vampiren Schutz bringen sollen.

Der dritte Absatz legt dann eine Genrekonvention im engeren Sinne fest: Zwar soll der Leser bei allen Informationen, die nicht vom Erzähler selbst, sondern aus zweiter Hand stammen, skeptisch und kritisch sein – aber inmitten aller denkbaren und im Rahmen der Gattung legitimen Lügen müssen sich auch Fetzen der Wahrheit finden, sonst würde es sich wiederum nicht um einen legitimen Detektivroman handeln. Also vertraut der Erzähler uns im vierten Absatz hinter dem Rücken seiner Gestalten an, daß der Zeuge Stuart Mills und die drei Männer aus der Cagliostro Street exakt das schildern werden, was sie gesehen haben.

Diese vor Beginn der Handlung entwickelte Poetik des spezifisch Carrschen Detektivromans wird dann im unter Krimikennern legendären 17. Kapitel im Vortrag über den verschlossenen Raum breit entfaltet. Dr. Fell wird hier zum Sprachrohr seines Schöpfers – vermutlich handelt es sich um einen Originalvortrag Carrs, der seinem Lieblingsdetektiv und Spezialisten für unmögliche Verbrechen in den Mund gelegt wird. Dr. Gideon Fell alias John Dickson Carr schafft darin die Grundlagen für jegliche zukünftige wissenschaftliche Auseinandersetzung mit dem Detektivroman, indem er ihn als Variationsgattung ernst nimmt und die Summe der möglichen Variationen und ihre Kategorisierung am Beispiel des hermetisch verschlossenen Raums aufzählt und darlegt. Für eine wissenschaftlich befriedigende Erfassung und Beschreibung der Gattung wäre ähnliches für Mordwaffen, Alibimanipulationen, Motive usw. noch zu leisten.

Doch Dr. Fells Vortrag ist mehr als das – er ist eine Verteidigung des Carrschen Kriminalromans schlechthin, indem er seine spezifische Poetik entwickelt. Er will dabei ausdrücklich keine Regeln aufstellen und damit einen endlosen Streit vom Zaun brechen, wie ihn wenige Jahre zuvor die Regelwerke von S. S. Van Dine und Ronald Knox ausgelöst hatten.

Was er konstatiert, sind »satte und frohgemute, ganz bewußte Vorurteile«, und er zählt auf, was Carrs Leser an dessen Büchern und denen seiner großen Kollegen Dorothy Leigh Sayers und Alfred Woodley Mason schätzen: »Ich liebe es, wenn meine Morde zahlreich, blutrünstig und grotesk sind. Ich liebe es, wenn ein gerüttelt Maß an Farbkraft und Phantasie aus meiner Fabel leuchtet, denn ich kann einer Geschichte nicht allein deshalb etwas abgewinnen, weil sie den Anschein erweckt, sie hätte sich wirklich so zutragen können. Ich mache mir nichts aus dem Geräusch des alltäglichen Lebens; viel lieber lausche ich dem Lachen des großen Hanaud oder dem tödlichen Läuten der Glocken von Fenchurch St. Paul.«

Was er hier entwickelt, ist eine antiklassische und antiklassizistische Poetik: Aristoteles wie der Franzose Nicolas Boileau-Despréaux hatten bewußt bestimmte historische Fakten vom Drama ausgeschlossen. Daß sie »wahr« seien, genüge nicht, wenn sie darüber hinaus nicht auch »wahrscheinlich« seien. Dem widerspricht Dr. Fell diametral: Wer seine Fälle liebt, sucht das Außergewöhnliche, das Abstruse, das Groteske, das den Alltag Verfremdende, die Ahnung eines Ungeheuren, das vielleicht die Naturgesetze sprengt – aber er sucht es in einem Genre, das diesen Gesetzen verpflichtet ist. Wer aber erwartet, die längste Strecke der Erzählung in ein sinistres Licht des Schauerlichen, des Geheimnisvollen, des Unbegreiflichen getaucht zu sehen, darf nicht erwarten, daß die Lösung dann nicht nur möglich und denkbar, sondern auch wahrscheinlich ist. »Das letzte, worüber wir uns beim Mörder beschweren sollten, ist sein unberechenbares Benehmen. Der einzig gültige Maßstab lautet: Kann es so gemacht worden sein? Falls ja, erhebt sich die Frage, ob es je so gemacht werden würde, gar nicht mehr. Ein Mann entkommt aus einem verschlossenen Raum, nun, da er offenbar zu unserer Unterhaltung die Gesetze der Natur gebrochen hat, ist er, weiß Gott, auch dazu berechtigt, die Gesetze des wahrscheinlichen Verhaltens zu brechen! Wenn ein Mann sich anbietet, einen Kopfstand zu machen, können wir ihm wohl kaum die Bedingung stellen, dabei die Füße auf dem Boden zu behalten.«

Dies ist nicht mehr und nicht weniger als eine Schutzschrift gegen die Vorwürfe, die Raymond Chandler neun Jahre später 1944 unter dem Titel *The Simple Art of Murder (Die simple Kunst des Mordens)* gegen die klassische Schule des Detektivromans erheben wird. Carr macht deutlich, daß es nicht darum geht, ob der klassische Detektivroman oder ob seine Kritiker recht haben – es geht vielmehr um ein Geschmacksurteil. Wer Realismus und Wahrscheinlichkeit schätzt, mag zu anderer Literatur greifen, wer das Unmögliche im Alltag, das scheinbar Naturgesetzwidrige in einer rational durchanalysierten Welt liebt, wird den klassischen Detektivroman weiterhin in Ehren halten, der unsere Welt von Fall zu Fall ins Licht – oder besser ins Dämmer – des Sinistren taucht.

Eine einleuchtende Parallele wird im Roman selbst gezogen: die Arbeit des Varietézauberers, des Illusionisten. Er vollbringt auf hellerleuchteter Bühne vor unser aller Augen das Unmögliche, befreit sich aus zersägten und durchstochenen Kisten, aus versiegelten Säcken und löst sich in Luft auf. Wir lieben es zuzusehen, obwohl wir wissen, daß es Täuschung sein muß, keine Schwarze Magie, sondern daß die Naturgesetze gewahrt bleiben. Sollte dann der Trick erläutert werden, sind wir in jedem Sinne ent-täuscht: Die Täuschung besteht nicht länger, aber wir sind zugleich eigentümlich ernüchtert und desillusioniert. Derselbe psychologische Mechanismus gilt für den Detektivroman – auch beim 101. Rätsel um einen hermetisch verschlossenen Raum hoffen wir auf etwas anderes als einen Trick, eine geschickt inszenierte Illusion, eine Täuschung und wissen doch, daß wir am Ende ent-täuscht sein werden.

Und so lesen wir, die wir wie Dr. Fell die Werke von Carr und seinen Kollegen lieben, ihre Detektivromane doch wohl eher wegen der neun Zehntel des Werks anhaltenden Verwirrung als wegen der die Illusion brechenden und uns ent-täuschenden Auflösung. Die aber ist wiederum notwendig, um unsere Weltsicht zurück ins Lot zu bringen: Wir lieben das Unheimliche, aber es muß mit rechten Dingen zugegangen sein, muß sich in unserer von der Naturwissenschaft erklärten und beherrschten Welt ereignet haben.

So wird uns auch das Rätsel um den Mörder, der keine Spuren im Schnee hinterläßt, ein Zimmer betritt, nie mehr verläßt und gleichzeitig nicht darin ist, vor drei Zeugen einen Mann aus nächster Nähe mitten auf der Straße tötet und nicht zu verschwinden braucht, weil er nie aufgetaucht ist, in seiner Auflösung in diesem Sinne ent-täuschen. Und doch werden wir über die längste Strecke des Werks hinweg die Täuschungen genießen, die sich ergeben, wenn der mutmaßliche Täter Varietézauberer, sein Opfer Spezialist für die natürliche Erklärung des scheinbar Übersinnlichen und der Detektiv Fachmann für das Phänomen des Übernatürlichen in der englischen Literatur ist.

Volker Neuhaus

DuMont's Kriminal-Bibliothek

»Knarrende Geheimtüren, verwirrende Mordserien, schaurige Familienlegenden und, nicht zu vergessen, beherzte Helden (und bemerkenswert viele Heldinnen) sind die Zutaten, die die Lektüre der DuMont's ›Kriminal-Bibliothek‹ zu einem Lese- und Schmökervergnügen machen.

Der besondere Reiz dieser Krimi-Serie liegt in der Präsentation von hierzulande meist noch unbekannten anglo-amerikanischen Autoren, die mit repräsentativen Werken (in ausgezeichneter Übersetzung) vorgelegt werden.

Die ansprechend ausgestatteten Paperbacks sind mit kurzen Nachbemerkungen von Herausgeber Volker Neuhaus versehen, die auch auf neugierige Krimi-Fans Rücksicht nehmen, die gerne mal kiebitzen: Der Mörder wird nicht verraten. Kombiniere – zum Verschenken fast zu schade.«   *Neue Presse/Hannover*

Band 1002
John Dickson Carr
Tod im Hexenwinkel

Einer der schönsten Romane dieses in Deutschland bekannten
Meisters des Kriminalromans: Mit diesem Band stellt John Dick-
son Carr seinem Publikum zum ersten Mal den schwergewichtigen
Amateurdetektiv Gideon Fell vor, Privatgelehrter und Biertrinker
aus Passion. Er eroberte mit diesem Fall 1933 auf Anhieb die
Zuneigung der Leser durch seinen Scharfsinn, seinen sarkastischen
Humor und seinen unerschütterlichen Gleichmut.

Band 1014
John Dickson Carr
Der Tote im Tower

Eine Serie scheinbar verrückter Verbrechen versetzt ganz London in helle Aufregung. Ein offenbar Geistesgestörter stiehlt Hüte und dekoriert mit ihnen öffentliche Plätze. Doch was als recht harmloser Spaß beginnt, endet mit einem Mord. Der ›Verrückte Hutmacher‹, wie der Unbekannte bald nur noch genannt wird, schlägt wieder zu. Doch diesmal schmückt ein gestohlener Zylinder keine Statue, sondern das Haupt einer Leiche! Der Tote, der – mit einem Armbrustpfeil in der Brust – im Tower gefunden wird, heißt Philip Driscoll. Er war bei allen beliebt, was die Tat noch mysteriöser erscheinen läßt.

Band 1018
John Dickson Carr
Die schottische Selbstmord-Serie

Alan Campbell, Professor für Geschichte, will in der friedlichen
Abgeschiedenheit der schottischen Burg Shira am Loch Fyne seine
innere Ruhe wiederfinden. Dort war jedoch Angus Campbell
nachts vom Turm seiner Burg in den Tod gestürzt: Selbstmord –
Unfall oder Mord? Noch weiß niemand, daß sein tragisches Ableben erst der Beginn äußerst mysteriöser Ereignisse ist. Damit wieder Frieden in die halbverfallene Burg einkehren kann, bedarf es
schon des detektivischen Genies von Dr. Gideon Fell. Alan Campbell und den anderen Gästen stehen jedenfalls schlaflose Nächte
bevor...

Band 1027
John Dickson Carr
Die Schädelburg

Zu Lebzeiten war Myron Alison ein berühmter Schauspieler, und selbst sein Todeskampf wird noch zu einem letzten Auftritt. Lichterloh wie eine Fackel brennend, stürzt er von den Zinnen der halbverfallenen, malerisch am Rhein gelegenen Burg Schädel. Auf Wunsch des steinreichen Industriellen Jérôme D'Aunay übernimmt der Chef der Pariser Polizei, Henri Bencolin, die Ermittlungen. In einer Villa trifft er auf eine interessante Gesellschaft, deren Teilnehmer den Toten alle nicht besonders schätzten . . .

Bencolin steht vor einem seiner schwersten Fälle, scheint doch selbst das Übernatürliche seine Finger im Spiel zu haben. Findet der Geist des vor 17 Jahren gestorbenen Magiers Maleger keine Ruhe und vollbringt noch aus dem Grab heraus sein größtes Zauberkunststück?

Band 1034
John Dickson Carr
Fünf tödliche Schachteln

Eine harte Nuß für Chefinspektor Masters: Vier illustre Mitglieder
der Londoner High-Society haben sich kurz vor Mitternacht zu
einer Cocktailparty getroffen. Wenig später finden der junge Arzt
John Sanders und die hübsche Marcia Blystone die drei Gäste
bewußtlos und den Gastgeber erstochen auf. An Verdächtigen
herrscht kein Mangel – der Tote hatte in weiser Voraussicht fünf
mysteriöse Schachteln mit den Namen von fünf potentiellen Tätern
bei seinem Anwalt hinterlegt. Mit Elan begibt sich Masters auf die
Spurensuche. Die Lösung des Rätsels bleibt jedoch seinem schwergewichtigen Erzrivalen aus dem englischen Hochadel, Sir Henry
Merrivale, vorbehalten.

Band 1044
Anne Perry
Rutland Place

In den noblen viktorianischen Häusern am Rutland Place geht ein
Dieb ein und aus – und die vornehmen Herrschaften müssen sich
eingestehen, daß der Täter einer von ihnen ist. Zu gern schwiege
man daher die unerquickliche Geschichte tot, wäre da nicht der
Selbstmord? – oder war es ein Mord? – einer der Anwohnerinnen
des Rutland Place, die als besonders neugierig galt. Verzweifelt
bittet Caroline Ellison ihre Tochter Charlotte, die Frau von
Inspektor Pitt, um Hilfe, ist sie doch selbst in diesen Fall in äußerst
kompromittierender Weise verwickelt . .

Band 1043
Robert Robinson
Die toten Professoren

Eigentlich ist Inspektor Autumn ja nach Oxford gekommen, um die Zerstörung einer wertvollen Milton-Ausgabe des Warlock College zu untersuchen. Aber dann wird das Dach der Kapelle des College unvermutet um eine Stifterfigur bereichert: die Leiche des toten Vizekanzlers Manchip. An Motiven mangelt es nicht, denn der Tote war äußerst unbeliebt. Doch für welchen Täter soll Autumn sich entscheiden: neidische Kollegen, russische Spione, eifersüchtige Liebhaber oder gar außerirdische Invasoren? Als er schließlich mit nackten Tatsachen konfrontiert wird, ist Inspektor Autumn mehr als beeindruckt!

Band 1041
Charlotte MacLeod
Kabeljau und Kaviar

Nach seiner Hochzeit mit Sarah Kelling würde Detektiv Max Bittersohn am liebsten jede freie Minute mit seiner Frau verbringen. Doch Sarahs überspannte Verwandtschaft verwickelt ihn gleich in einen neuen Fall: Erst wird Sarahs Onkel Jem eine wertvolle Silberkette, das Wahrzeichen des noblen Clubs des ›Geselligen Kabeljaus‹ gestohlen, dann ereignet sich ein fast tödlicher Unfall, und schließlich stehen auf einer Party neben Champagner und Kaviar auch kaltblütiger Mord auf dem Programm . . .

Band 1040
Ellery Queen
Der Sarg des Griechen

Als der Kunsthändler Georg Khalkis an Herzversagen stirbt, ahnt niemand, daß dies nur der Auftakt ist zu einer mörderischen Symphonie: Doch dann verschwindet das Testament, das der Verstorbene noch kurz vor seinem Tod geändert haben soll. Bei der Suche nach dem Letzten Willen macht man eine grauenvolle Entdeckung: In Khalkis' Sarg liegt eine weitere Leiche – mit Würgemalen am Hals: Der Urkundenfälscher und Kunstdieb Albert Grimshaw. Und das Testament bleibt solange verschwunden, kombiniert Ellery Queen, der Autor von Kriminalromanen und scharfsinnige Amateurdetektiv, bis Grimshaws Mörder gefunden ist.

Band 1039
Timothy Holme
Satan und das Dolce Vita

Achille Peroni, der Rudolfo Valentino der italienischen Polizei, erhält den Auftrag, sich um das Verschwinden einer jungen Frau zu kümmern, die in dem italienischen Badeort Jesolo als Sängerin gearbeitet hat. Es scheint sich lediglich um eine Routineangelegenheit zu handeln. Doch je intensiver Peroni sich mit dem Fall beschäftigt, desto mehr fasziniert ihn die geheimnisvolle schwarzhaarige Schönheit. Schon bald muß er feststellen, daß er mit seinen Untersuchungen in ein Wespennest gestoßen ist. Der Satanskult hat Einzug gehalten in die Häuser der vornehmen venezianischen Gesellschaft. Als Peroni selbst an einer schwarzen Messe teilnimmt, wird ihm ein teuflisches Angebot unterbreitet. . .

Band 1038
Patricia Moyes

»...daß Mord nur noch ein Hirngespinst«

Die Familie Manciple gilt als exzentrisch – aber die Bewohner des englischen Dorfes, in dem die Familie seit Generationen lebt, mögen sie gerade deswegen. Als der neureiche Londoner Buchmacher Raymond Mason erschossen in der Auffahrt zum Anwesen der Manciples gefunden wird, glaubt daher keiner der Nachbarn, daß der Täter einer von ihnen ist. Chefinspektor Henry Tibbet aus London, der mit den Ermittlungen betraut wird, trifft auf schießwütige pazifistische Ex-Soldaten, spiritistisch interessierte schwerhörige Großtanten, zerstreute und charmante Hausherrinnen, kreuzworträtselbesessene Bischöfe, undurchsichtige Wissenschaftler und scharfzüngige Schönheiten. Mord ist für ihn bald nur noch das kleinere Problem in diesem Fall.

PENGUIN BOOKS

Daughters of Liverpool

Kate Eastham trained as a nurse and midwife on the Nightingale wards of Preston Royal Infirmary. She has well over thirty years of experience working in hospital, residential and hospice care. Born and bred in Lancashire, she is married with three grown-up children and one grandchild. Always reading, she went on to gain a degree in English Literature and was inspired to write after researching the history of nursing and her own family history, with its roots in Liverpool, northern mill towns and rural Lancashire. *Daughters of Liverpool* is her third novel.